ONDERKOELD

ARNALDUR INDRIĐASON

Onderkoeld

VERTAALD UIT HET IJSLANDS DOOR MARCEL OTTEN

AMSTERDAM · ANTWERPEN
2009

Q is een imprint van Em. Querido's Uitgeverij BV, Amsterdam

Oorspronkelijke titel *Harðskafi*
Published by agreement with Edda Publishing, Reykjavik, www.edda.is

Omslag Wil Immink
Omslagbeeld Imagestore/Arcangel Images
Foto auteur Ralf Baumgarten
ISBN 978 90 214 3524 4 / NUR 305
www.uitgeverijQ.nl

Dit verhaal is verzonnen. Namen, personen en gebeurtenissen zijn volledig aan de fantasie van de schrijver ontsproten en elke overeenstemming met de werkelijkheid berust op louter toeval.

Aanspreekvormen

Hoewel het IJslands de beleefdheidsvorm 'u' wel kent, wordt deze zelden gebruikt. Iedereen, met uitzondering van de president en enkele hoge functionarissen, wordt met de voornaam of 'je' aangesproken. Daarom is in dit boek gekozen voor de laatste aanspreekvorm.

Uitspraak van þ, ð en æ

De IJslandse þ wordt ongeveer uitgesproken als de Engelse stemloze th (bijvoorbeeld in *think*).
De IJslandse ð, die nooit aan het begin van een woord voorkomt, is de stemhebbende variant: als in het Engelse *that*.
De IJslandse æ wordt uitgesproken als *ai*.

‘De oudere broer herstelde van zijn bevriezingen,
maar sindsdien vond men hem futloos en eenzelvig.’

Een drama op de Eskifjarðarheiði

María was zich nauwelijks bewust van de begrafenis. Ze zat verdoofd op de voorste bank en hield Baldvins hand vast zonder helemaal te beseffen waar ze was of wat er gebeurde. De preek van de priester, de mensen die voor de uitvaart bijeen waren gekomen en het gezang van het kleine kerkkoor vloeiden samen tot een triest refrein. De priester was bij hen thuis op bezoek gekomen en hij had een aantal punten opgeschreven, dus ze kende de strekking van zijn preek. Die ging vooral over de academische carrière van Leonóra, haar moeder, de moed die ze had getoond toen ze worstelde met die dodelijke ziekte, de vriendenkring die ze tijdens haar leven om zich heen had verzameld, en over María zelf, de enige dochter, die gedeeltelijk in de voetsporen van haar moeder was getreden. De priester vermeldde hoe vooraanstaand Leonóra op haar vakgebied was geweest en een warme vriendenkring had opgebouwd getuige de grote opkomst op die troosteloze herfstdag. De meeste kerkgangers waren mensen van de universiteit. Leonóra had wel eens tegen María gezegd wat voor een geschenk het was om tot de geschoolde klasse te behoren. Het was beslist vanwege de arrogantie die in haar woorden besloten lag dat María het verkoos de andere kant op te kijken.

Ze herinnerde zich de herfstkleuren op het kerkhof en de bevroren poelen op het grindpad omlaag naar het graf, het gekraak toen de dunne ijslaag brak onder de voeten van de lijkdragers. Ze herinnerde zich de kou en het kruisteken dat ze sloeg boven de kist van haar moeder. Ze had zichzelf ontelbare malen op dat pad gezien toen het duidelijk was dat haar moeder aan de ziekte zou overlijden en nu was de tijd gekomen. Ze staarde naar de kist beneden in het graf en zei in gedachten een kort gebed voordat ze met gestrekte hand het kruisteken maakte. Toen bleef ze roerloos aan de rand van het graf staan tot Baldvin haar wegleidde.

Ze herinnerde zich de mensen die bij haar op het lijkmaal waren gekomen en hun medeleven betuigden. Sommigen boden hulp aan. Of er iets was dat ze voor haar konden doen.

Haar gedachten dwaalden pas naar het meer af toen alles weer stil was en ze in haar eentje tot diep in de nacht op zat. Ze dacht er pas aan toen alles voorbij was en haar gedachten gingen terug naar die beladen dag waarop de familie aan haar vaders kant niet naar de begrafenis was gekomen.

1

Het bericht kwam kort na middernacht via een mobiel binnen in Neyðarlína. Door de telefoon klonk een opgewonden vrouwenstem die zei: 'Ze heeft... María heeft zelfmoord gepleegd... ik... het is afschuwelijk... afschuwelijk!'

'Hoe heet je?'

'Ka... Karen.'

'Waarvandaan bel je?' vroeg de ambtenaar uit Neyðarlína.

'Ik ben in... het is in... haar zomerhuis...'

'Waar? Waar is dat?'

'...aan het Þingvellirvatn. In... in haar zomerverblijf. Kom snel... ik... ik zal daar zijn...'

Karen wist het zomerverblijf nooit te vinden. Het was al lang geleden dat ze er was geweest, bijna vier jaar. María had haar voor de zekerheid uitgebreide aanwijzingen gegeven, maar die waren min of meer het ene oor in en het andere oor uit gegaan omdat ze dacht dat ze de weg nog zou weten.

Tegen negen uur 's avonds reed ze in het pikkedonker Reykjavík uit. Ze reed over de Mosfellsheiði, waar weinig verkeer was, een paar koplampen die haar passeerden op weg naar de stad. Slechts één andere auto reed in oostelijke richting; ze bleef aan de rode achterlichtjes hangen en ze was blij met het gezelschap. Ze had er een hekel aan alleen in het donker te rijden en ze zou eerder zijn vertrokken als ze niet was opgehouden. Ze was hoofd public relations bij een grote bank, met constant vergaderingen en een telefoon die bleef overgaan.

Ze wist dat de berg Grímarsfell rechts lag, hoewel ze die niet kon zien, en de Skálafell links. Ze reed langs de afslag naar Vindáshlíð, waar ze toen ze klein was twee weken op zomervakantie was geweest. Ze volgde de rode achterlichtjes op de aangename rit tot ze het Kerlingarhraun omlaag gingen. Toen scheidden zich hun wegen. De auto verhoogde zijn snelheid en de rode lichtjes verdwenen in het duister. Ze bedacht dat de auto misschien naar Uxahryggir en noordwaarts naar Kaldadalur ging. Ze was vaak die kant op gegaan en ze vond het mooi om het Lundarreykjadalur uit te rijden en omlaag naar Borgarfjörður. Herinneringen van mooie zomerdagen aan het meer Sandkluftavatn kwamen bij haar naar boven.

Ze sloeg rechts af en reed verder in de duisternis van Þingvellir. Ze vond het moeilijk zich in het donker te oriënteren. Had ze al moeten afslaan? Was dat de juiste zijweg omlaag naar het meer? Of was het de volgende? Was ze te ver gereden?

Tweemaal kwam ze in de problemen en moest ze omkeren. Het was donderdagavond en veruit de meeste woningen waren verlaten. Ze had eten meegenomen, boeken om te lezen, ook al had María haar verteld dat ze onlangs een tv in het huis hadden geïnstalleerd. Ze was vooral van plan om te slapen en uit te rusten. Op de bank was het net een gekkenhuis na de laatste overnamepoging. Ze was ermee opgehouden te proberen iets te begrijpen van het gevecht tussen de ene groep grootaandeelhouders die zijn krachten bundelde tegen een andere groep. Het ene persbericht na het andere was met tussenpozen van twee uur uitgegaan en de situatie werd er niet beter op toen aan het licht kwam dat een afvloeiingsregeling van honderd miljoen kronen was overeengekomen met een directeur van de bank waar een of andere groep vanaf wilde. De directie was erin geslaagd zich de woede van het publiek op de hals te halen en Karen moest hen op de een of andere manier tot kalmte zien te bewegen. Dat was de afgelopen weken voorgevallen en ze had er schoon genoeg van, tot ze op het idee kwam de stad te ontvluchten. María had haar vaak aangeboden om haar buitenhuis te gebruiken en ze besloot haar op te bellen. 'Natuurlijk,' zei María.

Karen reed langzaam over een slechte weg door laaggroeiend struikgewas tot de koplampen beneden bij het meer het buitenhuis oplichtten. María had haar de sleutel gegeven en haar ook verteld waar een tweede sleutel verborgen lag. Het kon soms goed van pas komen een reservesleutel bij het buitenhuis te verstoppen.

Ze keek ernaar uit de volgende dag in de herfstkleuren bij Þingvellir wakker te worden. Ze herinnerde zich precies dat uitstapjes naar de unieke herfstkleuren in het nationale park voor het eerst werden gepromoot. Weinig plekken waren mooier dan het meer waar de roest- en geelrode kleuren van de afstervende planten zich uitstrekten zover het oog reikte.

Ze haalde de bagage uit de auto en zette die op de veranda bij de deur neer. Ze stak de sleutel in het slot, maakte de deur open en tastte naar het lichtknopje. Het licht in de gang naar de keuken ging aan en ze liep naar binnen met de kleine koffer, die ze in de slaapkamer van het echtpaar neerzette. Ze verbaasde zich erover dat het bed niet was opgemaakt. Dat was niets voor María. Een handdoek lag op de vloer van de badkamer. Toen ze het licht in de keuken aandeed voelde ze een vreemde aanwezigheid. Ze was niet bang in het donker, maar er trok opeens een onaangename gewaarwording door haar lijf. De woonkamer was donker. Van daaruit had je een prachtig uitzicht over het Þingvellirvatn.

Karen deed het licht in de woonkamer aan.

In het plafond zaten vier stevige dwarsbalken en aan een ervan hing een lichaam met de rug naar haar toe gewend.

Ze schrok zo dat ze tegen de muur van de kamer achteruitdeinsde en met haar hoofd tegen de lambrisering sloeg. Het werd zwart voor haar ogen. Het lijk bungelde van de dwarsbalk aan een dun, blauw touw en het werd weerspiegeld in de donkere ramen van de woonkamer. Ze wist niet hoeveel tijd er voorbijging voor ze dichterbij durfde te komen. De vreedzame omgeving bij het meer was op slag veranderd in de setting van een gruwelverhaal die ze nooit meer zou vergeten. Elk detail zette zich vast in haar geheugen. Het krukje uit de keuken, een Fremdkörper in de uitgesproken gestileerde woonkamer onder het lijk. De blauwe kleur van het touw. De weerspiegeling in de ramen. De duisternis van Þingvellir. Het roerloze lichaam onder de dwarsbalk.

Ze kwam voorzichtig dichterbij en keek naar het blauw opgezwollen gezicht. Haar duistere vermoeden bleek waar te zijn. Het was haar vriendin. María.

2

Ze vond dat er verbazingwekkend weinig tijd was verstreken sinds ze gebeld had en er een voorlopig team van dokter en agenten uit Selfoss was gearriveerd. De recherche van Selfoss had de zaak in behandeling en het enige wat men wist was dat degene die zich van het leven had beroofd uit Reyjavík kwam en woonachtig was in Grafarvogur, getrouwd, zonder kinderen.

De mannen praatten in de woning op gedempte toon met elkaar. Ze stonden als uit de toon vallende figuren in een vreemd zomerhuis waar de tragische gebeurtenissen hadden plaatsgevonden.

'Ben jij degene die gebeld heeft?' vroeg een jonge agent.

Hij was naar de vrouw gestuurd die het lijk had gevonden. Ze zat in de keuken en staarde terneergeslagen naar de vloer.

'Ja. Ik heet Karen.'

'We kunnen voor traumahulp zorgen als je...'

'Nee, ik geloof... het gaat wel.'

'Kende je haar goed?'

'Ik kende María al sinds we klein waren. Ze heeft me het zomerhuis in bruikleen gegeven. Ik was van plan het weekend te blijven.'

'Je hebt haar auto achter de woning niet gezien?' vroeg de agent.

'Nee. Ik dacht dat er niemand was. Toen merkte ik dat het bed niet was opgemaakt en toen kwam ik in de woonkamer... Ik heb zoiets nog nooit gezien. Arme María! Arm kind!'

'Wanneer heb je voor het laatst met haar gesproken?'

'Dat was maar een paar dagen geleden. Toen ze zei dat ik de woning mocht gebruiken.'

'Zei ze dat ze hier zou zijn?'

'Nee. Daar heeft ze het niet over gehad. Ze zei dat ik een paar dagen het huis kon gebruiken. Geen probleem.'

'En klonk ze... opgewekt?'

'Ja, ik vond van wel. Toen ik bij haar de sleutel kwam ophalen was ze volkomen normaal.'

'Ze wist dat je hier zou komen?'

'Ja. Wat bedoel je?'

'Ze heeft geweten dat je haar zou vinden,' zei de agent.

Hij had een krukje naar haar toe getrokken en was naast haar gaan zitten. Ze greep hem bij de arm en staarde hem aan.

'Bedoel je dat...?'

'Het was misschien de bedoeling dat je haar zou vinden,' zei de agent. 'Maar daar weet ik verder niets van.'

'Waarom zou ze dat gewild hebben?'

'Het is maar een hypothese.'

'Maar het klopt. Ze wist dat ik het weekend hier zou zijn. Ze wist dat ik hier zou komen. Wanneer... wanneer heeft ze het gedaan?'

'We hebben daar geen uitsluitsel over, maar de dokter denkt dat het niet veel later dan gisteravond geweest kan zijn. Waarschijnlijk is het vierentwintig uur geleden gebeurd.'

Karen verborg haar gezicht in haar handen.

'God, dit is zo... dit is zo onwerkelijk. Ik had haar nooit moeten vragen hier te mogen logeren. Hebben jullie al met haar man gepraat?'

'Ze zijn naar hem op weg. Ze wonen in Grafarvogur, nietwaar?'

'Ja. Hoe kon ze dit zichzelf aandoen? Hoe kan iemand zoiets doen?'

'Dan moet je behoorlijk wanhopig zijn,' zei de agent en hij wenkte de dokter naar hem te komen. 'Vertwijfeling. Je hebt er bij haar niets van gemerkt?'

'Ze heeft twee jaar geleden haar moeder verloren,' zei Karen. 'Dat was een grote klap voor haar. Ze stierf aan kanker.'

'Ik begrijp het,' zei de agent.

Karen wendde zich af. De agent vroeg haar of de dokter haar soms kon helpen. Ze schudde haar hoofd en zei dat alles in orde was, maar dat ze graag naar huis wilde als dat kon. Dat werd haar meteen toegestaan. Ze zouden later met haar praten als dat nodig was.

De agent begeleidde haar naar buiten naar de parkeerplaats voor de woning en deed voor haar het portier van de auto open.

'Gaat het wel?' vroeg hij.

'Ja, ik geloof van wel,' antwoordde Karen. 'Dank je.'

De agent keek hoe ze haar auto keerde en wegreed. Toen hij de woning weer binnenkwam had men het lijk van het touw losgesneden en op de vloer gelegd. Hij knielde ernaast. De vrouw was gekleed in een wit T-shirt met korte mouwen en een blauwe spijkerbroek; ze had geen sokken aan. Ze had donker, kortgeknipt haar, een smal gezicht en ze was slank. Hij zag geen enkel teken van een worsteling, op haar lichaam noch in het huis, slechts het keukenkrukje dat de vrouw had gebruikt om de strop aan de dwarsbalk vast te maken. Het blauwe touw kon je in elke doe-het-zelfzaak kopen. Het had een diepe groef in haar zachte hals achtergelaten.

'Het was zuurstofgebrek,' zei de districtsarts die met het interimteam had gesproken. 'Ze heeft niet haar nek gebroken, jammer genoeg. Dan zou het vlug afgelopen zijn geweest. Ze is gestikt toen het touw de hals dichtsnoerde. Dat heeft een tijdje geduurd. Ze zijn aan het vragen wanneer men haar kan verwijderen.'

'Hoe lang heeft dat geduurd?' vroeg de agent.

'Twee minuten, misschien minder, voor ze het bewustzijn verloor.'

De agent stond op en keek in de woning om zich heen. Het leek hem een heel gewoon IJslands zomerhuis, met een leren bankstel, een fraaie eetkamertafel en een bijna nieuwe keukeninrichting. De wanden van de woonkamer waren met boeken bedekt. Hij liep naar de boekenkast en zag de bruine lederen ruggen van de sprookjes van Jón Árnason in vijf banden. Griezelverhalen, dacht hij bij zichzelf. Op de andere planken stond Franse literatuur, IJslandse romans en een paar voorwerpen van porselein of aardewerk, ingelijste foto's, drie van dezelfde vrouw op verschillende leeftijd, zo te zien. Aan de muren hingen zeefdrukken, een klein olieverfschilderij en aquarellen.

De agent liep naar wat hij dacht dat de echtelijke slaapkamer was. Het bed was aan één kant beslapen. Op het nachtkastje ernaast lagen boeken. De nieuwste poëziebundel van Davíð Stefánsson uit Fagraskogur. Verder stond er een klein parfumflesje.

Zijn ronde door het zomerhuis was niet louter uit nieuwsgierigheid. Hij zocht naar sporen van een worsteling, een aanwijzing dat de vrouw niet vrijwillig de keuken in was gegaan, het krukje had gepakt, het onder de dwarsbalk had geplaatst, erop was geklommen en de strop om haar hals had gelegd. Het enige wat hij vond was een zeer kalme dood, bescheiden bijna.

Zijn collega van de politie uit Selfoss stoorde hem.

'Heb je iets gevonden?' vroeg hij.

'Niets. Dit is duidelijk een zelfmoord. Zo klaar als een klontje. Er is niets dat op iets anders wijst. Ze heeft zichzelf omgebracht.'

'Het ziet er allemaal zo naar uit.'

'Zal ik het touw van de balk afsnijden voor we weggaan? Ze is toch getrouwd?'

'Doe maar. Ja, haar man wordt hier verwacht.'

De agent pakte de strop van de vloer en rolde hem tussen zijn vingers. Hij was niet erg professioneel gemaakt, de winding was losjes en de strop ging er moeilijk doorheen. Hij bedacht dat hij een betere strop kon maken, maar je kon van een gewone vrouw uit Grafarvogur niet verwachten dat ze een perfecte hanglus maakte. Het zag er niet naar uit dat ze zich een bepaalde methode eigen had gemaakt en de zelfmoord grondig had voorbereid. Het was misschien eerder een impulsieve daad geweest dan een zorgvuldig voorbereide actie.

Hij maakte de deur naar de veranda open. Daarvandaan waren slechts twee treden omlaag en het was slechts een paar passen naar de rand van het meer. Het had de afgelopen dagen gevroren en bij de oever lag een dunne ijslaag op het water. Op sommige plekken was het aan land vastgevroren en het leek op vliesdun glas terwijl het water eronder tekeerging.

3

Erlendur reed omhoog naar de bescheiden eengezinswoning in Grafarvogur. Het vrijstaande huis stond helemaal op het eind van een doodlopende straat met fraaie eengezinswoningen die er voor het merendeel eender uitzagen, wit, blauw of rood geschilderd en met een garage, twee auto's voor elk huis. De straat was goed verlicht en zag er netjes uit, de tuinen waren goed onderhouden, het gras was gemaaid en de bomen en struiken gesnoeid. Overal waar je keek een vierkante haag. Het huis leek ouder dan de andere in de straat, het was niet in dezelfde stijl gebouwd, had geen gebogen vensters of pretentieuze zuilen bij de ingang noch een serre. Het was wit geschilderd met een plat dak en in de woonkamer zaten grote ramen die uitkeken op de Kollurfjörður en de berg Esja. Een grote en fraai verlichte tuin lag rondom het huis waar minutieus zorg aan was besteed. De ganzerik en het vijfvingerkruid, de rozenstruiken en de viooltjes waren in de herfst afgestorven.

Het was ongewoon koud met noordenwind en bittere vorst. Een dorre wind waaide de bladeren van de bomen over de straat naar het einde van de doodlopende weg. Erlendur parkeerde de auto en keek op naar het huis. Hij haalde diep adem voor hij naar binnen ging. Dit was de tweede zelfmoord binnen een week. Misschien kwam het door de herfst en de gedachte aan een lange, donkere winter die in het verschiet lag.

Hij moest zoals gebruikelijk namens de politie van Reykjavík contact opnemen met de echtgenoot. De politie van Selfoss had al besloten de zaak naar Reykjavík door te verwijzen 'voor een passende behandeling,' zoals het werd genoemd. Een priester was naar de man gestuurd. Ze zaten in de keuken toen Erlendur kwam opdagen. De priester deed de deur voor hem open en ging hem voor naar de keuken. Hij zei dat hij de dominee van Grafarvogur was; María had de dienst van deze priester ingeroepen als haar eigen priester niet beschikbaar was.

De echtgenoot van María zat roerloos aan de keukentafel; hij had een wit overhemd en een spijkerbroek aan, hij was slank en krachtig gebouwd. Erlendur stelde zich voor en ze schudden elkaar de hand. De man heette Baldvin. De priester bleef bij de keukendeur staan.

'Ik moet naar het buitenhuis,' zei Baldvin.

'Ja, het lichaam is...' zei Erlendur, maar verder kwam hij niet.

'Men heeft mij verteld...' begon Baldvin.

'We brengen je erheen als je wilt. Het lichaam is overigens naar Reykjavík overgebracht. Naar het moratorium op het Barónsstigur. We dachten dat je dat liever had dan dat het naar het ziekenhuis van Selfoss vervoerd zou worden.'

'Dank je.'

'Je moet haar identificeren.'

'Natuurlijk. Vanzelfsprekend.'

'Was ze alleen in Þingvellir?'

'Ja, ze is erheen gegaan om twee dagen te werken en ze zou vanavond naar de stad komen. Ze zei dat ze laat op weg zou gaan. Ze had de woning voor het weekend aan haar vriendin in bruikleen gegeven. Dat is wat ze mij vertelde, en ook dat ze misschien op haar zou wachten.'

'Haar vriendin, Karen, je kent haar?'

'Ja.'

'Was je hier thuis?'

'Ja.'

'Wanneer heb je voor het laatst met je vrouw gesproken?'

'Gisteravond. Voor ze ging slapen. Ze had haar mobiel naar het zomerhuis meegenomen.'

'Je hebt vandaag niets van haar gehoord?'

'Nee, niets.'

'Ze verwachtte niet dat je naar Þingvellir zou komen?'

'Nee. We zouden het weekend in de stad blijven.'

'Maar ze verwachtte haar vriendin vanavond?'

'Ja, zo heb ik het begrepen. De priester vertelde me dat María waarschijnlijk... is het gisteravond gebeurd?'

'De arts moet ons nog het exacte tijdstip van overlijden geven.'

Baldvin zweeg.

'Heeft ze het eerder geprobeerd?' vroeg Erlendur.

'Wat? Zelfmoord? Nee. Nooit.'

'Wist je dat het slecht met haar ging?'

'Ze was enigszins depressief en ongelukkig,' zei Baldvin. 'Maar niet zo dat... dit is...'

Hij barstte in tranen uit.

De priester keek naar Erlendur en gaf hem te kennen dat het voor dit moment genoeg was geweest.

'Het spijt me,' zei Erlendur en hij stond op van de keukentafel. 'We kunnen beter later met elkaar praten. Wil je dat ik iemand bel die bij je kan zijn? Traumahulp misschien? We kunnen...'

'Nee, dat is... Dank je.'

Op weg naar buiten ging Erlendur door de woonkamer, waar grote boekenkasten stonden. Hij had voor de garage een fraaie jeep gezien toen hij het tuinpad op liep.

Waarom doodgaan met zo'n huis? dacht hij. Is hier echt niets om voor te leven?

Hij wist dat zulke overwegingen zinloos waren. De praktijk wees uit dat zelfmoord onvoorspelbaar kon zijn en niet afhing van financiële status. Het gebeurde vaak volkomen onverwachts. Het ging om mensen van alle leeftijden, jong, middelbaar en oud, die op een dag besloten een eind aan hun leven te maken. Soms gebeurde het na een lange geschiedenis van depressie en mislukte pogingen. In andere gevallen kwam de daad van een vriend of familielid als een complete verrassing. 'We hadden geen idee dat het zo slecht met hem ging.' 'Ze zei nooit iets.' 'Hoe hadden we het kunnen weten?' De nabestaanden zaten na het leed dat had toegeslagen met vragen in de ogen, en met vertwijfeling en angst in hun stem zeiden ze: 'Waarom? Had ik het kunnen voorzien? Had ik het beter moeten doen?'

De man begeleidde Erlendur naar de voordeur.

'Ik heb begrepen dat ze een paar jaar geleden haar moeder heeft verloren.'

'Ja, dat klopt.'

'Is haar overlijden voor María een schok geweest?'

'Het was een grote klap voor haar,' zei de man. 'Desondanks is dit onbegrijpelijk. Ook al was ze de laatste tijd depressief, dit is volslagen onbegrijpelijk.'

'Uiteraard,' zei Erlendur.

'Jij bent natuurlijk vertrouwd met al die zelfmoordgevallen?' vroeg Baldvin.

'Om de zoveel tijd komt het voor,' zei Erlendur. 'Betreurenswaardig genoeg.'

'Heeft ze... heeft ze geleden?'

'Nee,' zei Erlendur beslist. 'Dat heeft ze niet.'

'Ik ben arts,' zei Baldvin. 'Je hoeft niet tegen mij te liegen.'

'Dat doe ik ook niet,' zei Erlendur.

'Ze was allang behoorlijk neerslachtig,' zei Baldvin, 'maar ze heeft nooit hulp gezocht. Misschien had ze dat beter wel kunnen doen. Misschien had ik beter moeten begrijpen wat er in haar omging. Zij en haar moeder konden goed met elkaar opschieten. Ze had er moeite mee zich met haar dood te verzoenen. Leonóra was pas vijfenzestig, gestorven in haar beste jaren. Kanker. María verzorgde haar en ik weet niet zeker of ze zich al had hersteld na haar overlijden. Zij was Leonóra's enig kind.'

'Het is begrijpelijk dat zoiets moeilijk is te verkroppen.'

'Het is misschien moeilijk je in haar situatie te verplaatsen,' zei Baldvin.

'Ja, natuurlijk,' zei Erlendur. 'En haar vader?'

'Hij is overleden.'

'Was ze gelovig?' vroeg Erlendur terwijl hij naar een kruisbeeld op de commode in de hal keek. Ernaast lag de bijbel.

'Ja, ze was gelovig,' zei de man. 'Ze ging naar de kerk. Veel geloviger dan ik. En dat wordt sterker naarmate je ouder wordt.'

'Jij bent niet gelovig?'

'Dat kan ik niet beweren.'

Baldvin slaakte een diepe zucht. 'Dit... dit is zo onwerkelijk, je moet me verontschuldigen, ik...'

'Ja, het spijt me,' zei Erlendur, 'we zijn klaar.'

'Ik ga nu naar Barónsstigur.'

'Goed,' zei Erlendur. 'De patholoog-anatoom moet haar onderzoeken. Dat moet gebeuren in zaken als deze.'

'Ik begrijp het,' zei Baldvin.

Het huis maakte plotseling een verlaten indruk. Erlendur reed op een afstandje achter de priester en Baldvin aan. Toen hij op het punt stond de hoek van de zijstraat om te gaan keek hij in zijn achteruitkijkspiegel en het leek alsof de gordijnen in de woonkamer bewogen. Hij trapte op de rem en keek lang in de spiegel. Hij zag geen beweging bij het raam, maar terwijl hij zijn voet van de rem haalde en zijn weg vervolgde wist hij zeker dat hij zich niet had vergist.

María was de eerste weken en maanden na het overlijden van Leonóra voor niemand aanspreekbaar. Ze wilde geen bezoek en ze nam de telefoon niet meer op. Baldvin nam twee weken vrij van zijn werk, maar hoe meer hij iets voor haar wilde doen, hoe verbetener ze eiste met rust te worden gelaten. Baldvin bezorgde haar medicijnen tegen lusteloosheid en neerslachtigheid, maar ze wilde ze niet innemen. Hij kende een psychiater die bereid was haar op te zoeken, maar ze wilde het niet. Ze zei dat ze haar verdriet zelf moest verwerken. Daar ging tijd overheen en hij moest geduld hebben. Ze had het eerder bij de hand gehad en ze zou het nu weer doen.

Ze kende de angsten, de depressies, tijden dat ze nergens trek in had en afviel, het mentale, verlammende gevoel dat haar zwak en onverschillig maakte tegenover wat dan ook, behalve voor de privéwereld die ze uit verdriet voor zichzelf had gecreëerd. Niemand kon daar een stap binnen zetten. Ze had in dezelfde omstandigheid verkeerd toen haar vader overleed. Toen had ze haar moeder, die oneindig veel sterker dan zij was. María droomde het eerste jaar na zijn dood constant over haar vader, en vele dromen ontaardden in nachtmerries die haar niet loslieten. Ze leed aan hallucinaties. Hij verscheen zo waarachtig aan haar dat ze soms dacht dat hij nog in leven was. Dat hij niet was gestorven. Ze voelde zijn aanwezigheid als ze wakker was, ze rook zelfs de lucht van zijn sigaren. Soms voelde het alsof hij naast haar stond en elke beweging van haar volgde. Ze was nog maar een kind en ze dacht dat hij haar vanuit een andere wereld kwam opzoeken.

Haar moeder, Leonóra, was realistisch en zei dat de visioenen die ze zag, de geluiden die ze hoorde en de lucht die ze rook normale uitingen van rouw waren, onderdeel van het verwerkingsproces. Ze hadden een hechte band met elkaar en zijn dood was voor haar zo'n schok geweest dat haar innerlijke gevoelswereld hem opriep; soms zelfs zijn lijfelijke aanwezigheid, soms de geur die bij hem hoorde. Leonóra noemde dat het innerlijk oog dat in haar fantasie in staat was leven op te wekken; ze was prikkelbaar na de klap en haar emoties waren fragiel en sterk wisselend, hetgeen aanleiding gaf tot een abnormaal waarnemingsvermogen, dat zou verdwijnen naarmate de tijd verstreek.

'Wat als het niet het innerlijk oog was zoals jij altijd zegt? Wat als dat wat ik zag toen papa stierf op de grens van twee werelden lag? Wat als hij mij wou opzoeken? Mij iets wou vertellen?'

María zat bij haar moeder op de rand van het bed. Ze hadden vrijuit over de dood gesproken toen het duidelijk was dat Leonóra haar lot niet kon ontlopen.

'Alle boeken over het licht en de tunnel waar jij mee kwam aanzetten, heb ik gelezen,' zei Leonóra. 'Misschien zit er iets in wat de mensen zeggen. Over de tunnel naar de eeuwigheid. Het eeuwig leven. Ik kom daar dan snel achter.'

'Er bestaan zoveel indringende verhalen,' zei María. 'Over mensen die zijn gestorven en weer terugkeren. Over de nabijheid van de dood. Over leven na de dood.'

'We hebben daar zo vaak over gesproken...'

'Waarom zouden ze niet waar kunnen zijn? Of sommige ervan?'

Leonóra keek met half geloken ogen naar haar dochter, die ontredderd naast haar zat. De ziekte had María haast harder getroffen dan haarzelf. Haar naderende dood was voor María ondraaglijk. Als Leonóra zou overlijden bleef zij alleen achter.

'Ik geloof ze niet omdat ik realistisch ben.'

Ze zaten er lang zwijgend bij. María liet haar hoofd hangen en Leonóra dommelde nu en dan weg, meer dood dan levend na een gevecht van twee jaar met de kanker die haar nu had overwonnen.

'Ik zal je een teken geven,' fluisterde ze en ze deed haar ogen half open.

'Een teken?'

Leonóra glimlachte flauw door de sufheid van de medicijnen heen.

'We zullen het... simpel houden.'

'Wat?' vroeg María.

'Het moet... het moet tastbaar zijn. Het kan geen droom zijn en het kunnen geen raadselachtige visioenen zijn.'

'Bedoel je dat je mij van gene zijde een teken zult geven?'

Leonóra knikte.

'Waarom niet? Als het iets anders dan een illusie is. Het hiernamaals.'

'Hoe?'

Leonóra leek te slapen.

'Je weet... wie mijn favoriet is... in de literatuur.'

'Proust.'

'Dat... dat moet je... bestuderen...'

Leonóra pakte de hand van haar dochter.

'Proust,' zei ze uitgeput en ten slotte viel ze in slaap. 's Avonds raakte ze in coma. Ze stierf twee dagen later zonder wakker te worden.

Drie maanden na de begrafenis van Leonóra schrok María midden op de ochtend wakker en ze stapte uit bed. Baldvin was vroeg in de ochtend naar zijn werk gegaan en ze was alleen in huis, slapjes en vermoeid na zware nachtmerries en heftige, aanhoudende onpasselijkheid en stress. Ze stond op het punt de keuken in te gaan toen ze het gevoel kreeg dat ze niet alleen in huis was.

Eerst dacht ze dat er een dief was binnengeslopen en ze keek panisch om zich heen. Ze riep of er iemand was in de hoop dat dit de dief op de vlucht zou doen slaan.

Ze bleef doodstil staan toen ze opeens de zwakke geur rook van de parfum die haar moeder gebruikte.

María staarde voor zich uit en zag in het schemer van de woonkamer Leonóra bij de boekenkast staan terwijl ze in zichzelf praatte. Ze kon er geen woord uit opmaken.

Ze staarde lang naar haar moeder en durfde zich niet te verroeren tot Leonóra net zo plotseling verdween als ze verschenen was.

4

Erlendur deed het licht in de keuken aan toen hij in zijn flat kwam. Een zwaar gedreun drong door van de verdieping erboven. Daar was onlangs een jong stel ingetrokken dat de hele avond luide, soms knalharde muziek draaide en in het weekend feestjes gaf. Hun bezoek stampte tot vroeg in de ochtend de trappen op en af, soms met veel kabaal. Het stel had klachten gekregen van de andere bewoners in het trappenhuis en ze hadden beterschap beloofd, maar iets stond de uitvoering van die belofte in de weg. Het kwam Erlundur voor dat het probleem niet zozeer de muziek was die het stel draaide, maar de constante herhaling van dezelfde zware dreun met het lawaaiige gejammer ertussendoor.

Erlendur hoorde geklop op de deur.

'Ik zag dat er licht bij je was,' zei Sindri Snær, zijn zoon, toen Erlendur opendeed.

'Kom binnen,' zei Erlendur. 'Ik was in Grafarvogur.'

'Iets bijzonders?' vroeg Sindri terwijl hij de deur achter zich dicht deed.

'Het is altijd iets bijzonders,' zei Erlendur. 'Wil je koffie? Iets anders?'

'Gewoon water,' zei Sindri en hij haalde een pakje sigaretten tevoorschijn. 'Ik heb vakantie. Twee weken.' Hij keek naar het plafond en luisterde naar het hardrockgedreun van boven, dat Erlendur al was vergeten. 'Wat is dat voor herrie?'

'Nieuw volk!' riep Erlendur vanuit de keuken. 'Heb je iets van Eva Lind gehoord?'

'Niets nieuws. Ze zat vandaag met mama over iets te bakkeleien, ik weet niet wat het was.'

'Met je moeder aan het bakkeleien?' vroeg Erlendur, die in de deuropening van de keuken kwam. 'Waarover?'

'Over jou, dacht ik.'

'Hoe kunnen ze over mij bakkeleien?'

'Vraag het haar.'

'Heeft ze schulden?'

'Ja.'

'Drugs?'

'Nee, ik geloof van niet. Ze wil nog steeds niet met mij naar de bijeenkomst gaan.'

Erlendur wist dat Sindri AA-bijeenkomsten bezocht en hij vond het goed dat hij dat deed. Ondanks zijn jonge leeftijd was hij door alcohol- en drugsgebruik in grote problemen geraakt, maar hij had op eigen houtje de bladzijde omgeslagen en alles gedaan wat nodig was om greep op de verslaving te krijgen. Zijn zuster Eva was de laatste tijd clean gebleven, maar ze wilde niets met de behandeling en de bijeenkomsten te maken hebben, ze vond dat ze het alleen en zonder hulp afkon.

'Wat is er in Grafarvogur gebeurd?' vroeg Sindri. 'Gebeurt daar überhaupt iets?'

'Zelfmoord,' zei Erlendur.

'Is dat een misdaad, of...?'

'Nee, zelfmoord is geen misdaad,' zei Erlendur. 'Behalve misschien voor degenen die achterblijven.'

'Een jongen die ik kende heeft zelfmoord gepleegd,' zei Sindri.

'Echt waar?'

'Ja, Simmi.'

'Wie was dat?'

'Het was een mooie jongen. We werkten samen in het wijkcentrum. Een hele kalme gozer, zei nooit wat. Toen hing ie zich gewoon op. Op het werk. We waren de werkplaats aan het opknappen en daar hing ie zich op. De voorman vond hem en hij heeft het touw doorgesneden.'

'Weet je waarom hij het gedaan heeft?'

'Nee. Hij woonde bij zijn moeder. Ik ben met hem een keertje aan de zuip gegaan. Hij had nog nooit gedronken, hij moest alleen maar kotsen.'

Sindri schudde het hoofd.

'Simmi,' zei hij. 'Rare gozer.'

Van boven klonk het gedreun uit de geluidsinstallatie die nooit pauze leek te nemen.

'Ben je niet van plan daar iets aan te doen?' vroeg Sindri terwijl hij naar het plafond keek.

'Ze luisteren naar niemand, dat stel,' zei Erlendur.

'Wil je dat ik met ze praat?'

'Jij?'

'Ik kan ze vragen die kloteherrie af te zetten. Als je wilt.'

Erlendur dacht even na.

'Je kunt het natuurlijk proberen,' zei hij. 'Ik heb er geen trek in naar boven te gaan. Waarover waren ze aan het bakkeleien, je moeder en Eva?'

'Ik steek m'n neus niet in andermans zaken,' zei Sindri. 'Was er iets geheimzinnigs aan die zelfmoord? Daar in Grafarvogur?'

'Nee, gewoon een tragisch incident. Onder vreselijke omstandigheden. Haar man was thuis toen zijn vrouw zich in hun zomerhuis van het leven beroofde.'

'Hij wist van niets?'
'Nee.'
Kort nadat Sindri wegging hield het hardrockgebonk op de verdieping erboven op. Erlendur keek naar het plafond. Toen ging hij naar de voordeur en maakte hem open. Hij riep naar Sindri Snær, maar Sindri was verdwenen.

Een paar dagen later kreeg Erlendur de conclusies van de patholoog-anatoom in handen over het lijk van Þingvellir. Het vertoonde niets abnormaals, afgezien van een dood door ophanging. Er waren geen lichamelijke verwondingen noch zaten er vreemde stoffen in het bloed. María was gezond geweest en had niets onder de leden. Biologisch gezien was er geen reden de hand aan zichzelf te slaan.
Erlendur ging haar man, Baldvin, weer opzoeken om hem van de conclusies op de hoogte te stellen. Hij reed na twaalven naar Grafarvogur en klopte op de deur. Elinborg was bereid hem te assisteren. Ze was eigenlijk niet van plan het te doen, zei dat ze genoeg op haar bordje had. Maar Sigurður Óli was met ziekteverlof en lag met griep thuis op bed. Erlendur keek naar de klok.
Baldvin nodigde hen in de woonkamer. Hij had voor onbepaalde tijd vrij genomen van zijn werk. Zijn moeder was twee dagen bij hem geweest, maar ze was nu vertrokken. Collega's en vrienden waren op bezoek geweest of hadden hem een condoleancetelegram gestuurd. Hij had de uitvaart geregeld en wist dat iemand een in memoriam zou schrijven. Hij vertelde dit allemaal aan Erlendur en Elínborg terwijl hij de koffie inschonk. Hij zag er futloos uit en deed alles traag, maar hij was niet uit zijn evenwicht. Erlendur lichtte de conclusies van de autopsie voor hem toe. Het overlijden van zijn vrouw werd als zelfmoord geregistreerd. Hij betuigde nogmaals zijn deelneming. Elínborg zei niet veel.
'Het is altijd goed iemand om je heen te hebben,' zei Erlendur. 'Onder deze omstandigheden.'
'Ze zorgen goed voor mij, mijn zuster en mijn moeder,' zei Baldvin. 'Maar soms is het ook goed om alleen te zijn.'
'Jazeker, heel goed,' zei Erlendur. 'Voor sommigen is dat de beste therapie.'
Elínborg keek hem aan. Erlendur verkoos de eenzaamheid boven al het andere in het leven. Ze vroeg zich af wat ze met hem in dit huis kwam doen. Erlendur had niets anders gezegd dan dat hij het nieuws van de patholoog-anatoom moest vertellen. Dat zou maar even duren. En nu zat hij met die man te praten alsof ze oude vrienden waren.
'Je verwijt het jezelf altijd,' zei Baldvin. 'Ik heb het gevoel dat ik iets had moeten doen. Dat ik iets beter had kunnen doen.'
'Dat is een normale reactie,' zei Erlendur. 'We maken dat vaak mee op ons

werk. Meestal heeft de familie alles gedaan wat in hun macht ligt in een dergelijke situatie.'

'Ik heb dit niet voorzien,' zei de man. 'Dat kan ik je wel vertellen. Ik ben in mijn hele leven nog nooit zo erg geschrokken als toen ik hoorde wat ze had gedaan. Je kunt je niet voorstellen wat voor een klap het voor me was. Ik ben als arts het een en ander gewend, maar als... als iets dergelijks gebeurt... Ik denk dat niemand zich erop kan voorbereiden.'

Hij leek behoefte te hebben om te praten en hij vertelde dat hij zijn vrouw op de universiteit had leren kennen. María studeerde Frans en geschiedenis. Hij had op het gymnasium een beetje met theater gekoketteerd en een tijdje op de theaterschool gezeten voor hij switchte en medicijnen ging studeren.

'Heeft zij iets met haar geschiedenisstudie gedaan?' vroeg Elínborg, die in geologie was afgestudeerd, maar nooit binnen haar vakgebied had gewerkt.

'Jazeker,' zei Baldvin. 'Ze werkte hier thuis. We hebben beneden een werkruimte. Ze gaf af en toe les en werkte aan opdrachten voor instituten en bedrijven, ze deed onderzoeken en ze schreef artikelen.'

'Wanneer ben je naar Grafarvogur verhuisd?' vroeg Erlendur.

'We hebben altijd in dit huis gewoond,' zei Baldvin terwijl hij de woonkamer rondkeek. 'Ik ben hier bij haar en Leonóra ingetrokken toen ik nog studeerde. María was enig kind en ze erfde het huis toen haar moeder stierf. Het was gebouwd voordat de wijk was gepland, voordat men hier op grote schaal begon te bouwen. Het huis valt er een beetje buiten, zoals je hebt gemerkt.'

'Het ziet er ouder uit dan de andere huizen,' zei Elínborg.

'Ze had hier haar sterfbed,' zei Baldvin. 'In een van de slaapkamers. Vanaf het moment dat de diagnose van kanker was vastgesteld duurde het drie jaar eer ze stierf. Ze wilde absoluut niet in het ziekenhuis liggen. Leonóra wou in haar eigen huis sterven. María heeft haar al die tijd zelf verzorgd.'

'Het moet moeilijk zijn geweest voor je vrouw,' zei Erlendur. 'Je zei me dat ze gelovig was.'

Hij merkte dat Elínborg tersluiks naar de klok keek.

'Ja, dat was ze. Ze had een kinderlijk geloof. Ze praatten veel over het geloof, moeder en dochter, toen Leonóra ziek werd. Zo was Leonóra. Open. Ze praatte zonder schaamte over haar ziekte en de dood. Ik geloof dat dat veel heeft bijgedragen aan het rouwproces. Ik geloof dat ze uiteindelijk verzoend is heengegaan. Althans, zo verzoend als men onder die omstandigheden kan zijn. Ik ken dat vanuit mijn werk. Dat niemand er vrede mee heeft zo heen te gaan, maar dat het mogelijk is in vrede met jezelf en je omgeving heen te gaan.'

'Bedoel je dat haar dochter ook ermee verzoend was te sterven?' vroeg Erlendur.

Baldvin dacht na.

'Ik weet het niet,' zei hij. 'Ik betwijfel het of iemand die doet wat zij heeft gedaan daar helemaal vrede mee kan hebben.'

'Maar ze heeft vaak met de gedachte van de dood gespeeld.'

'De hele tijd, geloof ik,' zei Baldvin.

'En haar vader?'

'Hij is lang geleden overleden.'

'Ja, dat heb je me verteld.'

'Ik heb hem nooit gekend. Ze was nog maar een meisje toen dat gebeurde.'

'Hoe stierf hij?'

'Hij verdronk bij hun zomerhuis in het oosten. Op Þingvellir. Hij viel van een bootje overboord. Het was natuurlijk heel koud en hij rookte en had zittend werk en... hij verdonk.'

'Het is tragisch een ouder op die leeftijd te verliezen,' zei Elínborg.

'María was erbij,' zei Baldvin.

'Je vrouw?' vroeg Erlendur.

'Ze was pas tien. Het had een grote invloed op haar. Ik geloof dat ze zich er nooit goed van heeft hersteld. Toen haar moeder kanker kreeg en stierf werd ze met een dubbele last beladen.'

'Ze heeft het dus op verschillende manieren moeilijk gehad,' zei Elínborg.

'Ja, ze had het op uiteenlopende manieren te verduren,' zei Baldvin terwijl hij het hoofd liet hangen.

5

Een paar dagen later zat Erlendur op kantoor met een kop koffie oude dossiers over vermiste personen door te nemen toen men hem zei dat er iemand aan de balie stond die naar hem vroeg, een vrouw die Karen heette. Erlendur herinnerde zich dat de vriendin van María, die haar op Þingvellir had gevonden, zo heette. Hij ging naar de balie en daar stond een vrouw in een bruin leren jack en een spijkerbroek. Onder haar jack droeg ze een dikke, witte coltrui.

'Ik zou graag met je over María praten,' zei zij nadat ze zich aan elkaar hadden voorgesteld. 'Jij bent toch degene die de zaak onder handen heeft, nietwaar?'

'Jawel, maar het is nauwelijks een zaak, hij is al...'

'Kunnen we misschien even ergens gaan zitten?'

'Hoe kenden jullie elkaar ook alweer?'

'Ze was mijn jeugdvriendin,' zei Karen.

'Ja, precies.'

Erlendur ging haar voor naar zijn kantoor, waar ze tegenover hem ging zitten. Ze deed haar leren jack niet uit, hoewel het binnen warm was.

'We hebben niets abnormaals gevonden,' zei hij, 'mocht je je dat afvragen.'

'Ik kan het maar niet uit mijn hoofd zetten,' zei Karen. 'Ik zie haar de hele dag voor me. Je kunt je niet voorstellen wat voor een schok dit voor me is geweest, dat zij dit zou doen. Dat ik haar zo zou vinden. Ze heeft het met mij nooit over zoiets gehad en ze vertelde me altijd alles. We waren hartsvriendinnen. Als er íémand was die María kende, dan was ik het wel.'

'En dan? Volgens jou kan ze nooit zelfmoord hebben gepleegd?'

'Precies.'

'Wat is er dan gebeurd?'

'Dat weet ik niet, maar dit heeft ze nooit kunnen doen.'

'Waarom zeg je dat?'

'Ik zeg het gewoon. Ik kende haar en ik weet dat ze nooit zelfmoord zou plegen.'

'Zelfmoord komt voor de meesten als een volslagen verrassing. Ook al heeft ze je er niets over verteld, dat sluit niet uit dat ze de hand aan zichzelf heeft geslagen. Niets wijst op iets anders.'

'Ik vind het ook nogal vreemd dat hij haar heeft laten cremeren,' zei Karen.

'Hoe bedoel je?'

'We gingen ervan uit dat ze begraven zou worden. Wist je dat niet?'

'Nee,' zei Erlendur en in gedachten rekende hij uit wanneer hij voor het eerst naar het huis in Grafarvogur was gegaan.

'Ik heb haar nooit horen zeggen dat ze gecremeerd wilde worden,' zei de vrouw. 'Nooit.'

'Had ze je dat moeten vertellen?'

'Ik denk van wel.'

'Hebben jullie het ooit met elkaar over jouw uitvaart gehad... hoe jij wou dat er met jouw stoffelijke resten zou worden omgegaan?'

'Nee,' zei Karen koppig.

'Dus je hebt in feite geen enkele aanwijzing dat zij zich niet wilde laten cremeren?'

'Nee, maar ik weet het gewoon. Ik kende María.'

'Jij kende María en je vertelt mij hier, formeel op het politiebureau, dat je vindt dat er iets verdachts is aan haar overlijden?'

Karen dacht na.

'Ik vind het allemaal heel vreemd.'

'Maar je hebt niets tastbaars om jouw vermoeden dat er iets abnormaals heeft plaatsgevonden te ondersteunen?'

'Nee.'

'Dan is er ontzettend weinig dat wij kunnen doen,' zei Erlendur. 'Hoe was volgens jou de relatie van het echtpaar?'

'Die was prima,' zei Karen aarzelend.

'Zodanig dat je niet denkt dat haar man een aandeel in haar dood kan hebben gehad?'

'Nee. Misschien heeft iemand bij haar in Þingvellir aangeklopt. Er loopt daar allerlei soort volk rond. Buitenlanders. Heb je dat op de een of andere manier onderzocht?'

'Er is niets dat daarop wijst,' zei Erlendur. 'Was María van plan je in het zomerhuis gezelschap te houden?'

'Nee,' zei Karen. 'Daar hebben we het niet over gehad.'

'Ze had tegen Baldvin gezegd dat ze van plan was op je te wachten.'

'Waarom zou ze hem dat gezegd hebben?'

'Misschien om met rust gelaten te worden,' zei Erlendur.

'Heeft Baldvin je over haar moeder verteld?'

'Ja,' zei Erlendur. 'Hij zei dat de dood van haar moeder haar groot verdriet had bezorgd.'

'Er bestond een unieke band tussen Leonóra en María,' zei Karen. 'Ik heb nooit zo'n hechte relatie meegemaakt, nog nooit. Geloof je in dromen?'

'Ik geloof niet dat je dat iets aangaat,' zei Erlendur. 'Met alle respect.'

Op de impulsieve vragen van de vrouw was hij niet voorbereid. Toch begreep hij wat haar dreef. Een dierbare vriendin had een daad gepleegd die in haar ogen ondenkbaar was. Als María zich zo beroerd had gevoeld, wilde Karen weten waarom. Ondanks dat het te laat was, wilde ze iets doen, zich over de tragedie uitspreken.

'En in een leven na de dood?' vroeg de vrouw.

Erlendur schudde het hoofd.

'Ik weet niet wat je...'

'María geloofde erin. Ze geloofde in dromen, dat die haar iets konden vertellen, haar een richting geven. En ze geloofde in een leven na de dood.'

Erlendur zweeg.

'Haar moeder zou haar een boodschap sturen,' zei Karen. 'Snap je, als ze verder leefde.'

'Nee, ik kan je absoluut niet volgen,' zei Erlendur.

'María zei me dat Leonóra het kenbaar zou maken als het waar was waarover ze zoveel hadden gepraat, toen het op zijn einde liep. Of er leven na de dood was! Ze zou haar van gene zijde een teken geven.'

Erlendur schraapte zijn keel.

'Een teken van gene zijde?'

'Ja. Als er leven na dit leven zou zijn.'

'Weet je hoe ze haar een teken zou geven?'

Karen gaf hem geen antwoord.

'Heeft ze het gedaan?' vroeg Erlendur.

'Wat?'

'Haar dochter van gene zijde een boodschap gestuurd?'

Karen keek Erlendur lang aan.

'Je denkt dat ik mesjokke ben, nietwaar?'

'Ik kan me daar niet over uitspreken,' zei Erlendur. 'Ik ken je niet.'

'Je denkt dat ik onzin uitkraam!'

'Nee, maar ik weet niet hoe dit de politie aangaat. Kun je mij dat vertellen? Een boodschap van gene zijde! Hoe kunnen wij zo'n zaak onderzoeken?'

'Ik vind dat het minste wat je kunt doen is luisteren naar wat ik te zeggen heb.'

'Ik luister,' zei Erlendur.

'Nee, dat doe je niet.' Karen maakte haar handtas open, haalde er een cassettebandje uit en legde het op zijn bureau.

'Misschien kan dit je iets verder helpen,' zei zij.

'Wat is dat?'

'Luister ernaar en praat dan met mij. Luister ernaar en vertel me wat je ervan vindt.'

'Ik kan dat niet...'

'Je hoeft het niet voor mij te doen,' zei Karen. 'Doe het voor María. Dan weet je hoe het haar verging.'

Karen stond op.
'Doe het voor María,' zei ze en ze zei goedendag.

Toen Erlendur 's avonds thuiskwam had hij het bandje bij zich. Er zat geen label op, een gewoon cassettebandje. Erlendur bezat een oude radio met een cassetterecorder. Hij had de recorder nooit gebruikt en hij wist niet of hij werkte. Hij stond lang met het bandje in zijn handen en peinsde erover of hij ernaar moest luisteren.

Hij vond de radio, maakte de lade open en stopte de cassette in de recorder. Toen zette hij hem aan. Aanvankelijk was er niets te horen. Nog een paar seconden verstreken en er gebeurde niets. Erlendur verwachtte muziek te horen waar de overledene van hield, waarschijnlijk kerkmuziek, afgaande op María's geloof. Toen hoorde hij wat gekraak en de recorder begon te brommen.

'...na in trance te zijn geraakt,' hoorde hij een zware mannenstem op het bandje zeggen.

Hij zette het geluid harder.

'Daarna was ik niet bij bewustzijn,' ging de man verder. 'Het zijn de overledenen die hetzij ervoor kiezen met me te praten, hetzij mij dingen te laten zien. Ik ben slechts het instrument om contact met hun geliefden te leggen. Dat kan voor langere of kortere tijd zijn, helemaal afhankelijk van hoe het contact verloopt.'

'Ja, ik snap het,' was het antwoord van een zwakke vrouwenstem.

'Heb je meegebracht wat ik vroeg?'

'Ik heb haar lievelingstrui meegenomen en de ring die haar vader haar gaf en die ze altijd heeft gedragen.'

'Dank je. Het is het beste dat ik het vastpak.'

'Alsjeblieft.'

'Herinner me eraan dat ik je dan erna de cassette geef. Je hebt hem een paar dagen geleden bij mij laten liggen. Een mens vergeet soms dingen.'

'Ja.'

'Nou, we zullen zien wat er gebeurt. Ben je bang? Je hebt me in het begin verteld dat je hiervoor een beetje bang zou zijn. Sommige mensen vrezen de uitkomst.'

'Nee, niet meer. Ik was eigenlijk niet bang, alleen maar een beetje onzeker. Ik heb zoiets nog nooit eerder gedaan.'

Een lange stilte.

'Het glinstert op het meer.'

Stilte.

'Het is zomer en stil en het glinstert op het water. Het is alsof het glinstert op het meer in de zon.'

'Ja.'
'Er ligt een boot bij het meer, zegt je dat iets?'
'Ja.'
'Het is een klein bootje.'
'Ja.'
'Er zit niemand in.'
'Ja.'
'Zegt je dat iets? Ken je die boot?'
'Vader had een bootje. We hebben een zomerhuis op Þingvellir.'

Erlendur zette de recorder af. Hij realiseerde zich dat dit een opname was van een seance met een medium en hij veronderstelde dat de vrouw die zich van het leven had beroofd een zachte stem had. Toch wist hij daar niets van, hij herinnerde zich alleen dat haar man over haar vader had verteld, dat hij in het Þingvellirvatn was verdronken. Hij vond het op de een of andere manier ongemakkelijk naar haar te luisteren. Alsof hij in iemand anders privéleven rondsnuffelde. Hij stond lang roerloos voor de recorder tot de nieuwsgierigheid het van de twijfel overwon en hij het apparaat weer aanzette.

'Ik ruik sigarenlucht,' hoorde hij het medium zeggen. 'Rookte hij?'
'Ja. Heel veel.'
'Hij wil dat je voorzichtig bent.'
'Dank je.'

Er volgde een lange stilte. Erlendur luisterde naar het zwijgen. Het enige wat hij hoorde was het gebrom van de recorder. Toen begon het medium opeens weer te praten, maar nu was de stem totaal anders, duister, hol en schor.

'Pas op... Je weet niet wat je aan het doen bent!'

Erlendur schrok bij het horen van het venijn in de stem. Het moment daarop veranderde de stem weer.

'Was dat juist?' vroeg het medium.
'Ik geloof van wel,' zei de vrouw met de zachte stem. 'Wat was...?'
De vrouw aarzelde.
'Kwam er iets uit wat je herkende?' vroeg het medium.
'Ja.'
'Goed, ik... Waarom heb ik het zo koud...? Mijn tanden klapperen in mijn mond.'
'Er kwam een andere stem...'
'Een andere?'
'Ja, niet die van jou.'
'En wat zei die?'
'Hij zei dat ik op moest passen.'

'Ik weet niet wat dat was,' zei het medium. 'Ik herinner me niets...'
'Hij deed me denken aan...'
'Ja?'
'Hij deed me aan mijn vader denken.'
'De kou... is niet van daar. Die ontzettende kou die ik voel. Hij staat rechtstreeks met jou in verband. Er is iets gevaarlijks mee. Iets waar je voor moet oppassen.'
Erlendur strekte zijn hand uit naar de recorder en zette hem af. Hij had niet de moed er nog langer naar te luisteren. Hij vond het vulgair. De opname bevatte materiaal dat zijn geweten beroerde. Het was alsof hij met zijn oor tegen een deur lag. Uit respect voor de nagedachtenis van de vrouw wilde hij niet langer voor luistervink spelen.

6

De oude man wachtte op hem bij de balie. Vroeger was hij vaak samen met zijn vrouw op het politiebureau geweest, maar nu zij gestorven was kwam hij Erlendur alleen opzoeken. Het echtpaar was in de loop van dertig jaar regelmatig op zijn kantoor langsgekomen, eerst wekelijks, toen elke maand, een paar keer per jaar, vervolgens eenmaal per jaar en ten slotte elke twee of drie jaar op de verjaardag van hun zoon. Erlendur had hen met hun verdriet in de loop van de tijd goed leren kennen. De jongere zoon van het echtpaar, Davíð, was in 1976 uit het ouderlijk huis verdwenen en sindsdien hadden ze niets meer van hem gehoord.

Erlendur gaf de man een hand en ging hem voor naar zijn kantoor. Op de weg erheen vroeg hij hoe het met hem ging. De man zei dat hij al een tijd in een bejaardentehuis zat, maar hij vond het daar maar niets. 'Er is daar niks, behalve oude mensen,' zei hij. Hij was met een taxi naar het politiebureau gekomen en hij vroeg of Erlendur voor hem een taxi kon bellen als hun gesprek was afgelopen.

'Ik laat je naar huis brengen,' zei Erlendur terwijl hij voor hem de deur naar zijn kantoor opendeed. 'Is er dan niks leuks te doen in het bejaardentehuis?'

'Weinig,' zei de oude man terwijl hij plaatsnam.

Hij was gekomen om te vragen of er nieuws was over zijn zoon, hoewel hij wist – en dat wist hij allang – dat er geen nieuws was. Erlendur begreep die eigenaardige koppigheid en hij had het echtpaar altijd vriendelijk te woord gestaan, consideratie getoond en naar hen geluisterd. Hij wist dat ze al die tijd het nieuws hadden gevolgd, de kranten gelezen, naar de radio geluisterd en naar de tv hadden gekeken in de flauwe hoop dat ergens iemand een aanwijzing over hun vermiste zoon had gevonden. Zoiets was in al die jaren niet gebeurd.

'Hij zou vandaag negenenveertig zijn geworden,' zei de oude man. 'De laatste verjaardag die hij vierde was op zijn twintigste. Toen nodigde hij al zijn vrienden van het gymnasium uit en Gunnþóra en ik moesten het huis uit. Het feestje duurde tot diep in de nacht. Hij kreeg nooit de kans zijn eenentwintigste verjaardag te vieren.'

Erlendur knikte. De politie had geen enkele aanwijzing over de verdwijning van hun zoon gevonden. De melding kwam anderhalve dag nadat Davíð het huis had verlaten. Hij studeerde soms de hele nacht door bij een vriend en ging met hem naar school en hij had tegen zijn ouders gezegd dat hij die avond naar zijn vriend zou gaan. Hij had ook gezegd dat hij naar de boekhandel moest. Ze zaten in het examenjaar van het gymnasium en zouden in de lente hun diploma halen. Toen hij de dag erna niet van school thuiskwam, begonnen zijn ouders te bellen om te vragen waar hij bleef. Het bleek dat hij 's ochtends niet op school was komen opdagen. Ze belden zijn vriend, die zei dat hij niet bij hem was geweest en dat hij niet had gezegd wat hij die avond van plan was te doen. Hij had gevraagd of Davíð zin had om naar de bioscoop te gaan, waarop Davíð antwoordde dat hij andere dingen omhanden had, maar hij zei niet wat. Andere vrienden en kennissen wisten niet waar Davíð heen was gegaan. Hij was lichtgekleed toen hij van huis wegging en het enige wat hij zei was dat hij misschien bij zijn vriend zou overnachten.

Zijn foto werd in de kranten gepubliceerd en op tv vertoond, maar dat leverde niets op en naarmate de tijd verstreek werden zijn ouders en broer steeds wanhopiger. Ze sloten absoluut uit dat hij zelfmoord had gepleegd en ze waren overtuigd dat de gedachte alleen al verre van hem was geweest. Erlendur zei – toen weken en maanden waren verstreken en er nog steeds geen verklaring was omtrent de verdwijning van Davíð – dat zelfmoord niet uitgesloten moest worden. Vanuit zijn oogpunt zag hij niet veel andere mogelijkheden, want de jongeman was duidelijk niet van plan geweest een berg te beklimmen of een tocht door het ruige binnenland te maken. Een andere verklaring kon zijn dat hij onderweg toevallig iemand met kwade bedoelingen was tegengekomen die hem om onduidelijke redenen had vermoord en het lijk had verborgen. Zijn ouders en vrienden ontkenden ten stelligste dat hij met iemand ruzie had gehad of een misdaad had gepleegd die zijn verdwijning kon verklaren. Het onderzoek wees uit dat hij niet van huis was weggelopen en bij de rederijen was hij niet op de passagierslijsten terug te vinden. Het personeel van de boekhandel had hem niet in hun winkel gezien op de dag dat hij verdween.

De oude man pakte het kopje aan dat Erlendur hem gaf en hij slurpte de koffie, hoewel die niet zo heet was. Erlendur was op de begrafenis van zijn vrouw geweest. Ze leken niet veel vrienden of een grote familie te hebben. Hun andere zoon was gescheiden en had geen kinderen. Het kleine vrouwenkoor stond op de galerij voor het orgel. *Hoor de hemelse vader...*

'Is er enig nieuws over onze zaak?' vroeg de oude man met het halflege koffiekopje. 'Iets naar boven gekomen?'

'Nee, het spijt me,' zei Erlendur nogmaals. Hij had geen moeite met het bezoek van de man. Het ergste vond hij dat zo weinig voor hem kon doen, behalve luisteren naar wat voor een vreselijk ongeluk het was geweest met die goeie jongen en hoe zoiets nu kon gebeuren en dat er niets van hem was vernomen!

'Je hebt natuurlijk genoeg op je bordje,' zei de man.
'Het komt in golven,' zei Erlendur.
'Ja, nee, nou ja, het is beter dat ik dan maar ga,' zei de man, maar hij bleef zitten. Het was alsof er nog iets ongezegd was, hoewel ze alles hadden doorgenomen wat de zaak aanging.
'Ik neem contact op als er iets gebeurt,' zei Erlendur en hij merkte een aarzeling bij de man.
'Ja... hm... het is niet waarschijnlijk dat ik je nog verder kom storen, Erlendur,' zei de oude man. 'Ik geloof dat de tijd is gekomen om de zaak te laten rusten. En nu hebben ze iets gevonden...' Hij schraapte zijn keel. 'Ze hebben troep in mijn longen gevonden. Ik heb gerookt als een schoorsteen, het is waarschijnlijk allemaal makkelijk te verklaren, dus ik weet niet wat... Ook al dat steenstof. Dat heeft niet geholpen. Daarom wou ik afscheid van je nemen, Erlendur, en je bedanken voor alles wat je voor ons hebt gedaan vanaf het moment dat je op die afschuwelijke dag bij ons thuis kwam. Wij wisten dat je ons zou helpen en dat heb je gedaan, eerlijk, ook al zijn we niets wijzer geworden. Hij is natuurlijk dood, dat is ie al die jaren al geweest. Volgens mij wisten we dat allang. Maar je... wij... er is toch altijd een beetje hoop, nietwaar?'
De oude man stond op. Erlendur stond ook op en deed de deur open.
'Er is altijd hoop,' zei hij de man na. 'Hoe voel je je nu met die troep in je longen?'
'Je bent min of meer een oude vent geworden, hoe dan ook,' zei de man. 'Doodmoe, elke dag. Doodmoe. En toen ik die uitslag kreeg heb ik het volgens mij nog moeilijker met ademhalen gekregen.'
Erlendur begeleidde hem naar de balie en zorgde voor een auto om hem naar het bejaardentehuis te brengen. Ze namen afscheid op de trappen voor het politiebureau.
'Tot ziens, mijn beste Erlendur,' zei de oude man, grijs met dikke manen, mager en krom van het zware werk. Hij was metselaar geweest, zijn gezicht zo grauw als pleisterstof.
'Het ga je goed,' zei Erlendur.
Toen verdween hij in de politieauto uit het zicht en Erlendur keek de auto na tot die om de hoek verdween.

De dominee met wie María het meest te maken had gehad heette Eyvör. Ze diende niet in Grafarvogur, maar in de naburige parochie. Ze was getroffen door en bedroefd over het lot van María, die geen andere uitweg had gezien dan zich van het leven te beroven.
'Het is natuurlijk te triest voor woorden,' zei ze tegen Erlendur, die tegen het einde van de dag op haar kantoor in de kerk zat. 'Dat mensen in de bloei van hun leven zelfmoord plegen alsof er geen andere oplossingen zijn. Voor-

beelden wijzen uit dat mensen die in zielennood en tegenslag geraken makkelijk zijn te helpen, als er maar vroeg genoeg in het proces wordt ingegrepen.'

'Je wist niet welke kant het met María opging?' vroeg Erlendur en hij dacht na over dat woord 'proces', dat hem altijd had geïrriteerd. 'Ik heb begrepen dat ze gelovig is geweest, dat ze hier de kerk bezocht.'

'Ik wist dat het niet goed met haar ging nadat ze haar moeder verloor,' zei Eyvör, 'maar niets wees erop dat ze haar toevlucht zou nemen tot zo'n wanhoopsdaad.'

De dominee was tegen de veertig, ze droeg mooie kleren – een paarsblauw jasje met bijbehorende rok – met een voorliefde voor opsmuk; ze had drie ringen om, grote oorringen in en een gouden ketting om haar hals. Ze was verbaasd dat een afgevaardigde van de politie bij haar langskwam om inlichtingen in te winnen over een parochiaan die de hand aan zichzelf had geslagen. Ze vroeg meteen of het om een misdrijf ging.

'Nee, absoluut niet,' zei Erlendur en hij verzon ter plekke het excuus dat hij bezig was een rapport over de zaak af te ronden. Hij had gehoord dat María contact met de dominee had gehad en hij wilde weten of hij met haar kon praten, gebruik kon maken van haar ervaring als er in de nabije toekomst behoefte aan was. Zelfmoord was jammer genoeg een aspect van het leven dat op het bureau van een politieagent belandde, niet een van de meest aangename zaken, en Erlendur wilde meer te weten komen over de oorzaken en de consequenties ervan, voor het geval dat het hem in zijn werk kon helpen. Eyvör mocht die zwaarmoedige afgevaardigde van de politie wel. Hij had iets vertrouwenwekkends.

'Nee, natuurlijk niet,' zei Erlendur. 'Praatte zij met je over de dood?'

'Ja,' zei Eyvör. 'Vanwege haar moeder en feitelijk ook vanwege een voorval wat haar in haar jeugd was overkomen, maar ik weet niet of je daarvan op de hoogte bent.'

'Toen haar vader verdronk?' vroeg Erlendur.

'Ja. María had het er heel moeilijk mee dat ze haar moeder verloor. Ik heb overigens ook haar uitvaartdienst opgedragen. Ik heb moeder en dochter redelijk goed leren kennen, vooral toen Leonóra ziek werd. Het was een erg moedige en bijzondere vrouw, die zich niet zomaar liet verslaan.'

'Wat deed ze?'

'Bedoel je wat voor werk ze deed? Ze was professor in de Franse taal en letterkunde op de universiteit.'

'En haar dochter was historica,' zei Erlendur. 'Dat verklaart die vele boeken bij haar thuis. Was María depressief?'

'Ze was erg triest, zullen we maar zeggen. Ik hoop echter dat je het daar verder niet over hebt. Ik mag daar eigenlijk niet met je over praten. Overigens kwam ze niet zo vaak bij mij met haar verdriet, maar je merkte dat het niet goed met haar ging. Ze ging naar de kerk, maar ze luchtte nooit haar hart bij mij. Ik probeerde haar troost te geven, maar dat was moeilijk. Ze was erg kwaad. Ze was kwaad dat haar moeder zo moest sterven. Kwaad op de hogere machten. Ik dacht dat ze misschien een beetje van haar geloof was afgevallen, dat kinderlijke geloof dat ze altijd had gehad, nadat ze moest toezien hoe haar moeder wegkwijnde en stierf.'

'Maar Gods wegen zijn ondoorgrondelijk, toch?' zei Erlendur. 'Hij alleen kent de bedoeling van al die ellende?'

'Ik zou dit werk niet doen als ik niet van mening was dat het geloof ons helpt. Als we dat niet hadden, waar zouden we dan zijn?'

'Bespeurde je bij haar iets van een interesse in het bovennatuurlijke?'

'Nee, dat kan ik niet zeggen. Maar zoals ik zei, ze was nogal terughoudend en voorzichtig als ze over haar privézaken sprak. Vooral bij bepaalde onderwerpen.'

'Zoals?'

'Ze geloofde in dromen, dat ze haar iets konden vertellen over wat wij in wakende toestand niet zien. Dat werd met de tijd sterker, tot ik aan haar merkte dat ze geloofde dat dromen een poort waren naar een andere wereld.'

'Een wereld aan gene zijde?'

'Ik weet niet precies wat ze bedoelde.'

'En wat zei je tegen haar?'

'Dat wat we in de kerk prediken. Wij geloven in de wederopstanding bij het Laatste Oordeel en het eeuwige leven. De hereniging van geliefden is de kern van de paasboodschap.'

'Geloofde zij in een dergelijke hereniging?'

'Ik merkte dat ze daar een zekere troost in vond, ja.'

Elínborg was weer met Erlendur meegegaan toen hij een kort bezoek bracht aan Baldvin, de man van María. Het was de dag nadat hij de dominee had gesproken. Hij veinsde dat hij daar iets moest doen, hij zei dat hij zijn notitiebloc was vergeten. Elínborg stond naast hem in de woonkamer in Grafarvogur en sloeg gade hoe hij zijn bezoek verklaarde. Erlendur had nog nooit in zijn leven een notitiebloc gehad.

'Ik heb iets dergelijks hier niet gezien,' zei Baldvin terwijl hij pro forma om zich heen keek. 'Ik zal het je laten weten als ik het vind.'

'Dank je,' zei Erlendur en hij verontschuldigde zich voor de overlast.

Elínborg glimlachte ongemakkelijk.

'Vertel eens, ik weet dat het mij niets aangaat, maar zag María de dood als het einde van alles?' vroeg Erlendur.

'Het einde van alles?' zei Baldvin verbaasd.

'Ik bedoel, geloofde ze in een leven na de dood?' vroeg Erlendur.

Elínborg keek hem aan. Ze had hem nog nooit eerder een vraag als deze horen stellen.

'Volgens mij wel,' zei Baldvin. 'Volgens mij geloofde ze in de wederopstanding, zoals de meeste christenen.'

'Velen die in moeilijkheden zijn geraakt of die een geliefde hebben verloren zoeken naar antwoorden, zelfs met behulp van een medium of een helderziende.'

'Daar weet ik niets van,' zei Baldvin. 'Waarom vraag je dat?'

Erlendur was van plan hem te vertellen over de opname die Karen hem had gegeven, maar hij zag ervan af. Dat moest op een geschikter moment wachten. Hij vond het opeens niet raadzaam Karen bij de zaak te betrekken en over haar bezorgdheid uit de school te klappen. Hij moest loyaal zijn tegenover haar.

'Ik denk alleen maar hardop,' zei Erlendur. 'We hebben je lang genoeg opgehouden, neem me niet kwalijk voor het ongemak.'

Elínborg glimlachte, gaf de man een hand en nam afscheid met woorden van deelneming.

'Wat was dat?' vroeg ze kwaad toen ze in de auto zaten en Erlendur langzaam wegreed. 'Zijn vrouw pleegt zelfmoord en jij zit te zwammen over leven na de dood! Heb je geen gevoel voor fatsoen?'

'Ze had een seance met een medium,' zei Erlendur.

'Hoe weet je dat?'

Erlendur haalde de cassette van Karen tevoorschijn en gaf die haar. 'Dit is een opname van een seance met een medium waar zijn vrouw naartoe is gegaan.'

'Een seance met een medium?' zei Elínborg verwonderd. 'Is ze naar een medium gegaan?'

'Ik heb niet de hele band afgeluisterd. Ik wou hem laten horen wat erop staat maar...'

'Maar wat?'

'Ik wil graag het medium ontmoeten,' zei Erlendur. 'Ik wil ineens graag weten wat voor spelletje het medium speelt en of hij deze misère heeft aangemoedigd.'

'Je denkt dat hij haar voor de gek heeft gehouden?'

'Ja. Hij deed alsof hij het bootje op het meer zag, sigarenlucht rook. Nonsens.'

'Refereerde hij aan het feit dat haar vader is verdronken?'

'Ja.'

'Je gelooft niet in een medium?' vroeg Elínborg.

'Net zoveel als in elfjes,' zei Erlendur en hij draaide de hoek van de doodlopende weg om.

7

Toen Erlendur 's avonds thuiskwam, een boterham met rookvlees had gemaakt en koffie had gezet, stopte hij het cassettebandje van Karen weer in de recorder.

Hij dacht na over de zelfmoord van María, de wanhoop die tot een dergelijke daad opriep en de intense zielennood die eraan ten grondslag moesten liggen. Erlendur had afscheidbrieven gelezen van mensen die een einde aan hun leven hadden gemaakt, sommige een paar regels of zelfs maar één regel, een woord, andere langer, met uitvoerige verklaringen over de redenen van hun daad, een soort smeekbede om vergeving. Soms lag de brief op het kussen in de slaapkamer. Soms op de grond in de garage. Huisvaders. Moeders. Jongelui. Oude mensen. Alleenstaanden.

Hij wilde de recorder aanzetten en naar het bandje luisteren toen hij op de voordeur hoorde kloppen. Hij ging naar de deur, maakte hem open en Eva Lind glipte langs hem heen naar binnen.

'Stoor ik?' vroeg ze, terwijl ze haar zwarte leren jas uittrok die tot haar knieën reikte. Ze droeg een spijkerbroek en een dikke trui. 'Het is vreselijk koud buiten,' zei ze. 'Luwt die storm nooit?'

'Ik vrees van niet,' zei Erlendur. 'Hij is voor de rest van de week voorspeld. Ooit noemden ze dit de noordzwatel. Wij hebben veel woorden voor de wind. Zefier, een koele westenwind, is er nog zo een. Heb je dat woord ooit gehoord?'

'Ja, nee, ik kan het me niet herinneren. Is Sindri bij jou geweest?' vroeg Eva Lind, niet geïnteresseerd in woorden voor de wind.

'Ja, wil je koffie?'

'Graag. Wat zei hij?'

Erlendur liep naar de keuken om de koffie te halen. Hij had geprobeerd 's avonds met koffie te minderen. Hij had soms moeite in slaap te komen als hij zichzelf meer dan twee koppen toestond. Toch vond hij het niet erg wakker te liggen. Er bleek nauwelijks een betere tijd om zaken tot op het bot uit te zoeken.

'Hij zei eigenlijk niet veel, alleen dat jij en je moeder hadden zitten bakkeleien,' zei Erlendur toen hij de kamer weer in kwam. 'Hij dacht dat het vanwege mij was.'

Eva Lind haalde een pakje sigaretten uit haar leren jas, peuterde er met haar nagel eentje uit en stak hem aan. Ze blies de rook een heel eind de woonkamer in.

'Ze was helemaal over de rooie, het mens.'

'Waarom?'

'Ik zei haar dat jullie elkaar zouden moeten opzoeken.'

'Je moeder opzoeken?' vroeg Erlendur verwonderd. 'Waarom?'

'Precies wat mama zei. Waarom? Om elkaar op te zoeken. Samen praten. Ophouden met die onzin van nooit met elkaar te praten. Waarom kunnen jullie daar niet eens mee stoppen?'

'Wat zei ze?'

'Ze zei dat ik het kon vergeten. Absoluut vergeten.'

'Was dat de ruzie?'

'Ja. Hoe zit het met jou? Wat zeg jij?'

'Ik? Niets. Als zij het niet wil, soit.'

'Soit? Kunnen jullie niet één keertje met elkaar praten?'

Erlendur dacht na.

'Wat ben je mee bezig, Eva?' vroeg hij. 'Je weet allang dat het een afgedane zaak is. We hebben elkaar in tien jaar tijd amper gesproken.'

'Dat is het nou juist, jullie hebben in feite niet meer met elkaar gepraat vanaf het moment dat Sindri en ik zijn geboren.'

'Ik kwam haar tegen toen jij in het ziekenhuis lag,' zei Erlendur. 'Dat was geen pretje. Ik denk dat je dit moet vergeten, Eva. Dit willen wij geen van beiden.'

Eva Lind had een paar jaar geleden een miskraam gehad, iets waar ze lang verdrietig over was geweest. Ze was jarenlang aan de drugs verslaafd geweest, maar Sindri had Erlendur verteld dat ze kortgeleden op eigen houtje was begonnen haar leven op orde te brengen en dat ging goed.

'Weet je dat echt zeker?' vroeg Eva terwijl ze haar vader aankeek.

'Ja, echt,' zei Erlendur. 'Vertel eens, hoe gaat het met jou? Je ziet er op de een of andere manier anders uit, volwassener.'

'Volwassener? Ben ik soms oud geworden?'

'Nee, niet op die manier. Misschien rijper. Ik weet het niet precies. Sindri zei dat je je leven aan het beteren bent.'

'Waarover zit die te ouwehoeren?'

'Heeft hij gelijk?'

Eva Lind gaf niet meteen antwoord. Ze nam een haal van haar sigaret en hield de rook lang in haar longen voor ze hem weer door de neus uitblies.

'Een vriendin van me is gestorven,' zei ze. 'Ik weet niet of je je haar herinnert.'

'Wie?'

'Hanna. Ze vonden haar in Mjódd, achter de vuilniscontainers.'

'Hanna?' fluisterde Erlendur peinzend.
'Ze had een overdosis genomen,' zei Eva Lind.
'Ik herinner het me. Dat is nog niet zo lang geleden, toch? Ze was aan de heroïne. We zien dat niet vaak, niet meer.'
'Ze was een goede vriendin van me.'
'Dat wist ik niet.'
'Jij weet überhaupt niks,' zei Eva Lind. 'Het was óf doen zoals zij heeft gedaan, óf...'
'Of?'
'Proberen iets anders te doen, proberen me aan de klauwen van de hel te ontworstelen. Het eindelijk eens serieus te doen.'
'Wat bedoel je met "doen zoals zij heeft gedaan"? Denk je dat ze het weloverwogen heeft gedaan? Een overdosis nemen?'
'Ik weet het niet,' zei Eva Lind. 'Het kon haar allemaal niet schelen. Geen ene barst.'
'Wat kon haar niet schelen?'
'De hele kolerezooi.'
'Wat was haar geschiedenis ook alweer?' vroeg Erlendur. Hij herinnerde zich een meisje van amper twintig dat er vreselijk aan toe was; ze was vorige winter met een spuit in haar arm was gevonden bij het winkelcentrum in Mjódd. De vuilnisophalers hadden haar 's ochtends vroeg in bevroren toestand met de rug tegen een muur gevonden.
'Jij praat altijd als een professor,' zei Eva Lind. 'Kan het jou verdomme wat schelen? Ze is gestorven. Is dat niet voldoende? Wat doet haar geschiedenis er nou toe? Doet het er wat toe dat er niemand daar voor haar was? Of dat ze geen hulp wilde hebben omdat ze de pest aan zichzelf had? En waarom zou jij je geroepen voelen haar te helpen?'
'Ze leek jou wat te kunnen schelen,' zei Erlendur voorzichtig.
'Ze was mijn vriendin,' zei Eva Lind. 'Ik wou niet over haar beginnen. Ben je bereid mama te ontmoeten?'
'Vind jij dat ik er niet voor jou ben geweest?' vroeg Erlendur.
'Je hebt meer dan genoeg gedaan,' zei Eva Lind.
'Het is me nooit gelukt over jou zeggenschap te hebben, ik kan je nooit helpen.'
'Maak je niet druk. Ik red me wel.'
'Had ze de pest aan zichzelf?'
'Wie?'
'Je vriendin. Je zei dat ze de pest aan zichzelf had. Nam ze daarom een overdosis? Vond ze zichzelf niks waard?'
Eva Lind nam kalm een trek van haar sigaret.
'Ik weet het niet. Volgens mij had ze al haar zelfrespect verloren. Het kon

haar geen bal meer schelen wat er van haar zou worden. Ze walgde van een heleboel dingen, maar volgens mij walgde ze het meest van zichzelf.'

'Heb jij je ooit zo gevoeld?'

'Nee, afgezien van zo'n duizend keer,' zei Eva Lind. 'Ben je van plan mama te ontmoeten?'

'Ik denk serieus dat dat geen zin heeft,' zei Erlendur. 'Ik heb geen idee wat ik tegen haar moet zeggen en de laatste keer dat we elkaar hebben gesproken was ze behoorlijk snauwerig.'

'Kun je het niet voor mij doen?'

'Wat denk je dat eruit komt? Na al die tijd?'

'Ik wil gewoon dat jullie met elkaar praten,' zei Eva Lind. 'Jullie twee samen zien. Is dat zo vreselijk moeilijk? Jullie hebben twee kinderen, Sindri en ik.'

'Je hoopt toch niet dat we weer gaan samenwonen?'

Eva Lind keek haar vader lang aan.

'Ik ben niet gek,' zei ze. 'Je moet niet denken dat ik soms gek ben.'

Toen stond ze op, pakte haar spullen bij elkaar en zei goedendag.

Erlendur bleef alleen achter. Hij wist hoe Eva Lind plotseling kwaad kon worden, zoals nu. Hij zou het nooit onder de knie krijgen met haar te praten zonder haar tegen zich in het harnas te jagen. Het idee dat hij en Halldóra, zijn ex-vrouw en moeder van zijn kinderen, met elkaar zouden gaan praten was in zijn ogen een absurditeit. Dat hoofdstuk in zijn leven was allang afgesloten, wat Eva Lind ook zei of hoe ze ook wegdroomde. Ze hadden elkaar niets te vertellen. Halldóra was een volslagen vreemde voor hem.

Hij herinnerde zich het bandje, liep naar de recorder en zette hem aan. Hij spoelde de cassette een stukje terug om zijn geheugen op te frissen. Hij hoorde de stem van het medium weer veranderen, hoe deze duister en hol werd en bijna gromde: 'Je weet niet wat je aan het doen bent!' Toen veranderde de stem opnieuw en het medium zei dat hij het koud had.

'Er kwam een andere stem...' zei de vrouw.

'Een andere?'

'Ja, niet die van jou.'

'En wat zei die?'

'Hij zei dat ik op moest passen.'

'Ik weet niet wat dat was,' zei het medium. 'Ik herinner me niets...'

'Hij deed me denken aan...'

'Ja?'

'Hij deed me aan mijn vader denken.'

'De kou... is niet van daar. Die ontzettende kou die ik voel. Hij staat rechtstreeks met jou in verband. Er is iets gevaarlijks mee. Iets waar je voor moet oppassen.'

Stilte.

'Is alles in orde?' vroeg het medium.
'Wat bedoel je met oppassen?'
'Ik weet het niet. Kou duidt niet op iets goeds. Dat weet ik.'
'Kun je mijn moeder oproepen?'
'Ik roep niemand op. Ze verschijnt als zij erom vraagt. Ik roep niemand op.'
'Het was zo kort.'
'Daar kan ik weinig aan doen.'
'Het was alsof hij erg kwaad was. "Je weet niet wat je aan het doen bent," zei hij.'
'Je moet zelf bepalen hoe je dat interpreteert.'
'Mag ik terugkomen?'
'Vanzelfsprekend. Ik hoop dat ik je een beetje heb kunnen helpen.'
'Dat heb je gedaan, dank je. Ik geloof misschien...'
'Ja.'
'Mijn moeder stierf aan kanker.'
'Ik begrijp het,' hoorde Erlendur het medium met empathie zeggen. 'Je hebt me er niets over verteld. Is het lang geleden dat ze stierf?'
'Bijna twee jaar.'
'En is ze hier verschenen?'
'Nee, maar ik voel dat ze er is. Ik voel haar aanwezigheid.'
'Heeft ze haar aanwezigheid kenbaar gemaakt? Ben je bij een andere helderziende geweest?'
Op die vragen volgde een lang zwijgen.
'Neem me niet kwalijk,' zei het medium. 'Dat gaat mij natuurlijk niet aan.'
'Ik heb gewacht tot ze mij in een droom zou opzoeken, maar dat heeft ze niet gedaan.'
'Waarom heb je daarop gewacht?'
'We hebben...'
Zwijgen.
'Ja?'
'We hebben een afspraak gemaakt.'
'Ja?'
'Zij... wij hebben erover gepraat... ze zou mij een teken geven.'
'Wat voor teken?'
'Als er leven was na de dood zou ze mij een boodschap sturen.'
'Wat voor boodschap? In een droom?'
'Nee, niet in een droom. Desondanks wilde ik graag over haar dromen. Ik verlangde er zo naar haar weer te zien. Ons teken was iets anders.'
'Bedoel je dat... Heeft ze het gedaan, heeft ze je een teken gegeven?'
'Ja, ik geloof van wel, onlangs.'

'En, wat was het?' vroeg het medium, waarbij het enthousiasme in zijn stem niet verborgen bleef. 'Wat voor teken was het? Hoe zou het teken moeten zijn?'

En weer volgde een lang zwijgen.

'Ze was professor Frans op de universiteit. Haar favoriete schrijver was Marcel Proust, ze hield erg van *Op zoek naar de verloren tijd*. Ze bezat alle zeven delen in het Frans, in prachtige banden. Ze zei dat ze Proust zou gebruiken. Het teken zou een bevestiging zijn van dat er leven is na de dood.'

'En wat gebeurde er?'

'Je denkt vast dat ik gestoord ben.'

'Nee, dat denk ik niet. Men heeft zich lang met die vraag beziggehouden: is er een leven na de dood? Er is eeuwenlang geprobeerd daar achter te komen, zowel door de wetenschap als door individuen, zoals je moeder. Ik hoor zo'n verhaal niet voor het eerst. En ik oordeel niet over mensen.'

Op zijn woorden volgde een lange stilte. Erlendur zat in zijn stoel en luisterde geïnteresseerd. Er was iets vreemd betoverends aan de stem van de overleden vrouw, zonder aarzeling en onverzettelijk, iets waar Erlendur in geloofde. Hij had grote twijfels over hetgeen ze zei en hij was ervan overtuigd dat de seance met het medium voor niemand zinvol was, maar hij was er net zo zeker van dat de vrouw geloofde wat ze zei, dat datgene wat ze had ervaren in haar beleving van de werkelijkheid echt was gebeurd.

Ten slotte werd het zwijgen verbroken.

'In het begin nadat mijn moeder stierf, zat ik in de woonkamer en staarde naar de boeken van Proust en ik durfde mijn ogen er niet van af te wenden. Er gebeurde niets. Dag in dag uit zat ik daar naar de boekenkast te kijken. Ik viel voor de boeken in slaap. Weken gingen voorbij. Maanden. Het eerste wat ik deed als ik 's ochtends wakker werd, was naar de boekenschappen kijken. Het laatste wat ik 's avonds deed was observeren of er iets was gebeurd. Langzamerhand realiseerde ik me dat dit nergens toe leidde, en naarmate ik er meer over nadacht en langer naar de boekenschappen staarde, begreep ik beter waarom er niets gebeurde.'

'Waarom was dat? Waar kwam je achter?'

'Met de tijd drong het tot me door en ik was ontzettend dankbaar. Mijn moeder hielp mij in m'n verdriet. Ze gaf me iets om over na te denken na haar overlijden. Ze wist dat ik ontroostbaar zou zijn, ongeacht wat ze zei. Ze heeft me heel goed op haar dood voorbereid; we hadden lange gesprekken, tot het voor haar te veel werd om te praten. We hadden het over de dood en dat ze mij een teken zou sturen. Maar natuurlijk gebeurde er niets, behalve dat ze mij het rouwproces verlichtte.'

Zwijgen.

'Ik weet niet of je me begrijpt.'

'Jawel, ga door.'
'Tot voor kort ging het zo. Bijna twee jaar nadat moeder stierf. Ik was ermee opgehouden naar de boekenschappen en Marcel Proust te kijken. Op een ochtend werd ik wakker, stapte uit bed, zette koffie en haalde de krant, maar toen ik weer de keuken in wou gaan, wierp ik een blik in de woonkamer en...'
Het apparaat bromde in de stilte die op haar woorden volgde.
'Wat?' fluisterde het medium.
'Het lag open op de vloer.'
'Wat?'
'*De kant van Swann* van Marcel Proust. Het eerste deel uit de reeks.'
Opnieuw een lange stilte.
'Daarom kom je bij mij?'
'Geloof jij in een leven na de dood?'
'Ja,' hoorde Erlendur het medium fluisteren. 'Zeker. Ik geloof in een leven na de dood.'

8

Toen Erlendur 's ochtends vroeg wakker werd moest hij weer aan de oude man denken die bij hem op het politiebureau was gekomen om naar nieuws over zijn zoon te vragen, bijna drie decennia na diens verdwijning. Het was een van de eerste zaken geweest die Erlendur uit zijn slaap hield, lang nadat anderen het hadden opgegeven. Toen had de rijksrecherche haar domicilie op een industrieterrein in Kópavogur. Hij herinnerde zich twee andere vermissingen uit dezelfde tijd, die hij niet zelf had onderzocht maar waar hij goed van op de hoogte was. In het ene geval, een paar weken ervoor, vertrok een jongeman van Keflavík naar Njarðvík, maar hij kwam daar niet opdagen. Het was winter en midden in de nacht barstte een sneeuwstorm los. Er werd een zoektocht naar de man ingesteld en na drie dagen vond men een schoen van hem beneden bij de eblijn. Hij was de goede richting ingeslagen, maar hij leek door de storm te zijn teruggeweken in de richting van de zee. Sindsdien werd er niets van hem vernomen. Hij was in hemdsmouwen toen hij vertrok en volgens het gezelschap waarmee hij zich die avond amuseerde was hij dronken.

Het andere geval betrof een jong meisje uit Akureyri. Ze studeerde aan de universiteit van Reykjavík en huurde een appartement in de hoofdstad, maar het was onmogelijk om vast te stellen wanneer ze precies verdween. Toen de huisbaas de huur van de afgelopen maand niet had ontvangen en die wilde gaan ophalen was ze gevlogen. Ze had op de universiteit geen aanwezigheidsplicht, ze was bezig met een scriptie voor haar studie biologie. Ze was enig kind; haar ouders waren twee maanden op reis naar Azië en hadden slechts zeer onregelmatig contact met haar. Toen de ouders terugkwamen en hun dochter in de stad wilden opzoeken, was ze verdwenen. De huisbaas maakte voor hen de deur open. Alles zag er normaal uit in het appartement. Het leek er meer op dat ze even weg was. Haar studieboeken lagen open op de tafel waar ze gewoonlijk aan haar scriptie werkte. Een paar glazen stonden in de gootsteen, ze had haar bed niet opgemaakt. Ze had een tijdje geleden met haar vriendin in Akureyri gebeld en twee medestudenten hadden haar gesproken; ze had hun gezegd dat ze een paar weken eerder naar het noorden zou gaan. Die theorie werd gesterkt doordat de rammelkast die ze had, een oude Austin Mini, ook was verdwenen.

Erlendur ging naar de keuken en zette koffie. Hij deed brood in de toaster, smeerde het toen het klaar was en deed er kaas en marmelade op. Zijn gedachten dwaalden naar wat hij had gehoord op het cassettebandje dat Karen hem had gegeven en hij vroeg zich af wat hij moest ondernemen. Hij begreep nu beter de gemoedstoestand van María voordat ze zelfmoord pleegde.

Erlendur dacht ook na over Sindri en Eva en over zijn ex-vrouw, Halldóra. Hij zag een gesprek met haar niet zitten, ook al vond Eva Lind dat ze elkaar dringend moesten opzoeken. Hij dacht hoogstzelden aan Halldóra, omdat het telkens herinneringen opriep aan conflicten die ze met elkaar hadden en aan de ruzie voordat hij van haar en hun twee kinderen wegliep. De scheiding had een lange voorgeschiedenis. Hij wilde alles in het werk stellen om niet tot last te worden, maar telkens als hij het er met haar over had dat hij met de relatie wilde breken en wilde vertrekken, kapte zij hem af zei dat het onzin was, dat ze samen de problemen konden oplossen; bovendien zag zij geen probleem en ze zei dat ze niet wist waar hij het over had.

Erlendur bladerde de kranten door, maar hij kon zich niet losmaken van María's stem en van hetgeen ze op de seance met het medium had gezegd. Het kon niet lang geleden zijn dat de seance had plaatsgevonden, ze zei op het bandje dat Erlendur in zijn bezit had dat het amper twee jaar geleden was dat haar moeder overleed en het bandje was duidelijk niet van haar eerste seance met een medium. Hij dacht na over de sterke band tussen María en haar moeder. Deze moest heel speciaal zijn geweest. Waarschijnlijk hadden ze een nog sterkere band gevormd na het overlijden van haar vader op het Þingvellirvatn en waren ze sindsdien met elkaar in voor- en tegenspoed verbonden. Kon het iets anders dan toeval zijn dat María het boek op de vloer had gevonden, hetzelfde boek waar ze over hadden gepraat als teken van een hiernamaals? Of had iemand een grap uitgehaald? Had María iemand – haar man of iemand anders – over de afspraak met haar moeder verteld in de tijd die was verstreken sinds Leonóra stierf en het moment dat het boek van de schap viel en was ze dat vergeten? Had ze zich vergist en het boek van de plank gehaald en het er slordig op teruggezet? Hij kon er geen zinnig woord over zeggen. De opname hield op bij de woorden van María dat ze zich tot het medium had gewend vanwege het teken dat ze meende van haar moeder te hebben gekregen. Ze was naar het medium gegaan om een bevestiging over het teken te krijgen, om – als dat mogelijk was – contact te leggen met haar moeder en zich met haar dood te verzoenen. De zelfmoord wees erop dat María zich niet had verzoend met het verlies van haar moeder, integendeel, dit alles had haar uiteindelijk over de rand geduwd.

Hij probeerde een verklaring te vinden voor het wonderlijke, krachtige verlangen dat hem in zijn greep hield nadat hij naar de cassette had geluisterd. Hij voelde de behoefte meer te weten, de vrouw beter te leren kennen die zichzelf het leven benam, meer te weten over haar werk, familie, wat voor leven zij leidde dat eindigde aan een strop in een zomerhuis. Hij wilde tot de bodem van de zaak komen, hij wilde het medium zien te vinden en hem het hemd van het lijf vragen, het verhaal van het ongeluk op het Þingvellirvatn opdiepen, erachter komen wie María was geweest. Hij dacht na over de stem die María zei op te passen en dat ze niet wist wat ze deed. Waar kwam die stem vandaan, zo duister en hol?

Erlendur bleef aan de keukentafel zitten, hij had zijn koffie opgedronken, wist niet waarom hij hiermee zijn tijd verdeed en zijn gedachten dwaalden af naar zijn moeder in het souterrain waarnaar ze was verhuisd nadat zijn vader stierf. Ze werkte in de vis, keihard en onvermoeibaar zoals ze altijd had gedaan, en Erlendur zocht haar regelmatig op, soms nam hij zijn was mee. Zij gaf hem te eten, en dan zaten ze samen naar de radio te luisteren of hij las haar voor; zijn moeder met een breiwerk in haar handen, misschien voor een sjaal die ze hem zou geven. Ze hoefden elkaar niet veel te zeggen, ze waren tevreden met elkaars aanwezigheid en rust.

Ze was nog op middelbare leeftijd toen zijn vader stierf, maar er was nooit iemand anders in haar leven. Ze zei dat ze graag alleen was. Ze had contact met verwanten en vrienden in het oosten en mensen die ze uit het gewest kende en die net als zij naar Reykjavík waren verhuisd. IJsland bleef maar veranderen, de mensen trokken weg van het platteland. Ze voelde zich nooit eenzaam in de stad, zei ze tegen Erlendur. Toch kocht hij voor haar een tv. Ze was altijd tevreden en vroeg hem hoogstzelden iets voor haar te doen.

Ze praatten bijna nooit over Bergur, die hen zo plotseling en onverwachts was ontvallen. Het gebeurde dat ze iets algemeens over de jongen zei of over hen als broers, maar ze praatte nooit over het verlies van haar zoon. Hij was haar privéaangelegenheid en Erlendur respecteerde haar zwijgen.

'Je vader heeft het willen weten voordat hij stierf,' zei ze eens toen Erlendur bij haar was. Ze hadden het grootste gedeelte van de avond gezwegen. Hij bezocht zijn moeder altijd op de dag waarop het was gebeurd, de dag waarop hij en zijn jongere broer met zijn vader in een storm terechtkwamen.

'Ja,' antwoordde Erlendur.

Hij wist wat zijn moeder bedoelde.

'Denk je dat we het ooit te weten krijgen?' vroeg ze, terwijl ze opkeek van het boek dat hij voor haar had meegebracht. Hij had het haar uiteindelijk later op de avond gegeven zonder te weten of het juist was wat hij deed.

'Ik weet het niet,' zei Erlendur. 'Het is zo lang geleden.'

'Ja,' zei zij. 'Het is lang geleden.'

Toen ging ze verder met lezen.

'Vreselijke onzin is dit,' zei ze en ze keek weer op van haar boek.

'Ik weet het,' zei Erlendur.

'Hoe komen de mensen erbij, bij zo'n verhaal over je vader? Hoe komen ze erbij?'

Hij zweeg.

'Ik wil niet dat iemand dit leest,' zei zijn moeder.

'Daar hebben wij natuurlijk niets over te zeggen,' zei hij.

'En dan zegt hij dit over jou.'

'Het laat me koud.'

'Is dit uitgegeven?'

'Ja, dit is het derde deel uit een reeks. Het laatste deel. Het is vlak voor de kerst uitgegeven. Ken je de schrijver? Die Dagbjartur?'

'Nee,' zei zij. 'Maar hij heeft met mensen uit de streek gepraat.'

'Ja, dat lijkt me van wel. Het is heel nauwkeurig en het meeste wat hij zegt is juist.'

'Hij heeft het recht niet dit over jou en je vader te zeggen.'

'Natuurlijk niet.'

'Het is niet rechtvaardig tegenover hem.'

'Nee, ik weet het.'

'Waar komt die man vandaan?'

'Dat weet ik niet.'

Zijn moeder sloeg het boek dicht.

'Wat een vreselijke onzin vertelt die man, ik wil niet dat iemand dit leest,' zei ze weer.

'Ik ook niet,' zei hij.

'Niemand,' zei ze en ze reikte hem het boek aan. Hij zag dat ze in tranen uitbarstte. 'Alsof het zijn schuld is geweest,' zei ze. 'Alsof het íémands schuld is geweest. Klinkklare nonsens!'

Hij pakte het boek aan. Misschien had hij het haar niet moeten laten zien. Of haar beter moeten voorbereiden op *Een drama op de Eskifjarðarheiði*, zoals het deel heette. Hij was niet van plan haar een van de andere verhalen te laten lezen. Zijn moeder had gelijk: onnodig een vertoning te maken over wat daar was geschreven.

In de winter dat het boek met het verslag van de ontberingen van hem en zijn broer verscheen, kreeg zijn moeder griep. Hij wist van niets, hij was ondergedompeld in zijn werk en zij wilde hem ook nooit storen. Ze ging naar haar werk toen ze nog niet hersteld was en stortte weer in. Ze hield weer het bed en was er slecht aan toe. Toen ze eindelijk contact met Erlendur opnam, was ze meer dood dan levend. De infectie had haar hart bereikt en veroorzaakte een hartaandoening. Hij reed haar naar het ziekenhuis, maar ze konden weinig doen. Ze was net zestig toen ze overleed.

Erlendur dronk zijn koffie, die koud was geworden. Hij stond op, ging naar de woonkamer en haalde het derde deel van de boekenplank. Het was hetzelfde boek dat zijn moeder al die jaren geleden had vastgehouden. Ze was hevig verontwaardigd over het verhaal, ze vond dat de schrijver de familie te hard had aangepakt. Erlendur was het daarmee eens, er stonden beweringen in het boek die niemand aangingen behalve hen – ook al waren ze waar. Zijn kinderen, Sindri en Eva, wisten dat dit boek bestond, maar hij had geaarzeld het hun te laten zien. Misschien vanwege zijn vader. Misschien vanwege de reactie van zijn moeder.

Erlendur zette het boek op zijn plek en de vragen over de vrouw uit Grafarvogur vlogen hem weer aan. Wat voerde haar naar de strop? Wat gebeurde er bij het Þingvellirvatn toen haar vader stierf? Hij wilde meer weten. Het zou zijn persoonlijke zaak worden en hij zou voorzichtig te werk gaan om geen achterdocht te wekken. Met mensen praten, conclusies trekken zoals bij elk ander onderzoek. Hij zou moeten liegen omtrent de reden van zijn nieuwsgierigheid en met een of andere verzonnen opdracht op de proppen moeten komen, maar hij had eerder dergelijke dingen gedaan waar hij niet bepaald trots op was.

Hij wilde weten waarom het lot voor die vrouw zo wreed en eenzaam was bij het meer waar ook haar vader een koude dood had gevonden.

Ook van belang was wat er in het boek stond toen ze het opensloeg, een zin over de hemel.

De seance met het medium bleek María enigszins te hebben gesterkt. Ze was ervan overtuigd dat haar moeder haar een teken had gegeven door De kant van Swann *uit de boekenkast te trekken. Ze kon zich geen andere verklaring indenken en het medium, een zeer kalme en begripvolle man, beaamde dat. Hij vertelde haar bijvoorbeeld over vergelijkbare gebeurtenissen, over gestorven mensen die zich kenbaar hadden gemaakt, direct of door middel van dromen of zelfs via dromen van anderen dan de naaste verwanten.*

María vertelde het medium niet dat zij veel scherpere visioenen kreeg te zien enkele maanden nadat Leonóra afscheid van dit leven had genomen, visioenen die haar geen angst hadden ingeboezemd ondanks het feit dat ze bang was voor het donker. Leonóra verscheen aan haar in de deuropening of op de overloop van de slaapkamer of ze zat op het voeteneind van haar bed. Als María de woonkamer in ging zag ze Leonóra soms bij de boekenkast staan of in de keuken op haar stoel zitten. Ze verscheen zelfs als ze de deur uit ging; haar vage spiegelbeeld in een etalageruit of haar gezicht dat in een mensenmassa verdween.

Aanvankelijk duurden die visioenen niet lang, misschien een enkel ogenblik, maar na een tijdje duurden ze langer, ze werden scherper, en de aanwezigheid van Leonóra werd sterker, net zoals María had ervaren toen haar vader overleed. Ze had literatuur bestudeerd over gewaarwordingen gerelateerd aan het rouwproces en ze wist dat visioenen verband konden houden met verlies of emoties zoals schuldgevoel en aanhoudende angsten. Ze wist ook dat de research die beschikbaar was over het fenomeen erop duidde dat haar geest, het innerlijk oog, ze opriep. Ze had gestudeerd. Ze geloofde niet in dromen.

Toch wilde ze het een noch het ander uitsluiten. Ze was er niet meer van overtuigd dat de wetenschap alle vragen kon oplossen.

Naarmate de tijd verstreek werd María gesterkt in het geloof dat haar visioenen meer waren dan mentale hersenschimmen die van haar gevoel, de depressie en de tegenslag gebruikmaakten. Een tijdlang waren ze zo reëel dat ze voelde dat ze van een andere wereld moesten komen, ongeacht wat de exacte wetenschap haar ook zei. Langzamerhand begon ze te geloven dat een dergelijke wereld kon bestaan. Ze begroef zich opnieuw in de verhalen die Leonóra op haar instigatie had gelezen: over de nabijheid van de dood, het gouden licht en de liefde die er verband mee hield, over een goddelijk wezen in het licht, over de gewichtloosheid in de duistere tunnel in de richting van het stralende licht. Ze zocht geen hulp in haar nood, maar ze probeerde zelf met behulp van de rationaliteit en intelligentie die in haar bloed zat haar gemoedstoestand te analyseren.

Zo verstreek er bijna twee jaar. Mettertijd namen María's visioenen af en ze was opgehouden met staren naar de boeken van Marcel Proust. Haar leven was in balans gekomen, hoewel ze wist dat het nooit meer zo zou worden als toen haar moeder nog leefde. Op een ochtend werd ze vroeg wakker en ze moest naar de boekenplanken kijken.

Alles was onveranderd.

Of...

Ze keek weer naar de boeken.

Het duizelde haar toen ze zag dat het eerste deel ontbrak. Ze kwam voetje voor voetje dichterbij en zag De kant van Swann *op de vloer liggen.*

Ze durfde het boek niet aan te raken, maar ze boog voorover, tuurde naar de bladzijde die openlag en las: 'De bossen zijn al donker, de hemel is nog blauw...'

9

Sigurður Óli kwam hoestend op zijn werk en snoot zijn neus uiterst zorgvuldig in een papieren zakdoekje dat hij uit zijn zak haalde. Hij zei dat hij er geen zin in had thuis nog rond te blijven hangen, ook al was hij niet helemaal van die vervloekte griep af. Hij had een nieuwe, lichte zomerjas aan ondanks de herfstkou en hij was 's ochtends in alle vroegte naar het fitnesscentrum en toen naar de kapper geweest. Toen hij Erlendur tegen het lijf liep, zag hij er zoals altijd goed uit ondanks dat hij niet uitgeziekt was.

'Is alles *honky-dory*?' vroeg hij.

'Hoe voel je je?' vroeg Erlendur die de belachelijke uitdrukking negeerde waarvan Sigurður wist dat die hem op de zenuwen werkte.

'Gewoon, gaat wel. Iets aan de hand?'

'Het gebruikelijke. Ben je weer van plan bij haar in te trekken?'

Het was dezelfde vraag die Erlendur Sigurður Óli stelde voordat hij met griep op bed lag. Hij mocht Bergþóra, de vrouw van Sigurður, en hij vond het triest dat hun relatie op de klippen was gelopen. Ze hadden ooit een beetje over de oorzaken van de scheiding gepraat en Erlendur had aan zijn collega gemerkt dat er nog steeds hoop was. Sigurður Óli had hem toen geen antwoord gegeven en hij deed het ook nu niet. Hij kon het bemoeizieke gedoe van Erlendur niet uitstaan.

'Ik hoorde dat je je nog steeds verdiept in die verdwijningen,' zei hij voordat hij de hoek om verdween.

Het was eerder meermaals voorgekomen dat Erlendur de dossiers opgroef van de drie vermiste personen die bijna dertig jaar geleden met korte tussenpozen waren verdwenen en ze lagen voor hem op zijn bureau. Hij kon zich de ouders van het meisje goed herinneren. Twee maanden na de verdwijning van hun dochter ging hij bij hen op bezoek om te zeggen dat de zoektocht geen enkel resultaat had opgeleverd. Ze waren van Akureyri gekomen en ze logeerden in Reykjavík in het huis van vrienden die weg waren. Erlendur zag dat ze helse kwellingen hadden doorstaan sinds hun dochter was verdwenen, de moeder was in haar gezicht getekend en zag er vermoeid uit en de vader was ongeschoren en had wallen onder de ogen. Ze hielden elkaars hand vast. Hij wist dat ze zich tot een psycholoog hadden gewend en ze verweten zichzelf wat er was gebeurd: die lange reis waar ze aan waren begonnen zonder regelmatig contact met hun dochter op te nemen. De reis was een oude droom van het echtpaar dat er lang naar had uitgekeken het Verre Oosten te bezoeken. Ze waren naar China en Japan gereisd en lang in Mongolië geweest. Het laatste contact dat ze met hun dochter hadden was een voortdurend onderbroken telefoongesprek vanuit een hotel in Beijing. Ze hadden het telefoongesprek lang van tevoren moeten aanvragen en de verbinding was slecht. Met het meisje was alles goed en ze keek ernaar uit hun reisverhalen te horen.

'Dat was de laatste keer dat we van haar hoorden,' zei de vrouw zachtjes toen Erlendur het echtpaar opzocht. 'We kwamen pas twee weken later thuis en toen was ze verdwenen. We belden haar weer op toen we in Kopenhagen aankwamen en toen we op Keflavík landdden, maar ze nam niet op. Toen we bij haar thuis kwamen was ze verdwenen.'

'Er was eigenlijk nooit een fatsoenlijke telefoonverbinding voor we weer in Europa waren,' zei haar echtgenoot. 'Toen probeerden we haar te bellen, maar ze nam niet op.'

Erlendur knikte. Een uitgebreide zoektocht naar hun dochter, die Guðrún heette maar Dúna werd genoemd, had geen resultaat opgeleverd. Men had gesproken met haar vrienden, medestudenten en verwanten, maar niemand kon haar verdwijning verklaren of zich enigszins voorstellen wat er van haar was geworden. De kust van Reykjavík en de omgeving waren afgezocht. Rubber reddingsboten waren ingezet om de kustlijn te verkennen en duikers zochten op zee. Niemand leek te weten waar de Austin Mini was gebleven; per helikopter was overal rondom Reykjavík ernaar gezocht, bovendien boven de belangrijkste wegen naar het noorden naar Akureyri, maar de auto werd niet gevonden.

'Het was min of meer een brik die ze in Akureyri had gekocht,' zei haar vader. 'Je kon er aan de bestuurderskant amper in komen, de deur zat klem, de hendels voor de raampjes werkten niet en de bagageklep ging niet open, maar ze was vreselijk blij met het autootje en ze gebruikte het vaak.'

Haar ouders praatten over de hobby's van hun dochter. Een van die hobby's was de waterflora en -fauna. Ze studeerde biologie en ze was speciaal geïnteresseerd in het leven in het water. Met het oog hierop werd een zoektocht bevolen in de meren bij Reykjavík en Akureyri en langs de wegen naar het noorden, maar zonder resultaat.

Erlendur liet het dossier even rusten. Hij wist niet waar die mensen nu verbleven. Waarschijnlijk woonde het echtpaar nog steeds in Akureyri, beiden in de zeventig en opgehouden met werken; hopelijk was het hen gelukt van hun oude dag te genieten. Ze hadden de eerste jaren zo nu en dan contact met hem gehad, maar hij had al lange tijd niets van hen gehoord.

Hij haalde een ander dossier tevoorschijn. De verdwijning van de jongeman uit Njarðvík leek een duidelijke verklaring te hebben. Hij was slecht voorbereid van de ene gemeente naar de andere op weg gegaan en hoewel het een korte afstand was, woedde er een zware sneeuwstorm die zijn dood leek te hebben veroorzaakt. Waarschijnlijk was hij in het water beland en door de branding meegesleurd. Omdat hij dronken was – zoals iedereen zei – had hij niet de kracht zichzelf in veiligheid te brengen, zijn inschattingsvermogen, energie en wilskracht waren afgezwakt. Reddingsteams uit het gebied, verwanten en vrienden van de jongeman liepen de eerste dagen de hele kustlijn af, van Garðskagi tot Álftanes. Er was geen enkel spoor van hem te zien en de zoektocht werd keer op keer gestaakt wegens verslechterende weersomstandigheden. Alles bleek tevergeefs te zijn.

Erlendur nam contact op met Karen, de vriendin van María, en zei dat hij naar de cassette had geluisterd die zij bij hem op zijn kantoor had achtergelaten. Ze praatten behoorlijk lang met elkaar en Karen gaf hem een paar namen van mensen die met María in verband stonden. Ze vroeg Erlendur niet waarom hij de zaak nader wilde onderzoeken, maar ze leek blij te zijn dat hij reageerde.

Een van degenen die Karen noemde was een man die Ingvar heette en Erlendur besloot hem een bezoek te brengen. Hij ontving Erlendur vriendelijk en gaf geen commentaar op Erlendurs uitleg waarom hij vragen stelde over María. Ze ontmoetten elkaar laat in de namiddag toen een koude regenbui over de stad trok. Erlendur zei dat de politie deelnam aan een groots opgezet onderzoek naar zelfmoorden, in samenwerking met de bevolking van de Scandinavische landen. Dat was geen echte leugen. Er was aan een dergelijk onderzoek gewerkt voor de hoofden van Sociale Zaken in die landen en de politie had het team informatie verstrekt. Het doel was tot de wortel van het probleem te komen, zoals het in het Zweedse rapport heette, de oorzaken van de zelfmoorden te onderzoeken, hoe ze tussen de leeftijdsgroepen, de seksen en de sociale klassen waren verspreid, en wat ze gemeenschappelijk hadden.

Zo praatte Erlendur en Ingvar luisterde aandachtig. Hij was in de zestig, een oude vriend van de familie en collega van Magnús, de vader van María. Hij maakte op Erlendur de indruk een saaie, stille man te zijn. Hij was vanzelfsprekend geschokt door het nieuws, hij was op de uitvaart van María geweest en zei dat ze knap was. Hij vond het onbegrijpelijk dat het meisje haar toevlucht had genomen tot een dergelijke wanhoopsdaad.

'Ik wist echter dat ze in de problemen zat.'

Erlendur dronk de koffie die de man hem had aangeboden.

'Ik heb begrepen dat het haar erg heeft aangegrepen dat haar vader stierf,' zei hij terwijl hij het kopje neerzette.

'Vreselijk,' zei Ingvar. 'Heel vreselijk, iets dergelijks zou geen enkel kind moeten overkomen. Ze is van alles getuige geweest.'

Erlendur knikte.

'Ze verwierven dat zomerhuis vlak nadat ze trouwden, Magnús en Leonóra,' zei Ingvar. 'Ze nodigden mij en Jóna, mijn vrouw zaliger, vaak uit om daar op feestdagen en zo bij hen te komen. Magnús ging vaak met het bootje erop uit. Hij was een visfanaat en kon hele dagen vissend doorbrengen. Ik ging soms mee. Hij probeerde het enthousiasme van de kleine María op te wekken, maar ze wilde niet met hem gaan vissen. Leonóra ook niet. Ze was nooit van de partij als Magnús ging vissen.'

'Ze waren dus niet met hem in het bootje op het meer?'

'Nee, zeer zeker niet. Magnús was alleen, je kunt het ongetwijfeld nalezen in uw politierapport. In die tijd kwam het niet vaak voor dat je een reddingsvest aantrok of zo'n ding überhaupt bij je had. Magnús had zoiets niet toen hij het meer op ging. Er waren bij mijn weten twee vesten voor de boot, maar Magnús zei altijd dat hij er de noodzaak niet van inzag en hij liet ze in het botenhuisje liggen. Hij ging meestal maar heel even het meer op, amper van de oever af.'

'Maar die laatste keer voer hij wat langer uit?'

'Dat is zo, ja, naar wat ik ervan begreep. Het was ongewoon koud die dag. Het was in dit seizoen, in de herfst.'

Ingvar zweeg.

'Ik verloor daar een van mijn beste vrienden,' zei hij bedachtzaam.

'Dat is triest,' zei Erlendur.

'Zijn bootje had een buitenboordmotor en mijn vrouw en ik hebben later van de politie begrepen dat de schroef ervan af was gevallen; het bootje was stuurloos geworden en lag stil. Magnús had geen roeispanen en toen hij aan de motor begon te prutsen viel hij overboord. Hij was gezet en rookte veel, hij deed zittend werk, waarschijnlijk heeft dat niet geholpen. Leonóra zei dat het behoorlijk had gewaaid, met koude rukwinden van de Skjaldbreiður, en het water was wild; Magnús was in een ommezien verdronken. Het Þingvellirvatn is ijskoud in dat jaargetijde. Dat overleeft niemand, hooguit een paar minuten.'

'Ja, vanzelfsprekend,' zei Erlendur.

'Leonóra vertelde me dat het bootje nauwelijks meer dan honderdvijftig meter of zo van de oever af was. Ze zagen niet wat er gebeurde. Ze zagen hem in het water en ze hoorden hem roepen, maar dat verstomde waarschijnlijk heel snel.'

Erlendur keek uit het raam van de woonkamer. De stadslichten glinsterden in de regen. Het verkeer was drukker geworden. Binnen waar zij zaten hoorde hij het gebrom.

'Zijn dood heeft moeder en dochter natuurlijk erg aangegrepen,' zei Ingvar. 'Leonóra is niet hertrouwd en zij en María woonden al die tijd samen, zelfs nadat het meisje trouwde. Toen trok haar man, de arts, simpelweg bij hen in.'

'Waren ze gelovig, moeder en dochter, weet je dat?'

'Ik weet dat Leonóra op de een of andere manier troost in het geloof vond na wat er op Þingvellir gebeurde. Dat heeft haar geholpen en het heeft ongetwijfeld ook het meisje geholpen. María was een ontzettend welgemanierd kind, dat kun je van andere kinderen niet gauw zeggen. Leonóra had nooit problemen met haar. Ze leerde die arts kennen, ik vond hem een voortreffelijke vent. Ik kende hem overigens niet zo goed, maar ik heb hem gesproken nadat María stierf en hij was natuurlijk geschokt, dat is iedereen die haar kende.'

'María had geschiedenis gestudeerd,' zei Erlendur.

'Ja, ze was in het verleden geïnteresseerd, ze was een grote boekenwurm, ze had dat van haar moeder.'

'Weet je wat haar interessegebied was binnen de geschiedenis?'

'Nee, dat weet ik niet zo precies,' zei Ingvar.

'Religieuze onderwerpen soms?'

'Ja, ik heb begrepen dat ze zich steeds meer interesseerde voor een leven in een hiernamaals nadat haar moeder stierf. Toen begroef ze zich in het spiritisme, ideeën van andere mensen over een leven na de dood, zulk soort dingen.'

'Weet je of María zich tot een medium of helderziende wendde?'

'Nee, ik heb geen idee. Ze vertelde me daar niets over. Heb je het haar man gevraagd?'

'Nee,' zei Erlendur. 'Het kwam zomaar bij me op. Wist je dat ze erg depressief was? Kon je je voorstellen dat het voor haar zo zou lopen?'

'Nee, helemaal niet. Ik ben haar een paar keer tegengekomen en heb met haar over de telefoon gesproken, maar ik kon niet aan haar horen dat dit zou... integendeel eigenlijk, omdat ik vond dat ze aan de beterende hand was. Het laatste telefoongesprek dat ik met haar had, was een paar dagen voordat ze... voordat ze die daad pleegde. Toen vond ik haar vastbeslotener dan ze ooit was geweest, optimistisch als het ware. Ik dacht dat ik tekenen van herstel bij haar zag. Maar toen begreep ik dat dit misschien vaker gebeurt.'

'Wat?'

'Dat mensen zoals zij een opleving krijgen als ze een besluit hebben genomen.'

'Kun je je voorstellen wat voor invloed het op haar heeft gehad om als jong meisje getuige te zijn geweest van dat ongeluk op Þingvellir?'

'Je kunt je natuurlijk nooit in iemand anders verplaatsen. Wat er gebeurde met María was dat ze zich aan haar moeder vastklampte en na het ongeluk altijd kracht en steun bij haar zocht. Leonóra kon de eerste maanden en jaren het kind nauwelijks uit haar blikveld hebben verloren. Natuurlijk laat zo'n gebeurtenis diepe sporen achter en achtervolgt het je altijd.'

'Ja,' zei Erlendur. 'Ze rouwden samen over hem.'

Ingvar zweeg.

'Weet jij waardoor de motor het begaf?'

'Nee. Men zei dat de schroef eraf was gevallen. Dat is het enige wat we weten.'

'Had hij eraan zitten knoeien?'

'Magnús? Nee. Hij had van zoiets geen verstand. Hij kwam nooit in de buurt van een machine, voor zover ik weet. Als je meer over Magnús wilt weten kun je met zijn zuster praten, Kristína. Zij kan je misschien verder helpen. Ga met haar praten.'

Dezelfde dag zocht Erlendur een oude schoolkameraad van María op. Hij heette Jónas en was financieel directeur van een farmaceutisch bedrijf. Zijn kantoor was ruimbemeten en Jónas was onberispelijk gekleed in een op maat gesneden kostuum met een felgele stropdas; hij was lang, slank en had een baard van drie dagen. Hij deed hem een beetje aan Sigurður Óli denken. Aan de telefoon had Jónas zich een beetje verwonderd over een onderzoek naar de zelfmoord van zijn schoolgenoot; hij vond het vreemd dat hij met haar in verband werd gebracht, maar hij vroeg geen dingen die Erlendur in moeilijkheden konden brengen.

Hij wachtte tot Jónas klaar was met zijn telefoongesprek, iets dringends op een buitenlijn, begreep Erlendur. Hij zag op een plank een foto van een vrouw en drie kinderen en hij nam aan dat het het gezin van de financieel directeur was.

'Over María,' zei Jónas toen hij ten slotte de telefoon neerlegde. 'Is het waar wat je zo hoort? Pleegde ze zelfmoord?'

'Dat is juist,' zei Erlendur.

'Ik kan het bijna niet geloven,' zei Jónas.

'Je hebt haar op het gymnasium leren kennen, nietwaar?'

'We zijn drie jaar met elkaar gegaan, twee op het gymnasium en een jaar op de universiteit. Ze ging toen geschiedenis studeren, zoals je wellicht weet. Ze studeerde van alles en nog wat.'

'Woonden jullie samen, of...?

'Het laatste jaar. Toen kreeg ik er genoeg van.'

Jónas zweeg. Erlendur wachtte.

'Nee, haar moeder was... ze was nogal bemoeizeik, om maar te zeggen waar het op staat,' zei Jónas. 'En het vreemde was dat María daar nooit iets verkeerds in zag. Ik trok bij haar in daar in Grafarvogur, maar ik gaf het al heel gauw op met de hele toestand. Leonóra was overal tegelijk en ik vond dat

María en ik nooit met rust werden gelaten. Ik heb het er met haar over gehad, maar María wou er niets van weten, ze wou haar moeder om zich heen hebben en daarmee was de kous af. We hebben er een beetje ruzie over gemaakt en toen had ik er simpelweg geen trek meer in en ben ik vertrokken. Ik weet niet of María mij ooit gemist heeft. Ik heb haar sindsdien weinig gezien.'

'Ze is later getrouwd,' zei Erlendur.

'Ja, was hij geen dokter?'

'Jullie hebben het contact dus niet helemaal verbroken?'

'Jawel, ik heb dat gewoon gehoord, maar het was voor mij geen verrassing.'

'Ben je haar nog wel eens tegengekomen nadat je de relatie had verbroken?'

'Misschien twee of drie keer bij toeval, op een party of iets dergelijks. Het was allemaal oké, María was een heel verstandig meisje. Het is ontzettend tragisch dat ze ervoor koos zo heen te gaan.'

De mobiel in de zak van Erlendur ging over. Hij verontschuldigde zich en nam op.

'Ze wil het doen,' hoorde hij Eva Lind door de telefoon zeggen.

'Wat?'

'Jou ontmoeten.'

'Wie?'

'Mama. Ze wil het doen. Ze gaat ermee akkoord je te ontmoeten.'

'Ik zit in vergadering,' zei Erlendur en hij keek naar Jónas, die ongeduldig over zijn gele stropdas streek.

'Ben je dan niet ertoe bereid?' vroeg Eva Lind.

'Kan ik straks met je praten?' vroeg Erlendur. 'Ik zit nu in een vergadering.'

'Zeg dan gewoon ja of nee.'

'Ik praat straks met je,' zei Erlendur.

Toen brak hij het telefoongesprek af.

'Had de dood op de een of andere manier een speciale betekenis voor María?' vroeg Erlendur. 'Was het iets waar ze veel over nadacht, herinner je je dat?'

'Niet speciaal, volgens mij. We hadden het daar niet over, bovendien waren we gewoon nog kinderen. Wel was ze altijd erg bang voor het donker. Dat is iets wat ik me het beste herinner van onze relatie, ze was vreselijk bang voor het donker. Ze kon nauwelijks alleen thuis zijn als het begon te schemeren. Ik denk ook dat het daarom was dat ze bij Leonóra wilde blijven wonen. Toch...'

'Wat?'

'Ofschoon ze zo bang voor het donker was of misschien juist daarom, las ze de hele tijd griezelverhalen, al die boeken, de sprookjes van Jón Árnason en dergelijke. Haar favoriete films waren horrorfilms over zombies en al die nonsens. Ze trok zich dat aan en dan durfde ze 's avonds nauwelijks te gaan slapen. Ze kon nooit alleen zijn. Er moest altijd iemand bij haar zijn.'

'En waarvoor was ze dan bang?'

'Ik weet het niet precies omdat het me allemaal geen barst kon schelen, ik ben nooit bang voor het donker geweest. Ik heb misschien niet goed genoeg naar haar geluisterd.'

'Maar ze heeft die angsten gecultiveerd?'

'Dat is niet waarschijnlijk.'

'Was ze gevoelig voor haar omgeving, zag of hoorde ze dingen? Kwam die angst voor het donker voort uit iets wat ze had meegemaakt of had gekend?'

'Dat geloof ik niet. Ik herinner me wel dat ze soms wakker werd en naar de deur van de slaapkamer keek alsof ze iets zag. Dan was het weer over. Ik geloof dat het iets was dat haar uit dromenland achtervolgde. Ze had er geen verklaring voor. Soms meende ze menselijke wezens te zien. Het was altijd in een toestand van half waken half slapen, het was gewoon iets wat in haar hoofd zat.'

'Praatten ze met haar?'

'Nee, het was niets, dromen zoals ik zei.'

'Is het misschien voor de hand liggend om in dit verband naar haar vader te vragen?'

'Ja, natuurlijk. Hij was een van degenen.'

'Die zij zag?'

'Ja.'

'Bezocht ze seances met een medium toen je met haar samenwoonde?'

'Nee.'

'Dat weet je zeker?'

'Ja. Iets dergelijks deed ze niet.'

'Die angst voor het donker, hoe liet ze dat merken?'

'Gewoon in van die alledaagse dingen, denk ik. Ze durfde niet alleen het washok in te gaan. Ze ging amper in d'r eentje de keuken in. Overal waar ze was moest altijd het licht aan. Ik moest van haar luisteren of er 's avonds iets bewoog in het huis, vooral heel laat in de nacht. Ze had er een hekel aan als ik er niet was, als ik 's nachts niet bij haar kon zijn.'

'Zocht ze daar hulp voor?'

'Hulp? Nee. Is het niet gewoon iets wat... Is het mogelijk hulp te zoeken als je bang voor het donker bent?'

Erlendur wist het niet.

'Misschien. Een psycholoog of zo iemand,' zei hij.

'Nee, zo iemand bezocht ze niet, in ieder geval niet toen ik met haar was. Je kunt het misschien haar man vragen.'

Erlendur knikte.
'Bedankt voor je hulp,' zei hij en hij stond op.
'Geen probleem,' zei Jónas en hij streek met zijn kleine hand weer over de gele stropdas.

10

Het bezoek van de oude man op het politiebureau om naar nieuws over zijn verdwenen zoon te vragen zat Erlendur dwars. Hij wilde zo vreselijk graag iets voor hem doen, maar er was bitter weinig dat hij kon doen. De zaak was allang afgesloten. Het was een onopgeloste verdwijning. Hoogstwaarschijnlijk had de jongeman zelfmoord gepleegd. Erlendur had getracht die mogelijkheid met het echtpaar te bespreken, maar daar wilden ze niets van weten. Hun zoon had nooit met een dergelijk idee gespeeld en nooit iets in die richting geprobeerd. Hij was vrolijk en gelukkig en het zou nooit bij hem opkomen zijn leven te verkorten.

Hetzelfde zeiden zijn vrienden met wie Erlendur toentertijd praatte. Ze sloten de gedachte uit dat Davíð zich van het leven had beroofd. Ze vonden het vreselijk, maar ze konden weinig bijdragen aan het oplossen van de zaak. Davíð ging niet met volk om dat hem mogelijk kwaad kon doen, het was een doodgewone IJslandse knul die op het punt stond het gymnasium af te maken en die van plan was de volgende herfst met twee van zijn beste vrienden op de universiteit rechten te studeren.

Erlendur zat nu op het kantoor van een van die vrienden. Decennia waren verstreken sinds ze voor het laatst met elkaar over de verdwijning van de jongen hadden gepraat. De man had jarenlang gestudeerd, hij had zijn rechtenstudie afgemaakt, was advocaat aan het hooggerechtshof geworden en runde samen met twee anderen een groot advocatenkantoor. Hij was sinds zijn twintigste behoorlijk dikker geworden, was het grootste deel van zijn haar kwijt en hij had wallen onder de ogen. Erlendur herinnerde zich de jongen die hij zo'n dertig jaar geleden had ontmoet, een jonge, slanke, veerkrachtige man die aan het begin stond van een leven dat hem nu had getekend, hem tot een man van middelbare leeftijd had gemaakt, vermoeid en versleten.

'Waarom kom je nu vragen stellen over Davíð, is er iets nieuws?' vroeg de advocaat, die zijn secretaresse belde om te vragen hem niet te storen. Erlendur had haar op de gang gegroet, een glimlachende vrouw van middelbare leeftijd.

Het was twee dagen nadat Erlendur de oude geliefde van María had opgezocht. Elínborg zei dat hij niets anders meer deed dan zijn tijd verspillen met oude dossiers over vermiste personen. Erlendur zei dat ze zich geen zorgen hoefde te maken. 'Ik maak me geen zorgen over jou,' zei Elínborg, 'ik maak me zorgen over de gelden van de gemeentebelastingen.'

'Nee, geen nieuws,' zei Erlendur tegen de man. 'Volgens mij is zijn vader stervende. Dit is de laatste kans iets te doen voor hij afscheid van dit leven neemt.'

'Ik denk soms aan hem,' zei de advocaat, die Þorsteinn heette. 'Davíð en ik waren goede vrienden en het is triest dat het niet mogelijk is erachter te komen wat er van hem is geworden. Echt triest.'

'Ik geloof dat we alles gedaan hebben wat we konden,' zei Erlendur.

'Daar twijfel ik niet aan. Ik herinner me hoe je je ervoor hebt ingezet. Je was met een andere agent...?'

'Marion Briem,' zei Erlendur. 'Wij werkten aan de zaak. Marion is inmiddels overleden. Ik was oude dossiers aan het doornemen. Je was de stad uit toen hij verdween.'

'Ja, mijn ouders komen uit Kirkjubæjarklaustur. Ik was bij hen op bezoek, voor een week of zo. Toen ik weer in de stad terugkwam hoorde ik het van Davíð.'

'Je vertelde over een telefoongesprek dat je met hem had, het laatste telefoongesprek. Dat was in Kirkjubæjarklaustur. Hij belde je daar op.'

'Ja. Hij vroeg wanneer ik weer naar de stad kwam.'

'Hij wou je iets vertellen.'

'Ja.'

'Maar hij wou je niet vertellen wat het was?'

'Nee. Hij deed heel geheimzinnig, maar hij was ook vrolijk. Het was goed nieuws dat hij me wilde melden, geen slecht nieuws. Ik vroeg hem er speciaal naar. Hij lachte. Zei mij me geen zorgen te maken, dat alles duidelijk zou worden.'

'Maar hij was erg blij met zijn nieuws?'

'Ja.'

'Ik weet dat we je dit toentertijd vroegen.'

'Dat klopt. Ik kon jullie niet helpen. Net zomin als nu.'

'Niets anders dan wat je toen hebt gezegd, dat hij een nieuwtje had te vertellen waar hij blij om was?'

'Ja.'

'Zijn ouders wisten niet wat het was.'

'Nee, hij leek niemand er iets over te hebben verteld.'

'Heb je enigszins een idee wat het geweest kon zijn?'

'Het zijn slechts gissingen. Ooit, veel later, dacht ik dat het een meisje was geweest, dat hij een meisje was tegengekomen waar hij verliefd op was geworden, maar daar wist ik toen niets van. Niet totdat ik Gilbert weer was tegengekomen.'

'Davíð had geen geliefde toen hij verdween?'

'Nee, niemand van ons,' zei de advocaat glimlachend. 'Op de een of andere manier dacht ik dat hij van onze vrienden de laatste was die een vriendin zou krijgen. Hij was vreselijk verlegen als we het daarover hadden. Heb je ooit met Gilbert gesproken?'

'Gilbert?'

'Hij verhuisde naar Denemarken rond de tijd dat Davíð verdween. Hij is weer naar IJsland teruggegaan en woont nu hier. Waarschijnlijk is hij de enige met wie je nooit hebt gepraat.'

'Ja, ik kan me vaag zoiets herinneren,' zei Erlendur. 'Ik geloof dat we hem nooit te spreken hebben gekregen.'

'Hij was van plan een jaar in een hotel in Kopenhagen te gaan werken, maar het beviel hem zo goed dat hij er ging wonen. Hij trouwde met een Deense. Zo'n tien jaar geleden is hij teruggekomen. Af en toe hebben we contact. Hij zei een keer dat Davíð achter een meisje aan zat. Dat dacht Gilbert, maar het was iets heel vaags.'

'Vaag?'

'Ja. Heel vaag.'

Valgerður, Erlendurs vriendin, belde hem 's avonds op toen hij had gegeten en in zijn stoel zat met een boek. Ze probeerde hem mee naar het theater te krijgen. Een populaire komedie die ze graag wilde zien speelde in het Nationale Theater en ze wilde dat Erlendur met haar meeging. Hij hield de boot af, hij verveelde zich in het theater. Het was haar ook niet gelukt hem naar de bioscoop mee te slepen. Het enige waar hij niet direct een hekel aan had was muziek: koor-, solo- en symfonieconcerten. De laatste keer was hij met haar mee geweest naar een avonduitvoering van een gemengd koor uit Svarfaðardal. Een nicht van Valgerður zong in het koor en hij had genoten. Op het programma stond een lied naar een gedicht van Davíð Stefánsson.

'Het is echt een grappig stuk,' zei Valgerður over de telefoon. 'Een klucht. Je zult je vermaken.'

Erlendur fronste zijn wenkbrauwen.

'Oké,' zei hij. 'Wanneer speelt het?'

'Morgenavond, ik haal je op.'

Hij hoorde geklop op de deur en sloot het gesprek met Valgerður af. Eva Lind stond samen met Sindri op de gang. Ze begroetten hun vader vluchtig en gingen in de woonkamer zitten. Ze haalden beiden een sigaret tevoorschijn.

'Wat heb je tegen dat stel daarboven gezegd? Ik heb geen kip gehoord sinds jij met ze hebt gepraat.'

Sindri glimlachte. Het had Erlendur verwonderd dat hij geen hardrockmuziek van de verdieping erboven had gehoord en hij vroeg zich af wat Sindri in feite tegen dat volk had gezegd om ze zover te krijgen eindelijk considera-tie met hun buren te tonen.

'Ach, het waren best wel aardige vogels, de meid met een ringetje in d'r wenkbrauw en hij deed alsof hij heel wat was. Ik zei ze dat jij een afperser was. Dat je regelmatig wegens geweldpleging in de bak zat en dat je baalde van die herrie.'

'Ik dacht al dat ze verhuisd waren,' zei Erlendur.

'Stomkop,' zei Eva Lind terwijl ze haar broer aankeek. 'Ga je voor hem zit-ten liegen?'

'Het was een kolereherrie,' zei Sindri als excuus.

'Heb je erover nagedacht?' vroeg Eva Lind. 'Over mama. Ben je van plan haar te ontmoeten?'

Erlendur antwoordde niet meteen. Hij had weinig tijd gehad om na te den-ken over datgene wat Eva probeerde te bewerkstelligen. Hij had er geen trek in zijn ex-vrouw, de moeder van zijn kinderen, weer te zien, en hij wilde lie-ver zo min mogelijk meewerken aan het initiatief dat Eva's nieuwe hobby leek te zijn.

'Wat wil je ermee bereiken?' vroeg hij.

Erlendur keek om beurten broer en zus op de sofa aan. Hun bezoekjes aan hem waren beetje bij beetje frequenter geworden, eerst Sindri nadat hij van-uit het oosten, waar hij in de vis werkte, weer naar Reykjavík was verhuisd, en vervolgens Eva Lind nadat ze van de drugs af was. Hij was blij met hun bezoek, vooral als ze samen kwamen. Hij was blij te zien hoe ze met elkaar omgingen. Hij vond het alleen maar positief. Eva Lind was de dominante, oudere zus die soms de rol van mentor op zich nam. Ze liet het Sindri weten als haar iets niet aanstond. Erlendur vermoedde dat de jongen soms aan haar zorg was overgelaten toen ze klein waren. Sindri diende zijn zus van repliek, maar hij was niet kwaadaardig of onverdraagzaam jegens haar.

'Ik geloof dat jullie er beiden baat bij hebben,' zei Eva Lind. 'Ik snap niet waarom jullie niet een keertje met elkaar kunnen praten.'

'Waarom wil jij je hiermee inlaten?'

'Omdat ik jullie dochter ben.'

'Wat zei ze?'

'Gewoon, dat ze het wil doen. Ze wil je ontmoeten.'

'Moest je bidden en smeken?'

'Ja. Jullie zijn allebei hetzelfde. Ik weet niet waarom jullie uit elkaar zijn gegaan.'

'Waarom is dit voor jou zo'n punt?'

'Jullie moeten met elkaar kunnen praten,' zei Eva Lind. 'Ik wil niet dat dit zo nog langer doorgaat. Ik heb... en Sindri ook, wij hebben jullie nooit samen gezien. Nooit. Vind je dat niet raar? Vind je dat soms normaal? Dat jullie kinderen jullie nooit samen hebben gezien? Hun eigen ouders?'

'Is dat zo abnormaal?' zei Erlendur terwijl hij zich tot Sindri richtte. 'Oordeel jij er ook zo hard over?'

'Mij kan het juist geen ene kloot schelen,' zei Sindri. 'Eva probeert mij hierin mee te slepen, maar mij kan het...'

'Jij snapt er de ballen niet van,' interrumpeerde Eva Lind hem.

'Nee, precies. Dan heeft het ook geen zin haar te vertellen dat het je reinste lulkoek is. Als mama en jij zo graag met elkaar willen praten, dan hadden jullie dat allang gedaan. Eva steekt gewoon haar neus in andermans zaken, zoals altijd. Ze kan er niet mee ophouden. Ze bemoeit zich met van alles, vooral als het haar niks aangaat.'

Eva Lind keek haar broer met een gemene blik aan.

'Je bent een idioot,' zei ze.

'Ik denk, Eva, dat je dit misschien moet laten rusten,' zei Erlendur. 'Het is...'

'Zij is ertoe bereid,' zei Eva Lind. 'Het heeft me twee maanden gekost haar zover te krijgen van mening te veranderen. Je weet niet wat voor bullshit ik heb moeten verkopen.'

'Ja, nee, ik begrijp wat je probeert te doen, maar in alle ernst: ik heb er geen vertrouwen in.'

'Waarom niet?'

'Het is... het is al zo lang afgedaan tussen je moeder en mij, en niemand is ermee geholpen als het allemaal weer wordt opgerakeld. Het is verleden tijd. Afgedaan. Voorbij. Volgens mij is het misschien beter er op die manier over te denken, dat je probeert het van de andere kant te bekijken.'

'Dat heb ik je gezegd,' zei Sindri, die zijn zus aankeek.

'Van de andere kant! Gelul!'

'Heb je het helemaal uitgedacht, Eva?' vroeg Erlendur. 'Is ze van plan hier te komen? Moet ik naar haar toe? Moeten we elkaar op neutraal terrein ontmoeten?'

Erlendur keek Eva aan en hij vroeg zich af hoe het kwam dat hij begrippen uit de Koude Oorlog gebruikte als hij het over zijn ex-vrouw had.

'Neutraal terrein!' snoof Eva Lind. 'Hoe denk je zelf dat het met jullie zou moeten? Jullie zijn gestoord, allebei.'

Ze stond op.

'In jouw ogen is dit gewoon een grap, verdomme. Ik en mama en Sindri – wij zijn gewoon een grap!'

'Helemaal niet, Eva,' zei Erlendur. 'Ik was helemaal niet...'

'Jij hebt ons nooit serieus genomen!' zei Eva Lind. 'Nooit geluisterd naar wat wij te zeggen hebben!'

Eer Erlendur en Sindri het in de gaten hadden was ze naar de deur gestormd. Ze smeet die zo hard achter zich dicht dat het in de hele flat echode.

'Wat...? Wat is er gebeurd?' zei Erlendur terwijl hij naar zijn zoon keek.
Sindri haalde zijn schouders op.

'Ze is al zo sinds ze is clean is. Ontzettend opvliegend. Je kunt niks zeggen of ze wordt maf.'

'Wanneer begon ze erover dat je moeder en ik elkaar moesten ontmoeten?'

'Daar heeft ze het altijd over gehad,' zei Sindri. 'Al sinds ik me kan herinneren. Ze denkt... ik weet het niet, Eva kan ontzettend ouwehoeren.'

'Ik heb haar nog nooit horen ouwehoeren,' zei Erlendur. 'Wat denkt ze dan?'

'Ze zei dat het haar misschien kon helpen.'

'Wat? Wat kan haar helpen?'

'Dat jij en mama... Dat het tussen jou en mama niet zo ellendig hoeft te zijn.'

Erlendur staarde zijn zoon aan.

'Zei ze dat?'

'Ja.'

'Kan het haar helpen met haar leven in het reine te komen?'

'Het was iets in die trant.'

'Als jullie moeder en ik proberen ons te verzoenen?'

'Ze wil gewoon dat jullie samen praten,' zei Sindri, die een sigaret uitmaakte die hij tot het eind had opgerookt. 'Wat is daar zo gecompliceerd aan?'

Erlendur lag na het bezoek wakker en dacht over het huis in het oosten waarvan ooit werd beweerd dat het er spookte. Het was een houten huis van twee verdiepingen dat tegen het eind van de negentiende eeuw was gebouwd door een Deense koopman. In de jaren veertig van de vorige eeuw waren er mensen uit Reykjavík ingetrokken en algauw daarna deed het verhaal de ronde dat de vrouw des huizes meende een kind vreselijk te horen huilen achter de lambrisering in de woonkamer. Niemand had zoiets eerder gezegd en niemand hoorde het gehuil, behalve de vrouw als ze alleen thuis was. Haar man zei dat het kattengejank was, maar de vrouw ontkende dat ten stelligste en ze werd zowel bang in het donker als bang voor spoken, ze had nachtmerries en voelde zich niet prettig in het huis. Toen kwam het moment dat ze het er niet langer uithield en ze kreeg haar man zover uit de streek te verhuizen. Ze gingen weer naar Reykjavík nadat ze slechts drie jaar op die plek hadden gewoond. Het huis werd verkocht aan mensen uit de buurt die nooit iets merkten.

Vlak na het midden van de vorige eeuw begon iemand zich te interesseren voor het verhaal over gehuil van een kind en over de vrouw uit Reykjavík en hij verdiepte zich in de geschiedenis van het huis. Verscheidene gezinnen hadden erin gewoond nadat de Deense koopman het had verkocht, ooit woonden er een tijdje drie gezinnen tegelijk, maar er werd nooit melding gemaakt van kindergehuil achter de lambrisering in de woonkamer. De man zocht verder terug in de geschiedenis van het huis naar iets dat met een kind in verband stond en hij kwam erachter dat de Deense koopman die er woonde drie dochters had, die allen een hoge leeftijd bereikten. De dienstmeisjes van de koopman waren kinderloos. Toen de man de geschiedenis over de bouw van het huis onderzocht, ontdekte hij dat er twee opzichters waren geweest; de een nam de bouw over van de ander. De eerste, die met het werk ophield, had een twee jaar oude dochter. Ze kwam om bij een ongeval op de plek waar later de woonkamer verrees. Ze was van een houtstapel gevallen en overleed meteen.

Erlendur had in zijn jeugd het verhaal over het spookhuis gehoord. Zijn moeder kende de man die het verhaal over de dochter van de opzichter had achterhaald, dus ze had het uit de eerste hand. De man hield het voor uitgesloten dat de vrouw uit Reykjavík iets over de bouw van het huis had geweten. Erlendur wist niet hoe hij het verhaal moest interpreteren. Zijn moeder ook niet.

Wat zei het over een leven na de dood?

Was de vrouw uit Reykjavík ontvankelijker dan anderen, of had ze over de dochter van de opzichter gehoord en was haar fantasie met haar op de loop gegaan?

Als ze ontvankelijker dan de meeste mensen was, wat zat er dan achter de lambrisering?

11

De vrouw kon zich goed herinneren dat María en Baldvin verliefd werden op elkaar. Ze heette Þorgerður en ze studeerde met María op de universiteit geschiedenis. Ze was lang en kaarsrecht en had heel donker haar. Ze was na twee jaar met geschiedenis opgehouden en de verpleging in gegaan. Vanaf haar studiejaren had ze een goed contact met María onderhouden, ze was een babbelkous en helemaal niet terughoudend om met een rechercheur als Erlendur te praten. Ze vertelde ongevraagd dat ze ooit getuige was geweest in een strafrechtelijke zaak. Ze stond in een apotheek toen een man met een bivakmuts op met een mes naar binnen stormde en de apotheekbediende bedreigde.

'Het was zo'n stumper,' zei Þorgerður. 'Een zielige junk. Ze hadden hem meteen te pakken en wij, die daar om de winkel waren geweest, moesten hem identificeren. Dat was een simpele zaak. Hij had dezelfde vodden aan. Hij had zich geeneens van zijn bivakmuts kunnen ontdoen. Een heel mooie jongen.'

Erlendur glimlachte in zichzelf. 'Het ondervolk,' had Sigurður Óli eens gezegd. Erlendur wist niet of hij Laxness had gelezen of dat hij dat woord in zijn jeugd had gehoord. In Sigurðurs denkwereld sloeg het beslist op crimineel tuig en junkies, die volgens zijn zeggen simpele zieligerds waren, maar ook op ander volk dat hem om de een of andere reden niet aanstond: ongeschoold personeel, winkelbediendes, arbeiders, zelfs ambachtslieden, die hem vreselijk op de zenuwen werkten. Hij was een keertje met Bergþóra een weekend naar Parijs gegaan, met een chartervlucht, en wat hem vooral irriteerde was dat de meesten in het vliegtuig op hun jaarlijkse uitstapje van een of ander bedrijf waren; ze maakten veel lawaai en zetten het op een zuipen, maar de druppel was dat ze begonnen te klappen toen het vliegtuig in de metropool landde. 'Boerenpummels,' verzuchtte hij tegen Bergþóra en hij stak zijn minachting voor het ondervolk niet onder stoelen of banken.

Erlendur stuurde het gesprek voorzichtig in de richting van María en haar man en eer Þorgerður het in de gaten had begon ze over de geschiedenisstudie te vertellen die ze had afgebroken en over haar vriendin María, die de doctor in de medicijnen op een universiteitsbal had leren kennen.

'Ik zal María missen,' zei ze. 'Ik kan nog steeds bijna niet geloven dat het voor haar zo zou lopen. Arme vrouw, het is haar niet goed vergaan.'

'Jullie kenden elkaar dus van de universiteit?' vroeg Erlendur.

'Ja, María was geobsedeerd door geschiedenis,' zei Þorgerður en ze sloeg haar armen over elkaar voor haar borst. 'Geobsedeerd door de oude tijd. Mij verveelde het stierlijk. Ze zat bij haar thuis verklarende woordenlijsten te typen. Ik ken niemand anders die dat deed. Maar ze was ook een goede studente, dat waren wij bij geschiedenis lang niet allemaal.'

'Kende je Baldvin?'

'Ja, maar pas nadat hij en María elkaar leerden kennen. Baldvin was een heel keurige jongeman. Hij zat bij het toneel, maar hij stopte daar bijna helemaal mee toen ze hun verhouding begonnen, hij was waarschijnlijk niet zo'n bijzondere toneelspeler.'

'O?'

'Ja, dat heb ik ooit gehoord. Dat het voor hem verstandig is geweest voor medicijnen te kiezen. Het was een vrolijke troep om hen heen, theatervolk, dat allerlei gekkigheid uithaalde. Mensen zoals Orri Fjeldsted, hij is nu natuurlijk een van onze grootste acteurs. Lilja en Sæbjörn, die met elkaar trouwden. Einar Vífill. Dat zijn allemaal sterren geworden. Maar hoe dan ook, Baldvin ging medicijnen studeren, speelde ernaast een beetje toneel en hield er toen mee op.'

'Miste hij het, weet je dat?'

'Nee, dat heb ik nooit gehoord. Van de andere kant is hij een grote fan van het theater. Ze gingen vaak naar voorstellingen, ze waren goed thuis in het wereldje en ze hadden vrienden bij het toneel.'

'Weet je hoe het contact was tussen Leonóra en Baldvin?'

'Hij trok vanzelfsprekend bij María in, en Leonóra woonde daar ook en zij had een heel sterk karakter. María vertelde soms dat haar moeder over hen de baas wilde spelen en dat kon Baldvin behoorlijk irriteren.'

'Maar María, wat was haar vakgebied in geschiedenis?'

'Ze had alleen maar oog voor de middeleeuwen, hetgeen ik van alles het saaiste vond. Ze deed onderzoek in onderwerpen als bloedschande, occultisme, en vonnissen en rechtspleging daarover. Haar scriptie ging over de doodstraf door verdrinking op Þingvellir. Heel informatief. Ik kreeg het van haar om het over te lezen.'

'Doodstraf door verdrinking?'

'Ja,' zei Þorgerður. 'Verdrinking op een diepe plek, dat soort dingen.'

Erlendur zweeg. Ze hadden zich in het dagverblijf van het ziekenhuis geïnstalleerd waar Þorgerður werkte. Een oude vrouw met een rollator schuifelde voorbij. Een assistent-verpleegster op witte klompschoenen snelde door de gang. Een groep leerling-verpleegsters stond vlak bij hen elkaars boeken te vergelijken.

'Het klopt natuurlijk,' zei Þorgerður.

'Wat klopt?' vroeg Erlendur.

'Ik hoorde dat ze zich... ik hoorde dat ze zich heeft opgehangen. In het zomerhuis op Þingvellir.'

Erlendur keek haar aan zonder iets te zeggen.

'Maar dat gaat niemand natuurlijk iets aan,' zei Þorgerður, ongemakkelijk toen ze geen reactie kreeg.

'Weet je of ze een speciale interesse had in het bovennatuurlijke?' vroeg Erlendur.

'Nee, maar ze was erg bang voor het donker. Is ze altijd geweest, al vanaf dat ik haar voor het eerst leerde kennen. Ze ging bijvoorbeeld nooit vanuit de bioscoop alleen naar huis. Er moest altijd iemand met haar mee. Toch ging ze naar de allerergste horrorfilms.'

'Weet je waarom ze zo bang voor het donker was, praatte ze er ooit over?'

'Ik...'

Þorgerður aarzelde. Ze keek de gang in, waarschijnlijk om er zeker van te zijn dat niemand meeluisterde. De oude vrouw met de rollator was op het einde van de gang gekomen en stond daar alsof ze niet wist wat ze nu moest doen, alsof ze op de lange gang waar ze achter haar rollator voortschuifelde was vergeten wat ze van plan was. In de verte klonk een oud popliedje op de radio. *Hij hield van de zee, onze Þórður...*

'Wat zei je?' vroeg Erlendur terwijl hij zich vooroverboog.

'Het lijkt me alsof ze niet... er was iets met een ongeluk op het Þingvellirvatn,' zei Þorgerður. 'Toen haar vader stierf.'

'Wat?'

'Het is een gevoel dat ik kreeg en dat ik lang heb gehad over datgene wat er op het Þingvellirvatn gebeurde toen zij klein was. María kon heel erg futloos zijn en dan bij vlagen weer heel vrolijk. Ze had het er nooit over dat ze medicijnen slikte, maar ik vond het soms niet normaal hoe ze het ene moment uitgelaten kon zijn en het moment daarop in- en intriest. En eens, lang geleden, toen ze erg depressief was, zat ik bij haar thuis in Grafarvogur en begon ze over het Þingvellirvatn te praten. Het was de eerste keer dat ik erover hoorde, ze had het mij nooit eerder verteld, en ik voelde meteen dat ze zichzelf een schuldgevoel aanpraatte voor wat er daar gebeurd was.'

'Waarom zou ze daarover een schuldgevoel hebben?'

'Ik probeerde er later met haar over te praten, maar ze legde nooit meer haar ziel bloot zoals ze de eerste keer had gedaan. Ik merkte dat ze altijd op haar hoede was, en ik ben er absoluut van overtuigd dat er iets was wat aan haar knaagde, iets wat ze niet kon vertellen.'

'Het was natuurlijk een afschuwelijk incident,' zei Erlendur. 'Ze was er getuige van dat haar vader verdronk.'

'Ongetwijfeld.'

'Wat zei ze?'
'Ze zei dat ze nooit naar het zomerhuis hadden moeten gaan.'
'Verder niets?'
'En...'
'Ja?'
'Dat hij misschien had moeten sterven.'
'Haar vader?'
'Ja, haar vader.'

De zaal barstte in lachen uit en Valgerður ook. Erlendur fronste zijn wenkbrauwen. De echtgenoot was onverwacht in de derde deur verschenen en hij maakte een raar kefgeluid toen hij zijn vrouw in de armen van de butler zag. De vrouw gooide de butler van zich af en riep dat hij haar had aangevallen en haar wilde verkrachten. De butler keek de zaal in, trok een gezicht en zei: 'Ongetwijfeld!' Een lachsalvo van het theaterpubliek daverde opnieuw door de zaal. Valgerður keek breeduit glimlachend naar Erlendur en ze zag meteen dat hij zich verveelde. Ze aaide hem over zijn arm, hij keek haar aan en glimlachte.

Na de voorstelling gingen ze in een koffiehuis zitten. Hij bestelde een chartreuse met koffie. Zij nam warme chocoladecake met gesmolten ijs en een zoete likeur. Ze praatten over het stuk. Zij had zich vermaakt. Hij toonde bijna geen reactie. Hij wees op tegenstrijdigheden in de plot.

'Ach, Erlendur, het is maar een klucht, je moet het niet zo serieus nemen,' zei Valgerður. 'Je moet erom lachen en het weer vergeten. Ik vond het heel grappig.'

'Ja, er werd veel gelachen,' zei Erlendur. 'Ik ben het niet gewend naar het theater te gaan. Ken je trouwens Orri Fjeldsted? De acteur?'

Hij herinnerde zich wat Þorgerður had gezegd over de vriend van Baldvin uit het acteursgezelschap. Hij was niet goed op de hoogte van beroemdheden.

'Ja, natuurlijk,' zei Valgerður. 'Je hebt hem in *De wilde eend* gezien.'

'*De wilde eend*?'

'Ja, hij was de echtgenoot. Een beetje oud misschien voor de rol, maar... een heel goed acteur.'

'Dat is hij zeker, ja,' zei Erlendur.

Valgerður vond het erg leuk om naar het theater te gaan en het was haar een paar keer gelukt Erlendur mee te slepen. Ze koos stukken van het zware kaliber, van Ibsen en Strindberg, in de hoop dat ze hem aanspraken. Ze kreeg te horen dat hij zich verveelde. Bij *De wilde eend* viel hij in slaap. Ze probeerde komische stukken. Volgens hem waren alle kaartjes uitverkocht. Hij hield daarentegen wel van een trieste voorstelling als *De dood van een handelsreiziger*, iets waar Valgerður niet echt op gerekend had.

Er waren maar weinig mensen in het koffiehuis. Kalme muziek kwam ergens uit het plafond. Erlendur hoorde dat het Sinatra was. 'Moon River'. Hij had dat thuis op een elpee. Hij herinnerde zich een film die hij had gezien, maar hij was de naam vergeten, waarin het lied door een knappe actrice werd gezongen. Er waren in de herfstkou maar weinig mensen op straat. Af en toe liep iemand snel langs hun raam, warm ingepakt in een gevoerd windjack of winterjas, mensen zonder gezicht, zonder naam, die laat op de avond nog iets in de stad te doen hadden.

'Eva wil dat Halldóra en ik elkaar ontmoeten,' zei Erlendur en hij nam een slokje van de likeur.

'Zo, zo,' zei Valgerður.

'Ze wil dat we proberen het contact te herstellen.'

'Misschien is dat verstandig,' zei Valgerður die altijd partij voor Eva Lind trok. 'Jullie hebben twee kinderen samen. Het is normaal dat jullie een of andere relatie hebben. Is zij bereid je te ontmoeten?'

'Eva zegt van wel.'

'Waarom hebben jullie in al die jaren geen contact gehad?'

Erlendur dacht na.

'Geen van ons wilde het,' zei hij.

'Het moet voor hen moeilijk zijn geweest. Voor Sindri en Eva.'

Erlendur zweeg.

'Wat is het ergste dat er kan gebeuren?' vroeg Valgerður.

'Ik weet het niet. Het is op de een of andere manier zo afstandelijk geworden. Ons contact. Er is een mensenleven overheen gegaan sinds wij samenwoonden. Waarom moeten we het daar nog over hebben? Waarom het allemaal oprakelen?'

'Misschien heeft de tijd wonden geheeld.'

'Naar mijn idee niet toen we elkaar een paar jaar geleden ontmoetten. Ze was niets vergeten.'

'En nu wil ze jou ontmoeten?'

'Ja, waarschijnlijk wel.'

'Het is misschien een teken dat ze zich met je wil verzoenen.'

'Misschien.'

'En Eva vindt het belangrijk.'

'Dat is het nu juist. Zij is hierin behoorlijk koppig, maar...'

'Wat?'

'Niets,' zei Erlendur. 'Behalve...'

'Ja?'

'Ik tolereer het niet dat er oude rekeningen worden vereffend.'

*

De opperman riep Gilbert, die beneden in een blauwe winteroverall stond te roken in een ontzettend diepe, grote bouwput. Hij zei Erlendur dat ze een acht verdiepingen hoge flat met een ondergrondse garage aan het bouwen waren. Daarom was de bouwput zo diep en groot. De opperman vroeg geen nadere uitleg waarom Erlendur wilde praten met Gilbert, die een tijdje omhoog naar hem keek eer hij zijn sigaret weggooide en de grote, houten ladder op klom die beneden in de bouwput stond. Dat duurde even. De opperman liet hen alleen. De bouwput lag bij het meer Elliðavatn. Zover het oog reikte rezen gele bouwkranen op tegen de grauwe namiddag als reusachtige nijptangen die met goddelijke voortvarendheid in de aarde waren gestoken. Ergens dreunde een cementwagen. Weer ergens anders floot een vrachtwagen die achteruitreed.

Erlendur gaf Gilbert een hand en stelde zich voor. Gilbert was helemaal beduusd. Erlendur vroeg of ze ergens konden gaan zitten waar niet zoveel lawaai was. Gilbert keek hem aan en knikte met zijn hoofd in de richting van een groengeverfde barak. Dat was de koffiekamer van de aannemer.

Gilbert trok zijn winteroverall half uit toen ze de snikhete barak binnenkwamen.

'Ik geloof gewoon niet dat je na al die tijd nog iets over Davíð komt vragen,' zei hij. 'Is er iets nieuws naar voren gekomen?'

'Nee, niets,' zei Erlendur. 'Het is een zaak die ik toentertijd onderhanden had en op de een of andere manier...'

'Laat het je niet los of zo?' maakte Gilbert zijn zin af.

Het was een lange, slungelige man van rond de vijftig, maar hij leek ouder, een beetje gebogen alsof hij het zich had aangewend deuren en plafonds te ontwijken. Zijn handen waren lang als een slurf, zijn ogen ingevallen in het magere gezicht. Hij had niet de moeite genomen zich de afgelopen paar dagen te scheren en zijn baard raspte toen hij de grijze stoppels krabde.

Erlendur knikte.

'Ik was net naar Denemarken toen hij verdween,' zei Gilbert. 'Ik hoorde het nieuws pas veel later en ik schrok me lam. Het is triest dat hij nooit is gevonden.'

'Ja,' zei Erlendur. 'Er zijn in die tijd pogingen ondernomen je te vinden, maar dat is niet gelukt.'

'Zijn ze nog steeds in leven, zijn ouders?'

'Zijn vader, op leeftijd en ziek.'

'Doe je dit voor hem?'

'Niet speciaal,' zei Erlendur. 'Onlangs is gebleken dat jij de enige van zijn vrienden bent die we nooit te spreken hebben gekregen, omdat je in het buitenland zat.'

'Ik was van plan een jaar in Denemarken te blijven,' zei Gilbert, die uit de binnenzak van zijn overall weer een sigaret opdiepte. Hij had geen haast, haalde een aansteker uit de andere zak en tikte met de sigaret op tafel. 'Ik ben daar vijftien jaar gebleven. Ik was dat niet van plan, maar ja... zo is het leven.'

'Ik heb begrepen dat je Davíð hebt gesproken vlak voor je het land verliet.'

'Ja, we hadden altijd contact met elkaar. Heb je met Steini, met Þorsteinn gesproken?'

'Ja.'

'Ik kwam hem tegen op een reünie. Verder heb ik eigenlijk alle contact verloren met degenen die ik van vroeger kende.'

'Je zei tegen Þorstein dat Davíð mogelijk een vrouw had leren kennen. Dat is toentertijd niet in het onderzoek naar voren gekomen. Ik zou graag horen of je weet wie dat was en of ik haar kan bereiken.'

'Steini wist van toeten noch blazen. Ik dacht dat hij wat meer wist dan ik,' zei Gilbert, die zijn sigaret aanstak. 'Ik weet niet wie die vrouw was. Ik weet niet eens of het een vrouw was. Heeft niemand zich gemeld toen Davíð verdween?'

'Nee,' zei Erlendur.

Zijn mobiel ging over. Erlendur verontschuldigde zich tegenover Gilbert en haalde zijn mobiel tevoorschijn.

'Ja, hallo?'

'Ben je mensen over María aan het verhoren?'

Erlendur was verbaasd. De stem was zwaar en ernstig en er lag een kille, beschuldigende toon in.

'Wie ben je?' vroeg hij.

'Haar man,' zei de stem in de telefoon. 'Waar ben je eigenlijk mee bezig?'

Verschillende antwoorden gingen door het hoofd van Erlendur, allemaal leugens.

'Wat is er aan de hand?' vroeg Baldvin.

'We moeten elkaar misschien even zien,' zei Erlendur.

'Wat ben je aan het onderzoeken? Wat ben je aan het doen?'

'Als je later op de dag thuis bent, kan ik...'

Baldvin smeet de hoorn erop. Erlendur glimlachte ongemakkelijk naar Gilbert.

'Excuus,' zei hij. 'We hadden het over die vrouw. Weet je iets over haar, iets wat je mij kunt vertellen?'

'Bijna niks,' zei Gilbert. 'De dag voor ik met het vliegtuig vertrok belde Davíð me op om afscheid te nemen en hij zei dat hij me misschien een geheim kon vertellen als ik in Denemarken was. Hij was eigenlijk niet van plan uit de school te klappen voordat ik aandrong en hem rechtstreeks uitvroeg. Toen zei hij dat hij me misschien iets over zijn liefdesperikelen zou meedelen als ik weer terug in IJsland was.'

'Was dat het enige wat hij zei, dat hij misschien later iets over zijn liefdesperikelen zou meedelen?'

'Ja.'

'Hij had nooit eerder een relatie gehad?'

'Nee, amper.'

'En je dacht dat hij wellicht een vrouw had leren kennen?'

'Zo zag ik het. Maar je weet, het was slechts een gevoel door wat hij zei.'

'Je had niet de indruk dat hij zelfmoordneigingen had?'

'Nee, integendeel, hij was heel vrolijk en uitgelaten. Ongewoon vrolijk, omdat hij soms nogal zwijgzaam en bedachtzaam kon zijn, vol serieuze bespiegelingen.'

'En je kent niet iemand die hem iets wilde aandoen?'

'Nee, absoluut niet.'

'En je weet niet wie die vrouw was?'

'Geen idee. Het spijt me.'

12

Erlendur parkeerde bij het huis in Grafarvogur. Het was begonnen te schemeren, bovendien stond de winter voor de deur na een korte, regenachtige zomer. Erlendur ging daar niet gebukt onder. Hij ging nooit gebukt onder de winter zoals zovelen, die de uren telden tot de dagen opnieuw begonnen te lengen. Hij had de winter nooit als zijn vijand gezien. De duisternis en de kou vertraagden de tijd en de schemering omhulde hem kalm en vredig.

Baldvin maakte de deur voor hem open en terwijl hij achter hem aan liep naar de woonkamer vroeg Erlendur zich af of Baldvin in het huis zou blijven wonen nu zowel Leonóra als María dood waren. Hij kwam er niet toe dit te vragen. Baldvin wilde opheldering waarom Erlendur stad en land afreed om mensen over hem en María te verhoren, hoe het kwam dat hij dat van zijn kennissen moest horen en waar de zaak eigenlijk om draaide, of de politie een onderzoek instelde.

'Nee,' zei Erlendur, 'zoiets is hier niet aan de orde.'

Hij zei Baldvin dat de politie aanwijzingen had gekregen – zoals soms gebeurde bij een zelfmoord – dat er mogelijkerwijs iets abnormaals had plaatsgevonden. Daarom had hij, op speciaal aandringen van een vriendin van María – wier naam hij niet wilde noemen – persoonlijk met een aantal betrokkenen gesproken, maar dat veranderde niets aan het feit dat María zich van het leven had beroofd. Baldvin hoefde zich geen zorgen te maken. Hier was absoluut geen sprake van een officieel onderzoek, bovendien was daar geen noodzaak toe.

Erlendur praatte een tijdlang in die trant kalm en weloverwogen, op een verontschuldigende toon die over het algemeen goed viel bij mensen, als ze met de politie te maken kregen. Hij merkte dat Baldvin enigszins kalmeerde. Hij had met een kwade blik bij de boekenkast gestaan, maar hij ging op een stoel zitten toen de ergste spanning uit hem was weggeëbd.

'En nu, hoe staat het met de zaak?'

'Het heeft geen status,' zei Erlendur. 'Het is geen zaak.'

'Het is niet aangenaam te weten dat over iets dergelijks onder de mensen wordt gepraat,' zei Baldvin.

'Dat begrijp ik,' zei Erlendur meegaand.

'Het is hoe dan ook al moeilijk genoeg,' zei hij.

'Ja,' zei Erlendur. 'Ik hoorde dat het een mooie begrafenis is geweest.'

'Ze hield een hele mooie preek, de dominee. Ze kenden elkaar goed. Er zijn veel mensen gekomen. María was erg geliefd.'

'Je hebt haar laten cremeren?'

Baldvin had naar de vloer gestaard, maar nu keek hij op naar Erlendur.

'Dat was haar wens,' zei hij. 'We hebben erover gepraat. Ze wilde niet in de aarde liggen en... je weet... zij vond dit een betere oplossing. Ik was het met haar eens, ik zou het laten doen, mij maakte het niets uit.'

'Weet je of je vrouw geïnteresseerd was in het bovennatuurlijke, een seance met een medium bezocht of iets soortgelijks?'

'Niet meer dan anderen,' zei Baldvin. 'Ze was vreselijk bang voor het donker. Men heeft je dat waarschijnlijk verteld.'

'Ja.'

'Je hebt me dat al gevraagd,' zei Baldvin. 'Over een leven na de dood en een medium. Wat impliceer je? Wat weet je?'

Erlendur keek hem lang aan.

'Wat weet je?' vroeg Balvin weer.

'Ik weet dat ze bij een medium is geweest,' zei Erlendur.

'O ja?'

Erlendur haalde het cassettebandje uit de zak van zijn jas en reikte het Baldvin aan.

'Dit is een opname van een seance met het medium dat María heeft bezocht,' zei hij. 'Het is misschien de enige reden dat ik haar graag beter wil leren kennen.'

'Een opname van een seance?' zei Baldvin. 'Hoe... hoe kom je daaraan?'

'Ik kreeg het bandje in handen na de dood van María. Ze had het aan een vriendin van haar gegeven.'

'Een vriendin?'

'Ja.'

'Wie?'

'Ik zal haar vragen contact met je op te nemen als ze ervoor voelt.'

'Heb je het al beluisterd? Is dat geen inbreuk op iemands privéleven?'

'Het doet er misschien meer toe wat de opname jou zegt. Ben je zeker dat je niet van een seance met een medium hebt af geweten?'

'Ze heeft me nooit iets over een seance verteld en ik bespreek dit niet onder deze omstandigheden. Ik weet niet wat er op dit bandje staat en ik vind het allemaal in hoge mate abnormaal.'

'Dan bied ik je mijn excuus aan,' zei Erlendur en hij stond op. 'Je wilt misschien met mij praten als je ernaar hebt geluisterd. Indien niet, dan is er geen man overboord. Het is mogelijk dat dit allemaal om Marcel Proust draait.'

'Marcel Proust?'

'Je kent die schrijver niet?'

'Ik weet niet waar je het over hebt.'

'Ik heb begrepen dat María het liever vermeed alleen te zijn,' zei Erlendur. 'Vanwege haar angst voor het donker.'

'Ik...' Baldvin aarzelde.

'Desondanks was ze in haar eentje in het herfstduister op Þingvellir.'

'Wat betekent dit? Wat insinueer je? Ik mag aannemen dat ze niemand om zich heen wou hebben toen ze zelfmoord pleegde!'

'Nee, waarschijnlijk niet. Je neemt wellicht contact met me op,' zei Erlendur en hij liet Baldvin achter met het bandje van de seance in zijn handen.

De oude man was vanwege zijn leeftijd naar de verpleegafdeling overgebracht. Erlendur had zijn bezoek niet van tevoren aangekondigd en hij vroeg het personeel de weg tot hij bij de man in zijn kamer kwam. Hij was bezig zijn kamerjas aan te trekken, maar hij had er nogal moeite mee. Erlendur schoot hem te hulp.

'Ah, dank je, ben jij het?' vroeg de oude man toen hij Erlendur herkende.

'Hoe gaat het met je?' vroeg Erlendur.

'Het gaat,' zei de oude man. 'Wat kom je hier doen?' vroeg hij toen, en Erlendur hoorde hoe de spanning in zijn stem toenam. 'Het is toch niet vanwege Davíð, of wel? Ben je iets over hem te weten gekomen?'

'Nee,' haastte Erlendur zich te zeggen. 'Niet als zodanig. Ik kwam op weg hierlangs en ik dacht: ik ga even een kijkje nemen.'

'Ik mag waarschijnlijk niet op zijn, maar ik kan gewoon niet de hele dag in bed liggen. Ga je met mij mee naar de zitkamer?'

Hij pakte Erlendur bij de arm en samen liepen ze naar de plek die de oude man aanwees en ze gingen zitten. De radio stond aan. Iemand met een aangename stem las een hoorspel voor.

'Herinner je je een van zijn vrienden die Gilbert heette en die naar Denemarken verhuisde rond dezelfde tijd dat Davíð verdween?' vroeg Erlendur, die vastbesloten was rechtstreeks op zijn doel af te gaan.

'Gilbert?' fluisterde de oude man peinzend. 'Ik kan me hem nauwelijks herinneren.'

'Ze zaten samen op het gymnasium. Hij heeft lang in Kopenhagen gewoond. Hij heeft Davíð gesproken vlak voordat hij verdween.'

'En kon hij je iets vertellen?'

'Nee, niet iets waar je je aan vast kunt houden,' zei Erlendur. 'Je zoon impliceerde tegen Gilbert dat hij een relatie met een vrouw was begonnen. Ik herinner me dat jij dacht dat het niet zo was, we hebben er speciaal over gesproken. Wat deze Gilbert zegt wijst misschien op iets anders.'

'Davíð had geen relatie,' zei de oude man. 'Dat heeft hij ons gezegd.'

'Het hoeft niet al een tijd gaande te zijn geweest, misschien begon het net.

Je zoon gaf iets dergelijks aan Gilbert te kennen. Heeft er nooit een vrouw contact met jullie opgenomen nadat hij verdween? Iemand die opbelde en naar hem vroeg en die jullie niet kenden? Het hoeft alleen maar een stem over de telefoon te zijn geweest.'

De oude man staarde Erlendur aan en probeerde zich alles te herinneren wat er gebeurde in de dagen en weken nadat bleek dat zijn zoon was verdwenen. De familie die bijeenkwam, de politie die verklaringen opnam, vrienden die hulp aanboden, de media die foto's moesten hebben. Ze hadden amper tijd om te laten bezinken wat er eerst gedaan moest worden en ze gingen 's nachts uitgeput op bed liggen zonder de slaap te kunnen vatten. Ze kregen geen rust. 's Nachts stond hun zoon hen levendig voor de geest en ze vreesden hem nooit weer te zien.

De oude man staarde Erlendur aan en probeerde iets ongewoons of onverwachts naar boven te halen, iemand die langskwam of een telefoontje, een stem die hij niet kende, een vraag die hem vreemd overkwam: 'Is Davíð thuis?'

'Zat hij wel eens achter de meisjes aan?' vroeg Erlendur.

'Dat kwam zo weinig voor. Hij was zo jong.'

'Was er iemand die naar hem vroeg die jullie niet goed kenden, misschien een meisje van zijn leeftijd?'

'Nee, dat kan ik me niet herinneren, dat kan ik me helemaal niet herinneren,' zei de oude man. 'Ik, wij, we zouden het geweten hebben als hij een meisje had leren kennen. Het is absoluut onmogelijk. Van de andere kant... je wordt zo oud en misschien ontglipt je iets. Gunnþóra had je kunnen helpen.'

'Kinderen zijn vaak te verlegen om iets dergelijks te vertellen.'

'Dat kan wellicht zo zijn, maar dat zou dan compleet nieuw voor hem zijn geweest. Ik kan me niet herinneren dat hij iets met een meisje heeft gehad. Echt helemaal niet.'

'Denk je dat zijn broer het heeft geweten?'

'Elmar? Nee. Hij zou het ons verteld hebben. Hij zou niet iets hebben verzwegen wat ertoe deed.'

De oude man begon lelijk te hoesten, een ratelende hoest die steeds erger werd tot hij niet meer te stuiten was. Het bloed spoot uit zijn neus en hij ging in de zitkamer languit op de bank liggen. Erlendur schoot op hem toe en riep om hulp tot de verpleging kwam opdagen.

'Dat is korter dan ze dachten,' kreunde de oude man.

Het verplegend personeel zei Erlendur dat hij uit de weg moest gaan en hij keek toe hoe ze de oude man weer zijn kamer binnenbrachten. Ze deden de deur achter zich dicht en Erlendur liep de gang uit, niet wetend of hij hem nog te zien zou krijgen.

Hij lag 's nachts wakker en dacht aan zijn moeder. In dit jaargetijde gingen zijn gedachten vaak naar haar uit. Hij zag haar voor zich zoals ze was toen ze in het oosten woonden: ze stond op het erf, keek omhoog in de richting van de Harðskafi en ze keek hem bemoedigend aan. Ze zouden hem vinden. Hoop doet leven. Hij wist niet meer of het beeld van haar op het erf een herinnering of een droom was. Misschien deed het er niet toe.

Ze stierf drie dagen nadat hij haar naar het ziekenhuis had gebracht. Hij waakte de hele tijd bij haar. Het personeel bood hem aan in een lege kamer te gaan rusten als hij wilde, maar hij bedankte beleefd, hij kon het niet over zijn hart verkrijgen zijn moeder in de steek te laten. De doktoren zeiden dat ze elk moment kon sterven. Soms kwam ze weer bij, maar ze ijlde en herkende hem niet. Hij probeerde met haar te praten, maar dat was tevergeefs.

Zo verstreken de uren, het ene na het andere, terwijl zijn moeder langzaam stierf. Zijn hoofd werd steeds voller met herinneringen van toen hij een kind was, en zij was altijd in de buurt in die wonderlijke, kleine wereld, de oplettende beschermer met haar milde, berispende blik, de goede vriendin.

Ten slotte was het alsof ze een beetje opleefde. Ze glimlachte naar hem.

'Erlendur,' fluisterde ze.

Hij hield haar hand vast.

'Ik ben hier bij je,' zei hij.

'Erlendur?'

'Ja?'

'Heb je je broer al gevonden?'

13

Kort voor de voorstelling kwam Erlendur aan bij de artiesteningang van het theater. Hij wist dat hij laat was, maar hij wilde afmaken wat hij van plan was te doen voor hij naar huis ging. Een vriendelijke portier wees hem de weg naar de kleedkamers, maar wat de portier betrof was het kantje boord en hij zei dat Erlendur heel weinig tijd had. Erlendur probeerde hem gerust te stellen, zei dat hij zijn bezoek had aangekondigd en dat Orri hem verwachtte. Het zou niet veel tijd in beslag nemen.

Het was een verwarrende toestand achter de coulissen. Acteurs liepen door de gangen in volledig kostuum. Sommigen waren zich nog aan het schminken. Toneelknechten waren druk in de weer. Voor in de zaal installeerden de toeschouwers zich, en hier en daar zaten mensen verspreid in de zaal. Een onzichtbare stem kondigde aan dat het een half uur voor aanvang was. Erlendur wist dat *Othello* werd opgevoerd. Valgerður had hem verteld dat in de recensies had gestaan dat de voorstelling erg ambitieus was, redelijk origineel, maar niet te volgen.

Orri Fjeldsted was alleen in de kleedkamer zijn tekst aan het doornemen toen Erlendur hem uiteindelijk vond. Hij speelde de rol van Jago, maar hij was gekleed in een ouderwets pak omdat de regisseur, een jong, aanstormend talent, pas afgestudeerd aan een regieopleiding in Italië – naar wat Valgerður vertelde – had besloten dat de handeling zich afspeelde in Reykjavík tijdens de oorlog. Othello was een neger, een kolonel uit het Amerikaanse leger gestationeerd op Miðnisheiði, en Desdemona, een meisje uit Reykjavík, was zijn geliefde in dat bezettingsleger. De kolonel, die in Europa in slavernij was geweest, was op IJsland zijn Desdemona tegengekomen, maar Jago had het op zijn ondergang gemunt.

'Ben jij de rechercheur?' vroeg Orri toen hij de deur voor Erlendur opendeed. 'Kon je geen beter tijdstip uitkiezen?'

'Neem me niet kwalijk, ik ben niet van plan lang te blijven, het zal geen uur duren,' zei Erlendur.

'Je bent in ieder geval niet zo'n idiote recensent!' zei de acteur, klein en mager, bijna vel over been, zijn gezicht dik geschminkt met een pretentieuze Clark Gable-snor op zijn bovenlip geplakt en het haar zorgvuldig naar achteren gekamd. Hij deed Erlendur het meest aan een gangster uit een Amerikaanse film denken.

'Lees je recensies?' vroeg Orri Fjeldsted. Hoewel hij klein van stuk was had hij een krachtige stem.
'Nooit,' zei Erlendur.
'Ze hebben behoorlijk wat larie over deze voorstelling rondgestrooid,' zei Orri, en Erlendur dacht aan wat Valgerður hem had verteld over de recensies, over Orri's invulling van de rol van Jago, dat hij verdwaasd over het toneel leek rond te lopen.
'Ik heb ze niet gelezen,' zei Erlendur.
'Je hebt de voorstelling niet gezien?'
'Ik ga niet vaak naar het theater.'
'Verdomde charlatans! Canaille! Denk je dat het leuk is hierin te staan?'
'Ja, nee, het... ze zijn...'
'Jaar in jaar uit hetzelfde rapaille, met dezelfde larie en altijd even imbeciel! Wat wil je van mij, zei je?'
'Het ging over Baldvin...'
'Ja, dat zei je over de telefoon. Ik hoorde dat hij zijn vrouw heeft verloren. Tragisch. We hadden geen contact meer met elkaar. Al jaren niet meer.'
'Je zat met hem op de toneelschool als ik het goed heb begrepen.'
'Dat klopt. Het was een veelbelovend acteur. Ging toen medicijnen studeren. Dat was een verstandige zet. Hij heeft die vervloekte critici niet op zijn nek! En ongetwijfeld verdient ie meer. Het levert weinig bevrediging op een beroemd acteur te zijn als je geen rooie duit bezit. Hier te lande worden acteurs niet betaald – feitelijk het loon van een onderwijzer!'
'Ik geloof dat hij in goede doen is,' zei Erlendur, die al het mogelijke probeerde de acteur mild te stemmen.
'Hij zat altijd in geldnood. Dat kan ik me herinneren. Probeerde bij iedereen geld te lenen en zo, en het duurde eeuwen eer hij het terugbetaalde. Je moest constant achter hem aan en soms kreeg je het helemaal niet terug. Van de andere kant was het een chique vent.'
'Jullie zaten toch een tijd samen op de toneelschool?'
'Ja, dat is juist,' zei Orri die met zijn wijsvinger over de dunne snor streek om er zeker van te zijn dat hij goed vastzat. 'Een drommels goeie ploeg.'
'Vijftien minuten voor aanvang,' klonk het door de intercom.
'Hij leerde zijn vrouw kennen toen hij net met het toneel ophield,' zei Erlendur.
'Ja, dat kan ik me goed herinneren, zo'n verrukkelijk kind van de universiteit. Maar vertel eens, waarom stelt de politie vragen over Baldvin?'
Erlendur koos zijn woorden zorgvuldig, indachtig wat Valgerður had gezegd: dat er nergens zoveel werd geroddeld als in acteurskringen.
'We werken met de Zweden aan een research...'
De interesse van Orri Fjeldsted leek tot het vriespunt te dalen.

'Die kleuters met hun stupide grillen,' zei hij, 'Dat noemen ze hun verdiensten. Ik heb begrepen dat een vriend van hem, een zekere Tryggvi, door zijn gerotzooi de vernieling is ingedraaid.'

'Gerotzooi, aan het toneel?'

'Toneel? Nee, toen studeerde Baldvin al medicijnen. Was er verder nog iets? Ik moet ervandoor, ik heb nog maar vijf minuten. Zat er iemand in de zaal? Ze hebben deze voorstelling helemaal naar de knoppen geholpen. Critici. Helemaal. Hebben de ballen verstand van toneel. De ballen verstand! Dat mensen die mafketels serieus nemen, hierheen opbellen en bij bosjes tegelijk afzeggen.'

Orri deed de deur naar de gang open.

'Wat was er met die Tryggvi?' vroeg Erlendur.

'Tryggvi? Ik herinner me dat hij zo genoemd werd. Ze zeiden dat het er eentje was die te hard studeerde. Je moet erover gehoord hebben. Een voortreffelijke student die de vernieling was ingedraaid. Zijn studie afgebroken. Ik weet niet waar hij vandaag de dag uithangt.'

'Was Baldvin daarbij betrokken?'

'Dat werd altijd beweerd, hij en zijn vriend van de medicijnenstudie. Als het niet gewoon een neef van hem was, die Tryggvi, dan waren ze op de een of andere manier aan elkaar verwant. Ze waren goed bevriend.'

'Wat is er dan gebeurd?'

'Je hebt het niet gehoord?'

'Nee.'

'Tryggvi moet zijn neef hebben gevraagd hem te...'

Othello kwam de gang op gestormd met Desdemona in zijn kielzog. Hij droeg het uniform van een Amerikaanse kolonel en zij een lichtpaarse zomerjurk en een grote, blonde pruik. Othello was gladgeschoren en op zijn kale schedel verschenen al zweetdruppels.

'We zullen dit varkentje even wassen,' loeide Othello, die Jago met zich meetroonde in de richting van het toneel. Desdemona glimlachte vriendelijk naar Erlendur.

'Wat vroeg Tryggvi dat hij moest doen?' riep Erlendur naar hen.

Orri bleef staan en keek naar Erlendur.

'Ik weet niet of er iets van waar is, maar ik heb het jaren geleden gehoord.'

'Wat? Wat heb je gehoord?'

'Tryggvi vroeg hem hem te vermoorden.'

'Vermoorden? Is hij dood?'

'Nee, springlevend, maar wel doorgedraaid.'

'Wat probeer je mij te vertellen? Ik snap het niet...'

'Het was een experiment dat de neef op Tryggvi uitvoerde.'

'Wat voor experiment?'

'Ik heb het verhaal zo gehoord dat hij Tryggvi een paar minuten dood heeft gehouden voordat hij hem weer reanimeerde. Ze zeiden dat Tryggvi daarna nooit meer dezelfde was.'

En na deze woorden stormde de formatie het toneel op.

De dag erna groef Erlendur in het politiearchief het dossier op over het incident op Þingvellir. Hij las de getuigenverklaring van Leonóra en ook het verslag van de expert over de boot en de buitenboordmotor. In de documenten vond hij het autopsierapport dat aantoonde dat Magnús in het koude water was verdronken. Er bleek dat van het jonge meisje geen getuigenverklaring was afgenomen. De zaak was als een ongeluk afgehandeld. Erlendur keek wie de leiding had over het onderzoek. Hij heette Niels. Erlendur kreunde. Hij had nooit een hoge pet van Niels op gehad. Ze hadden bij de recherche lang hetzelfde soort werk gedaan, maar anders dan Erlendur was Niels lui, zaken werden bij hem lang uitgesteld, soms zelfs tot ze niet-ontvankelijk werden verklaard, en vaak werden ze slecht afgehandeld.

Niels had koffiepauze. Hij zat in de koffiekamer de vrouwen voor de gek te houden toen Erlendur vroeg of hij even met hem kon praten.

'Wat is er aan de hand, mijn beste Erlendur?' vroeg Niels, die de omgangsregels met een droevige arrogantie opnam. 'Vriend' en 'maat', 'ouwe jongen' en 'makker' waren woorden die hij achter elke zin plakte; hoewel hij weinig voorstelde had hij altijd het hoogste woord, deze Niels die zichzelf hoger dan anderen inschatte, zonder dat hij ooit iets ergens toe had bijgedragen.

Erlendur nam hem in de koffiekamer terzijde, ging bij hem zitten en vroeg of hij zich het ongeluk op het Þingvellirvatn herinnerde en de moeder en dochter, Leonóra en María.

'Was dat niet allemaal kat in het bakkie?'

'Jawel, zeker. Herinner je je iets ongewoons aan de situatie, mensen ter plekke, het ongeluk zelf?'

Niels trok een gezicht dat moest aantonen dat hij zijn hersens pijnigde en dat hij probeerde zich het ongeluk op het Þingvellirvatn voor de geest te halen.

'Ben je op zoek naar een of andere misdaad daar, na al die jaren?' vroeg hij.

'Nee, verre van dat. Het kleine meisje dat jij daar toentertijd met haar moeder zag, is onlangs overleden. Het was haar vader die verdronk.'

'Ik kan me wat dat onderzoek betreft niets speciaals herinneren,' zei Niels.

'Hoe is de schroef van de motor losgeraakt?'

'Dat staat me natuurlijk niet precies voor de geest,' zei Niels voorzichtig. Hij keek Erlendur wantrouwig aan. Niet iedereen op het bureau was bepaald enthousiast als Erlendur een oude zaak ging opgraven.

'Herinner je je wat de technische recherche zei?'

'Was ie niet versleten?' zei Niels.

'Iets dergelijks, ja,' zei Erlendur. 'Maar dat verklaart niet veel. De motor was oud en versleten en had niet bepaald veel onderhoud gekregen. Wat zeiden ze tegen jou dat niet in het rapport is opgetekend?'

'Guðfinnur heette degene die het onderzoek leidde.'

'En hem kunnen we het niet vragen. Je weet dat niet alles in het rapport komt.'

'Wat is dat met jou en het verleden?'

Erlendur haalde zijn schouders op.

'Wat probeer je op te helderen, vriend?'

'Niets,' zei Erlendur en hij klemde zijn tanden op elkaar.

'Wat wil je precies te weten komen?' vroeg Niels.

'Hoe waren hun reacties, herinner je je dat? Van zijn vrouw en zijn dochter?'

'Er was niets abnormaals aan hun reactie. Het was een tragisch ongeluk. Dat zag iedereen. De vrouw kreeg bijna een zenuwinzinking.'

'De schroef is nooit gevonden?'

'Nee.'

'En het was onmogelijk om nader uit te maken hoe de schroef was losgeraakt?'

'Nee. De man was alleen in het bootje en hij had waarschijnlijk aan de motor zitten prutsen, was daarbij overboord gevallen en verdronken. Zijn vrouw zag niet wat er gebeurde en het meisje ook niet. De vrouw kwam er opeens achter dat er niemand in de boot zat. Toen hoorde ze eventjes iets van hem, maar het was al te laat.'

'Herinner je je...'

'We hebben met de verkoper gepraat,' zei Niels. 'Of Guðfinnur heeft dat gedaan. Met iemand van de firma die buitenboordmotoren verkocht.'

'Ja, dat staat in het rapport.'

'Hij zei dat de schroef niet zo makkelijk los kon komen. Daar was kracht voor nodig.'

'Kan de motor de bodem hebben geraakt?'

'Er was niets wat daarop wees. Van de andere kant zei de vrouw ons dat haar man de dag ervoor wat aan de motor had zitten rommelen. Ze heeft er niet bij hem over doorgevraagd en ze wist niet precies wat hij aan het doen was. Het is mogelijk dat hij zelf per ongeluk de schroef heeft losgedraaid.'

'Haar man?'

'Ja.'

Erlendur herinnerde zich dat Ingvar had gezegd dat Magnús geen verstand van machines had.

‘Kun je je het meisje herinneren toen jullie kwamen, wat was haar reactie?’ vroeg hij.
‘Was ze niet net tien of zoiets?’
‘Dat klopt.’
‘Ze was natuurlijk net als alle kinderen die zo’n schok meemaken. Ze hield zich stevig aan haar moeder vast. Week de hele tijd niet van haar zijde.’
‘Ik heb in het rapport niet gezien dat jullie met haar gepraat hebben.’
‘Dat deden we toentertijd niet of het was niet zo gebruikelijk. We zagen er geen aanleiding toe. Kinderen zijn niet de meest betrouwbare getuigen.’
Erlendur wilde dat tegenspreken, maar hij werd gestoord door twee geüniformeerde agenten die de koffiekamer binnenkwamen en Niels groetten.
‘Waarom peins je je suf, mijn beste Erlendur?’ vroeg Niels. ‘Waar draait de zaak eigenlijk om?’
‘Angst voor het donker,’ zei Erlendur. ‘Gewoon angst voor het donker.’

14

Karen, María's vriendin, deed voor hem de deur open. Ze had hem verwacht en ze nodigde Erlendur binnen in de ruime flat op Melur. Hij had haar opgebeld na hun gesprek op het politiebureau, kreeg een uitputtende lijst namen van mensen die met María in verband stonden en met wie hij kon praten, en ze hadden ook gesproken over de vriendschap tussen haar en María, die was begonnen toen ze elf waren en naast elkaar in de bank kwamen te zitten, beiden op een nieuwe school. Leonóra had María vlak daarvoor naar een andere school overgeplaatst omdat ze niet tevreden was over de schoolleiding en de onderwijzers van haar dochter. María, die in een soort minioorlog was terechtgekomen, had hierover weinig in te brengen en ze probeerde zo goed als ze kon vaste grond onder de voeten te krijgen op haar nieuwe plek met vreemde kinderen. Karen was net naar die buurt verhuisd en kende niemand. Leonóra bracht María elke ochtend naar school en haalde haar 's middags op, en op een keer vroeg María of Karen met haar mee naar huis wou komen. Leonóra nam Karen als de nieuwe vriendin van haar dochter met open armen op, en van toen af aan werden ze onder haar vleugels snel goede vriendinnen.

'Haar moeder was zelfs een beetje opdringerig,' zei Karen tegen Erlendur. 'Ze schreef ons in voor ballet, iets waar we allebei een hekel aan hadden, ze ging met ons naar de bioscoop, zorgde ervoor dat ik bij hen in Grafarvogur mocht blijven slapen en mijn moeder stond het nooit toe dat ik bij een andere vriendin dan María logeerde, Leonóra regelde de bioscoopkaartjes en maakte popcorn als we tv zaten te kijken. We kregen amper de gelegenheid om met elkaar alleen te spelen. Leonóra was heel aardig, je moet me niet verkeerd begrijpen, maar soms kreeg je genoeg van haar. Ze zorgde ontzettend goed voor María. Ofschoon ik vond dat María tot op het bot verwend was, was ze nooit aanmatigend, ze was altijd beleefd, gehoorzaam en lief, alsof het haar aard was.'

De vriendschap tussen Karen en María werd met de jaren hechter. Ze maakten samen het gymnasium af, Karen ging naar de lerarenopleiding en María begon geschiedenis te studeren, ze reisden samen naar het buitenland, richtten een naaikransje op dat later een stille dood stierf, gingen samen op vakantie, kwamen bij elkaar in het zomerhuis en gingen samen uit.

Erlendur begreep nu beter waarom Karen naar hem op het politiebureau was gekomen na de zelfmoord van haar dierbare vriendin en dat ze bleef beweren dat er iets anders achter moest steken dan bodemloze wanhoop.

'Hoe kijk je tegen de seance met het medium aan?' vroeg Karen.

'Wist je dat ze naar die seance ging?' vroeg hij, haar vraag ontwijkend.

'Ik heb María erheen gereden,' zei Karen. 'Hij heette Andersen, het medium.'

'Leonóra was beslist van plan zich na haar dood vanuit een hiernamaals kenbaar te maken,' zei Erlendur.

'Ik vind daar niets vreemds aan,' zei Karen. 'We hebben er vaak over gepraat, María en ik. Ze vertelde me over het boek van Marcel Proust. Hoe verklaar je iets dergelijks?'

'Er zijn natuurlijk vele verklaringen,' zei Erlendur.

'Je gelooft niet in zoiets?' zei Karen.

'Nee,' zei Erlendur. 'Maar ik begrijp María goed. Ik kan goed begrijpen waarom ze ervoor koos met een medium te praten.'

'Veel mensen geloven in een leven na de dood.'

'Ja,' zei Erlendur. 'Ik ben niet een van hen. Dat wat mensen met een bijnadoodervaring hebben beschreven als een helder licht en een tunnel is bij mijn weten slechts de laatste boodschap van het brein voordat het uitdooft.'

'María dacht er anders over.'

'Vertelde ze behalve aan jou ook anderen over het boek van Marcel Proust?'

'Ik weet het niet.'

Karen keek Erlendur aan alsof ze zich afvroeg of hij wel de juiste man was om mee te praten, of ze zich niet had vergist. Erlendur van zijn kant keek haar ook aan. Het begon te schemeren in de woonkamer.

'Het heeft dan waarschijnlijk geen zin je te vertellen wat María mij nog kortgeleden heeft verteld.'

'Je hoeft mij niets te vertellen als je dat niet wilt. De kern van de zaak is dat je vriendin zich van het leven heeft beroofd. Het is heel goed mogelijk dat het moeilijk voor je is dat feit onder ogen te zien, maar er gebeurt veel in deze wereld waar men zich moeilijk mee kan verenigen.'

'Dat besef ik heel goed en ik weet hoe María leed nadat Leonóra stierf, maar desalniettemin vind ik één ding nogal ongewoon.'

'Wat?'

'María zei dat ze haar moeder had gezien.'

'Nadat ze stierf?'

'Ja.'

'Tijdens een seance?'

'Nee.'

'Ik heb begrepen dat María verscheidene dingen heeft gezien en dat ze ontzettend bang voor het donker was.'

'Daar weet ik alles van,' zei Karen. 'Dit was enigszins anders.'
'Hoezo?'
'Een keer 's nachts, een paar weken geleden, werd ze wakker en toen stond Leonóra in de deuropening van de slaapkamer, in zomerkledij met een lint in haar haar en een gele trui aan. Ze wenkte haar de slaapkamer uit te gaan. Toen verdween ze bij de deuropening. Op het moment dat María daar kwam was ze nergens te zien.'
'Je weet hoe ver heen ze is geweest, die vrouw,' zei Erlendur.
'Ik zal niet licht over haar oordelen,' zei Karen. 'Je hebt op de opname gehoord dat Leonóra van plan was zich kenbaar te maken?'
'Ja,' zei Erlendur.
'En?'
'Niets en. Een boek is op de vloer gevallen. Zulke dingen gebeuren.'
'Juist dat boek?'
'Misschien heeft ze het uit de boekenkast gehaald en is ze het vergeten. Misschien heeft ze Baldvin over het boek verteld en heeft hij het eruit gehaald en het vergeten. Misschien heeft ze het iemand verteld die bij haar langs is geweest en heeft diegene met het boek gerommeld. Ze heeft jou erover verteld.'
'Ja, maar ik heb niet het boek op de vloer laten vallen en het daar laten liggen,' zei Karen.
'Ik geloof in het toeval,' zei Erlendur. 'Bovendien bleek Leonóra vaak door het huis te dwalen. Zou dat niet een afdoend teken zijn van een hiernamaals? Een oude geliefde van María zei dat ze altijd dingen in een of andere droomtoestand zag, mensen die ze kende.'
Lange tijd zwegen ze.
'Weet je eigenlijk wie het medium is op het bandje?' vroeg Erlendur ten slotte.
'Ja. Hij is niet erg bekend. Ik was degene die María op hem heeft gewezen. Een andere vriendin van me was bij hem geweest en vertelde mij over hem.'
'Hoe is de opname bij jou beland?'
'María heeft hem onlangs aan mij uitgeleend. Ik wou graag een keer naar zo'n seance luisteren. Ik ben nog nooit bij een medium geweest.'
'Weet je of ze zich ooit tot een ander medium heeft gewend?'
'Ze heeft er twee bezocht, dit en nog een ander, vlak voor ze stierf.'
'Wie was dat?'
'María zei dat ze alles over haar wist. Letterlijk alles. Ze zei dat het absoluut ongelooflijk was. Dat was een van mijn laatste gesprekken met haar. Ik wist dat het niet goed met haar ging, maar ik wist niet dat ze zo ver heen was.'
'Weet je wie dat medium was?'

'Nee, dat heeft ze me niet verteld, maar ik hoorde aan María dat ze haar graag mocht en dat ze haar vertrouwde.'

'Het was dus een vrouw?'

'Ja.'

Karen zat er stil bij en keek door het grote raam van de woonkamer naar de schemering buiten.

'Heb je gehoord wat er is gebeurd op het Þingvellirvatn?' vroeg ze opeens.

'Ja, dat heb ik gehoord.'

'Ik heb altijd het gevoel gehad dat er iets op het meer is gebeurd dat nooit naar boven is gekomen,' zei Karen.

'Wat dan?' vroeg Erlendur.

'María heeft het nooit met zoveel woorden gezegd, maar er was iets dat als een nachtmerrie op haar drukte. Iets uit het verleden waar ze nooit over wilde praten en dat met die vreselijke gebeurtenis verband hield.'

'Ken je Þorgerður, die met haar geschiedenis studeerde?'

'Ja, ik weet wie ze is.'

'Ze praatte er in een soortgelijke trant over en ze dacht ook dat het met de vader van María verband hield. Alsof hij had moeten sterven. Zegt je dat iets?'

'Nee. "Alsof hij had moeten sterven"?'

'Het was iets dat María eruit flapte, het kon van alles betekenen.'

'Alsof zijn tijd was gekomen?'

'Dat is denkbaar. In die betekenis dat het zijn lot was geweest die dag te sterven en dat niets dat kon veranderen.'

'Ik heb haar nooit iets dergelijks horen zeggen.'

'Je kunt ook een andere betekenis uit haar woorden lezen,' zei Erlendur.

'Bedoel je... alsof hij het had verdiend?'

'Dat is denkbaar, maar waarom zou het zo zijn?' vroeg Erlendur.

'Dat het geen ongeluk is geweest? Dat het...'

Karen staarde Erlendur aan.

'Dat het geen ongeluk is geweest?!'

'Dat weet ik niet,' zei Erlendur. 'De zaak is onderzocht. We hebben niets bijzonders ontdekt. Nu doet zich vele jaren later dit met María voor. Praatte ze er ooit in bedekte termen over, voor zover je bekend is?'

'Nee, nooit,' zei Karen.

'Het komt naar boven tijdens die seance die op het bandje staat,' zei Erlendur.

'Ja?'

'Een diepe mannenstem die zegt dat María moet oppassen, dat ze niet weet wat ze aan het doen is.'

'Dat klopt.'

'Had ze er een verklaring voor?'
'De stem deed haar aan haar vader denken.'
'Ja, dat staat op de band.'
'Ik weet alleen maar dat er iets op het meer gebeurde. Ik heb dat zo vaak bij haar gemerkt. Iets in verband met Magnús, haar vader, alsof ze de gedachte niet kon verdragen het te verzwijgen.'
'Iets anders, ken je een man die rond dezelfde tijd als Baldvin medicijnen studeerde en die Tryggvi heette?'
Karen dacht na en schudde toen haar hoofd.
'Nee,' zei ze. 'Iemand die Tryggvi heet ken ik niet.'
'Had María het nooit over iemand met die naam?'
'Ik geloof van niet. Wie is dat?'
'Ik weet alleen maar dat hij samen met Baldvin op de universiteit zat,' zei Erlendur, maar hij besloot te zwijgen over hetgeen Orri Fjeldsted hem had verteld.
Kort daarop namen ze afscheid van elkaar. Ze keek hem na terwijl hij buiten op de parkeerplaats in de auto stapte, een oude, zwarte wagen met ronde achterlichtjes. Ze herkende het merk niet. Maar in plaats van de auto te starten en weg te rijden, bleef hij stil zitten. Algauw kringelde sigarettenrook uit het zijraampje aan de bestuurderskant. Er verstreken veertig minuten voor de ronde lichtjes uiteindelijk aangingen en de auto langzaam wegreed.

***

Toen hij jonger was keek hij er verlangend naar uit om over zijn broer te dromen. Hij vond dingen die van Bergur waren, een klein stuk speelgoed of een trui die zijn moeder zorgvuldig had opgevouwen omdat ze geen afstand kon doen van dingen die van hem waren geweest. Hij legde die voorwerpen onder zijn kussen voordat hij ging slapen, iedere keer iets anders. Aanvankelijk wilde hij weten of Bergur hem in zijn dromen opzocht en of hij hem kon helpen de weg te vinden. Later wilde hij hem alleen maar zien, zich hem herinneren zoals hij was toen hij verdween.
Bergur kwam hem nooit in zijn dromen opzoeken.
Tientallen jaren later toen hij alleen in een koude hotelkamer was, droomde hij eindelijk van Bergur. Het droombeeld achtervolgde hem als hij wakker was en hij zag zijn broer voor hem uit lopen op de grens tussen een fantasiewereld en een wakende toestand, rillend van de kou en ineengedoken in een hoek van de slaapkamer. Het voelde alsof hij hem kon aanraken. Maar toen verdween het beeld en was hij weer alleen met in zijn binnenste het oude verlangen naar een hereniging die nooit werkelijkheid zou worden.

Nadat ze De kant van Swann *op de vloer bij de boekenkast had gevonden was María niet meer zo bang en voelde ze zich beter. Haar dromen waren niet meer zo duister. Droomloze nachten kwamen vaker voor en ze kwam beter dan vroeger in haar slaap tot rust.*

Baldvin toonde in toenemende mate begrip voor haar. Ze wist niet of dat kwam omdat hij bang was dat ze zou doordraaien en in een inrichting zou belanden, of dat het teken van Leonóra meer indruk op hem had gemaakt dan hij wilde toegeven.

'Wil je misschien overwegen om met een medium te gaan praten?' zei Baldvin op een avond.

María keek hem verbaasd aan. Ze had dit niet verwacht van Baldvin, die tot dan toe slechts blijk had gegeven van vooringenomenheid ten aanzien van zulke zaken. Daarom had ze het voor hem geheimgehouden toen ze Andersen ging opzoeken. Ze wilde geen ruzie met hem, bovendien vond ze nog steeds dat datgene wat haar en haar moeder betrof een privéaangelegenheid was.

'Ik dacht dat je tegen al dat soort dingen was,' zei ze.

'Ja, ik... als het je enigszins kan helpen, dan doet het er niet toe wat het is of uit welke hoek het komt.'

'Ken jij een medium?' vroeg ze.

'Nee,' zei Baldvin aarzelend.

'Maar hoe...?' vroeg ze.

'Ze hadden het er op het werk over. De hartchirurgen.'

'Waarover?'

'Een hiernamaals. Iets wat onlangs gebeurde. Er was een man die twee minuten lang dood was op de operatietafel. Ze waren bezig zijn borstkas dicht te naaien toen hij een hartstilstand kreeg. Ze moesten hem een paar maal een shock geven voor zijn hart weer op gang kwam. Hij zei na afloop dat hij een bijna-doodervaring had beleefd.'

'Aan wie vertelde hij dat?'

'Aan iedereen. De verpleegsters. De doktoren. Hij was niet gelovig, maar hij zei dat hij het na die ervaring was geworden.'

Ze zwegen.

'Hij zei dat hij naar een andere wereld was overgegaan,' zei Baldvin.

'Ik heb je dit nooit gevraagd, maar hoor je dat vaker in een ziekenhuis? Zulke verhalen?'

'Het komt voor dat je iets dergelijks hoort. Mensen hebben zelfs experimenten op zichzelf toegepast om antwoord te krijgen op vragen over een zielenleven.'

'Hoe?'

'Door een bijna-doodervaring op te wekken. Dat is bekend. Ooit zag ik een slechte film over zoiets. Maar hoe dan ook, ze begonnen te praten over helderzienden en mediums, de doktoren, en iemand kende een goed medium waar zijn vrouw naartoe was geweest. Het kwam zo bij me op... of dat niet iets voor jou zou zijn.'

'Hoe heet ie?'

'Het is een vrouw, het medium. Ze heet Magdalena. Het kwam zo bij me op dat jij misschien met haar zou willen praten. Als het je enigszins kan helpen.'

15

De laatst bekende verblijfplaats van Tryggvi was een smerige, stinkende kamer met een matras in een krot vlak bij de Rauðarástígur waar hij zich soms ophield samen met drie andere zwervers, ex-bajesklanten en zuiplappen. Het was een golfplaten huis dat op de sloop wachtte, met gebroken ruiten en een lekkend dak, vervuild door kattenpis en bomvol troep. De eigenaar van het huis had het geërfd, maar het was onderwerp geworden van een bittere ruzie over de erfenis en de huiseigenaar had er ondertussen niet naar omgekeken. De vier bewoners konden amper krakers worden genoemd, daarvoor ontbrak het hen hiertoe op alle fronten aan initiatief. Tryggvi was een paar keer met de politie in aanraking geweest wegens dronkenschap en landloperij. Volgens de informatie die Erlendur had ingewonnen was het een vreedzame man, iemand die zijn eigen gang ging en zich niet met anderen bemoeide, net zomin als anderen zich met hem bemoeiden. Soms, als het bijtend koud was in de straten van Reykjavík, had hij de neiging onderdak bij de politie of bij het Leger des Heils te zoeken.

De tweede keer dat Erlendur vanuit zijn bureau op de Hverfisgata naar het krot vlak bij de Rauðarástígur ging om te proberen Tryggvi te vinden, kwam hij een man tegen die je met enige goede wil zijn slapie kon noemen, een bijna bewusteloze zuiplap die half overeind lag op een smerige matras die ooit voor het gemak op de stenen vloer was gelegd. Het regende en waterplassen hadden zich naast de man op de vloer gevormd. Lege brandewijnflessen lagen op de matras, flesjes met restjes jenever, lege spiritusflessen en twee spuiten met korte naald. De man knipperde met zijn ogen en keek vanaf zijn matras op naar Erlendur. Eén oog was opgezwollen.

'Wie ben jij?' vroeg de man met een schorre, bijna onverstaanbare stem.

'Ik ben op zoek naar Tryggvi,' zei Erlendur. 'Ik heb begrepen dat hij soms hier is.'

'Tryggvi? Die is hier niet.'

'Dat zie ik. Kun je mij vertellen waar hij rond dit uur van de dag is?'

'Ik heb hem al lang niet gezien.'

'Ik heb begrepen dat hij af en toe hier slaapt.'

'Dat heeft ie gedaan,' zei de man terwijl hij rechtop ging zitten. 'Maar hij is hier bij ons al lang niet geweest. Wat voor dag is het vandaag?'

'Doet dat er wat toe?' zei Erlendur.

'Heb je iets te drinken bij je?' vroeg de man met een sprankje hoop in zijn stem. Hij had een dikke jas aan met eronder een trui, een bruine broek en versleten schoenen die tot de witte, knokige, blote kuiten reikten. Erlendur zag dat zijn lip was gesprongen. Waarschijnlijk was de man onlangs in een vechtpartij verzeild geraakt.

'Nee.'

'Wat moet je van Tryggvi?' vroeg de man.

'Niets speciaals,' zei Erlendur. 'Ik wou hem even spreken.'

'Ben jij soms... zijn broer?'

'Nee. Hoe gaat het met Tryggvi?'

Erlendur wist dat als hij langer in het krot bleef de pislucht de hele dag in zijn kleren zou blijven hangen.

'Ik weet niet hoe het met hem gaat,' zei de zwerver, die opeens kwaad en moraliserend werd. 'Hoe denk je dat het met hem gaat? Kan het anders dan kut met hem gaan?! Hoezo, ben je van plan hem uit de goot te redden? Ze komen hier en slaan je lens, de klootzakken. Dreigen je in de fik te steken.'

'Wie?'

'Die duivelse rotjongens! Laten je niet met rust.'

'Is dat pas geleden gebeurd?'

'Een paar dagen terug. Ze worden met de jaren erger en erger, die vlegels.'

'Is Tryggvi met ze slaags geraakt?'

'Ik heb Tryggvi al heel...'

'...lang niet gezien, oké,' maakte Erlendur zijn zin af.

'Probeer het in de kroeg. Daar zag ik hem het laatst. In de Napóleon. Hij moet een beetje geld hebben gehad, anders hadden ze hem eruit gegooid.'

'Bedankt,' zei Erlendur.

'Heb je geld?' vroeg de man.

'Gaat dat niet gewoon aan de brandewijn op?'

'Doet dat er wat toe?' vroeg de man, die Erlendur scheef aankeek.

'Ik veronderstel van niet,' zei Erlendur, die in zijn broekzak naar een bankbiljet zocht.

Er was weinig veranderd in de Napóleon sinds Erlendur er de laatste keer was geweest. Mismoedige figuren zaten apart aan gammele tafels, de barkeeper, met een zwart vest over een rood shirt, loste een kruiswoordpuzzel op, op de radio achter bij de bar werd het verhaal van de middag voorgelezen: *Het toevluchtsoord in het bestaan*.

Erlendur wist maar heel weinig van de man die hij zocht. Over de telefoon had hij nogmaals met de acteur Orri Fjeldsted gepraat. Orri was praatgraag, want hij had zeeën van tijd nu de voorstelling van *Othello* van het repertoire was afgevoerd, lang voor de geplande tijd. Orri wist niet meer dan hij al had onthuld, dat Tryggvi dood was geweest en weer tot leven was gewekt. Hij wist dat Baldvin erbij betrokken was, maar hij kon niet de naam van de verwant van Tryggvi noemen die de hele operatie had georganiseerd. Hij verwees Erlendur naar de theologische faculteit van de universiteit, waar Erlendur kreeg te horen dat Tryggvi na het eerste jaar was opgehouden. Vandaar leidde het spoor naar de medische faculteit, waar Tryggvi slechts twee jaar had gestudeerd; daarna was hij gaan werken. Onderzoek bracht aan het licht dat hij zeeman was geworden en zowel op trawlers als koopvaardijschepen had gewerkt tot hij weer aan wal kwam en ongeschoold werk in de haven verrichtte. Een oud-collega van hem zei dat hij rond die tijd een halve zwerver was geworden, een vreselijke drinkebroer die vaak het werk in de steek liet tot hij werd ontslagen. Daarna dook Tryggvi op in politierapporten, over het algemeen als vagebond in krotten zoals die op de kop van de Rauðarástígur of hij werd in bewusteloze toestand ergens in de vrije natuur gevonden. Volgens de informatie die Erlendur had verkregen was hij nooit ergens voor veroordeeld.

Hij haalde de barkeeper van zijn kruiswoordpuzzel af.

'Ik ben op zoek naar Tryggvi,' zei hij. 'Ik heb begrepen dat hij af en toe hier is.'

'Tryggvi?' zei de barkeeper. 'Denk je dat ik die kerels bij naam en toenaam ken?'

'Dat weet ik niet. Ken je hem bij naam?'

'Ga praten met hem daar in dat groene windjekker,' zei de barkeeper. 'Hij zit hier elke dag.'

Erlendur keek in de schemerige ruimte naar de plek waar de barkeeper heen wees en hij zag een man in een groen jack voor een halfleeg glas bier zitten. Drie borrelglaasjes stonden voor hem op tafel. Aan de tafel zat ook een vrouw van middelbare leeftijd met een soortgelijke verzameling voor zich.

'Ik ben op zoek naar een man die Tryggvi heet,' zei Erlendur toen hij bij hen kwam. Hij pakte een stoel van de tafel ernaast en ging bij hen zitten.

Het stel keek op, verbaasd dat ze gestoord werden.

'Wie ben jij?' vroeg de man.

'Een vriend van hem,' zei Erlendur. 'Van school. Ik hoorde dat hij af en toe hier komt en ik zou hem graag willen spreken.'

'En dan...?' vroeg de vrouw.

Het stel was van ondefinieerbare leeftijd, beiden hadden een opgezwollen gezicht met bloeddoorlopen ogen en ze rookten zelfgerolde shag. Erlendur had ze gestoord in hun huisvlijt. Ze rolden dunne sigaretjes van tabak en vloeipapier. Zij legde de tabak zorgvuldig op het vloeitje, een afgepaste hoeveelheid waarbij niets verloren ging, hij rolde het op en likte het dicht.

'Niets,' zei Erlendur. 'Ik zou hem graag willen spreken. Weten jullie waar hij is?'

'Is Tryggvi niet dood?' zei de man in de groene windjekker terwijl hij de vrouw aankeek.

'Ik heb hem al lang niet gezien. Misschien is hij dood.'

'Jullie kennen hem dus?'

'Hij loopt je soms voor de voeten,' zei de man, die een nieuw sjekkie dicht likte dat de vrouw hem aanreikte.

'Is het lang geleden dat jullie hem voor het laatst hebben gezien?'

'Ja.'

'Herinner je je waar dat was?'

'Ik geloof... dat was... ik kan het me niet herinneren. Praat met Rúdólf. Hij zit daar.'

Hij wees in de richting van de deur, waar een man in een blauwe winterjas in zijn eentje zat te roken met een bierglas voor zich. Hij staarde omlaag naar de tafel en leek helemaal in zijn eigen wereld te verkeren toen Erlendur op een stoel tegenover hem ging zitten. De man keek op.

'Weet jij waar ik Tryggvi kan vinden?' vroeg Erlendur.

'Wie ben jij?'

'Een vriend van hem. Van de universiteit.'

'Zat Tryggvi op de universiteit?'

Erlendur knikte.

'Weet je waar ik hem kan vinden? Zij denken dat ie misschien dood is,' zei hij en hij knikte in de richting van het stel met de sjekkies.

'Tryggvi is niet dood,' zei de man. 'Ik kwam hem twee of drie dagen geleden nog tegen. Als dat de Tryggvi is die je bedoelt. Ik ken geen andere. Zat hij op de universiteit?'

'Waar ben je hem tegengekomen?'

'Hij zei dat hij werk ging zoeken, hij probeerde nuchter te blijven.'

'O ja?' zei Erlendur.

'Ik heb dat eerder gehoord,' zei de man. 'Dat was beneden bij het busstation. Hij stond zich bij de toiletten te scheren.'

'Beneden bij het busstation?'

'Daar zit hij af en toe, ja. Naar de bussen te kijken. Zit daar de hele dag te kijken hoe de bussen aankomen en vertrekken.'

16

Later die dag kwam Erlendur vanuit de regen binnen bij Skúlakaffi, waar hij midden in de ruimte bleef staan en de vrouw zocht voor wie hij gekomen was. Hij zag dat ze met de rug naar hem toe zat, gebogen over een kop koffie met een opgerookte sigaret tussen haar vingers. Hij aarzelde een moment. Een paar mensen zaten verspreid aan tafeltjes, vrachtwagenchauffeurs die de krant doorbladerden, arbeiders die nog laat aan hun koffie zaten, hun pasteitjes al hadden opgegeten, en die een paar minuten voor zichzelf hadden voor ze weer aan het werk moesten. De versleten vloerbedekking en de haveloze stoelzittingen pasten bij hun verweerde gezichten en de droge, harde huid van hun handen. De plek leek eerder op een kantine voor de werkende klasse dan op een restaurant en was niet geverfd sinds Erlendur hem voor het eerst had bezocht. Nergens in de stad kon je beter pekelvlees met gesuikerde room krijgen. Hij had het Skúlakaffi voor hun ontmoeting uitgekozen. Zij had zonder protesten ingestemd, naar wat Eva Lind hem had verteld.

'Hallo,' zei hij toen hij bij de tafel kwam.

Halldóra keek op van haar kop koffie.

'Hoi,' zei ze en het was niet mogelijk iets uit de groet op te maken.

Hij stak zijn hand uit om haar te begroeten en ze hief haar hand op, maar slechts om het kopje te pakken. Ze nam een slok van haar koffie.

Hij stak zijn hand in zijn jaszak en ging tegenover haar zitten.

'Je weet de plek wel uit te zoeken,' zei ze terwijl ze haar sigaret uitdrukte.

'Ze hebben hier heerlijk pekelvlees,' zei Erlendur.

'Het blijft een uitdragerij,' zei Halldóra.

'Dat zal wel,' zei hij. 'Hoe gaat het met je?'

'Je hoeft wat mij betreft niet beleefd te doen,' zei Halldóra, die van tafel opkeek.

'Oké,' zei Erlendur.

'Eva vertelde me dat je met een of andere vrouw bent gaan samenwonen.'

'We wonen niet samen,' zei Erlendur.

'O? Wat dan?'

'We kennen elkaar goed. Ze heet Valgerður.'

'Zo zo.'

Ze zwegen beiden.

'Dit is je reinste nonsens,' zei Halldóra opeens, en ze strekte haar hand uit naar het pakje sigaretten en de wegwerpaansteker op tafel en stopte het in haar jaszak. 'Ik weet niet waar ik op had gehoopt,' zei ze terwijl ze van haar stoel opstond.

'Niet weggaan,' zei Erlendur.

'Jawel, ik moet gaan,' zei Halldóra. 'Ik weet niet wat Eva dacht dat ze hiermee zou bereiken, maar... dit is gewoon nonsens...'

Erlendur strekte zijn hand over de tafel uit en pakte haar bij de arm.

'Niet weggaan,' herhaalde hij.

Ze keken elkaar in de ogen. Halldóra krabbelde terug. Toen zeeg ze weer neer op haar stoel.

'Ik ben alleen maar gekomen omdat Eva het wou,' zei ze.

'Ik ook,' zei Erlendur. 'Moeten we niet proberen dit voor haar te doen?'

Halldóra pakte een nieuwe sigaret en stak hem aan. Erlendur meende dat er 'Mallorca' op de aansteker stond. Hij wist niet dat ze een reisje naar de Middelandse Zee had gemaakt. Misschien had ze de aansteker gekocht om herinneringen aan de zon op te roepen. Of om de droom van warm zand op een of ander badstrand levend te houden. Hij had ooit geweigerd met haar mee te gaan naar de Middelandse Zee, zei dat hij op een dergelijke plek niets had te zoeken. 'Hoezo zoeken?' had zij gezegd. 'Mensen gaan daarheen om niks te doen!'

'Eva doet het goed,' zei Halldóra.

'We moeten proberen het ook goed te doen,' zei Erlendur. 'Ik denk dat het haar zou helpen als we een manier konden vinden om haar samen te steunen.'

'Het is gewoon één grote misvatting,' zei Halldóra. 'Ik wil niets met jou te maken hebben. Dat heb ik haar gezegd en ze weet het. Ik heb het haar zo vaak gezegd.'

'Ik kan het helemaal begrijpen,' zei Erlendur.

'Begrijpen?' snerpte Halldóra. 'Denk je dat het mij wat kan schelen wat jij begrijpt of niet begrijpt? Jij hebt ons gezin kapotgemaakt. Dat heb jij op je geweten. Jij bent gewoon de deur uit gewandeld alsof je kinderen niet jouw zaak waren. Wat zou jij moeten begrijpen?'

'Ik ben niet gewoon de deur uit gewandeld, dat is niet juist en het is niet fraai van je om dat tegen de kinderen te beweren.'

'Niet fraai van míj!'

'Kunnen we ophouden met ruziën?' zei Erlendur.

'Wie ben jij om over mij te oordelen?'

'Ik oordeel niet over jou.'

'Nee, precies,' snoof Halldóra. 'Je hebt nooit ergens ruzie om willen maken. Jij deed het op jouw manier en de anderen moesten hun kop houden. Was het niet zoals jij het wilde hebben?'

Erlendur gaf geen antwoord. Hij had tegen de ontmoeting opgezien, omdat hij wist dat ze tegen hem in de aanval zou gaan. In haar ogen was datgene wat er vroeger was gebeurd vergeten noch begraven. Hij keek haar aan en zag hoe ze ouder was geworden, hoe haar gezichtsspieren waren verslapt, haar onderlip een beetje was gaan zakken, hoe de huid onder haar ogen en op haar neus roder was geworden. Vroeger maakte ze zich op, maar ze leek er nu niet meer zo in geïnteresseerd te zijn. Hij nam aan dat hij dezelfde trieste aanblik bood.

'We hebben een vergissing gemaakt,' zei hij. 'Ik heb een vergissing gemaakt. Ik moet daarmee leven. Ik had het anders moeten doen, ik had er harder op moeten aandringen de kinderen te zien. Ik had je de situatie beter kunnen uitleggen. Ik heb het geprobeerd, maar beslist niet goed genoeg. Het spijt me hoe het gegaan is, maar ik kan er niets aan veranderen. Het gaat niet meer om ons twee maar om Sindri en Eva, en misschien ging het altijd wel alleen maar om hen. Ik had het beter kunnen doen, maar ik heb het jou laten bepalen. Jij had de kinderen.'

Halldóra rookte de sigaret op en drukte hem kapot in de asbak. Ze nam meteen een andere en stak hem aan met de Mallorca-aansteker. Ze inhaleerde de blauwe rook en blies hem langzaam door haar neus en mond uit.

'Wil je mij dat allemaal verwijten?'

'Ik wil niemand iets verwijten,' zei Erlendur.

'En jij, de mooie meneer, zegt dit zo terloops, alsof het heel vanzelfsprekend is. Ik had de kinderen! Had jij ze soms willen hebben?'

'Ik bedoel het niet zo. En ik zeg het niet terloops...'

'Denk je dat ik door het leven heb gedanst? Gescheiden. Een alleenstaande moeder. Twee kinderen. Denk je soms dat dat niks is?'

'Nee. Als ik een schuldige moet aanwijzen dan ben ik dat. Niemand anders. Ik weet het. Ik heb het al die tijd geweten.'

'Goed.'

'Maar jij bent ook niet helemaal onschuldig,' zei Erlendur. 'Ik mocht van jou de kinderen niet zien. Je hebt leugens over mij verteld. Dat was jouw wraak. Ik had meer op een omgangsregeling moeten aandringen. Dat was mijn vergissing.'

Halldóra staarde hem aan, maar zei niets. Erlendur op zijn beurt keek haar aan.

'Jouw vergissing, mijn wraak,' zei ze ten slotte.

Erlendur zweeg.

'Je bent niets veranderd,' zei Halldóra.

'Ik wil geen ruzie met je.'

'Nee, maar toch maak je ruzie.'

'Kon je niet zien wat er gebeurde? Kon je niet ingrijpen? Kon je je zelfmedelijden niet opzijzetten en zien welke kant het opging? Ik weet wat mijn verantwoordelijkheid is en ik weet dat het mijn fout is dat ik ze niet heb behoed voor hun problemen. Toen Eva mij opzocht en ik zag hoe ze eraan toe was heb ik het mezelf verweten, omdat ik weet dat ik heb gefaald. Maar hoe zit het met jou, Halldóra? Kon jij niet ingrijpen?'

Halldóra gaf hem niet meteen antwoord. Ze keek naar de regen buiten en draaide de aansteker tussen haar vingers. Erlendur wachtte op een stroom verwijten, beschuldigingen en berispingen. Maar Halldóra keek gewoon kalm naar de regen en rookte. Er lag een vermoeide klank in haar stem toen ze uiteindelijk antwoord gaf.

'Mijn vader was een arbeider, zoals je weet,' zei ze. 'Arm geboren en ook arm gestorven. Moeder ook. We hadden nooit iets. Niets. Ik zag voor mezelf een ander leven. Ik wou graag uit de armoede geraken. Een mooie woning bezitten. Mooie spullen. Een goede man. Ik dacht dat jij dat was. Ik voelde dat we een leven zouden beginnen dat ons een beetje geluk moest brengen. Dat gebeurde niet. Je... ging weg. Ik begon te drinken. Ik weet niet wat Sindri of Eva jou heeft verteld. Ik weet niet of je veel van mijn en ons leven af weet, maar het is geen hemelse vreugde geweest. Bij de mannen heb ik geen geluk gevonden. Sommigen waren regelrechte hufters. Tussendoor heb ik dag in dag uit gesloofd. Ik heb in aftandse huurwoningen gewoond. Soms ben ik er met de kinderen uit gezet. Soms ben ik dagen achtereen dronken geweest. Waarschijnlijk heb ik niet voor die twee gezorgd zoals ik had moeten doen. Waarschijnlijk hebben ze een nog vreselijker leven dan ik gehad, vooral Eva, die altijd gevoeliger voor vreemden en slechte toestanden is geweest dan Sindri.'

Halldóra inhaleerde de rook.

'Zo is het gegaan. Ik heb geprobeerd geen medelijden met mezelf te hebben. Ik... ik kan er niets aan doen dat ik de neiging heb jou van sommige van die dingen de schuld te geven.'

'Mag ik?' vroeg hij en hij strekte zijn hand uit naar haar sigaretten.

Ze duwde het pakje in zijn richting en ook de Mallorca-aansteker. Even later zaten ze allebei te roken, ieder in zijn eigen gedachten verzonken.

'Ze vroeg vaak naar jou,' zei Halldóra, 'en meestal zei ik dat je er net zo eentje was als die hufters waar ik soms mee ging. Ik weet dat dat niet fraai van me was, maar wat moest ik zeggen? Wat wou je dat ik had gezegd?'

'Ik weet het niet,' zei Erlendur. 'Dat is geen gemakkelijk leven geweest.'

'Jij hebt dat over ons afgeroepen.'

Erlendur zweeg. De regen viel geluidloos in het herfstduister. Drie mannen met geruite shirts stonden op en op hun weg naar buiten riepen ze een bedankje naar de kok in de keuken.

'Het was van het begin af aan een ongelijk spel,' zei Halldóra.

'Ja, misschien,' zei Erlendur.
'Dat "misschien" kun je gevoeglijk weglaten.'
'Ja.'
'Weet je waarom?'
'Ik geloof van wel.'
'Het was een ongelijk spel omdat ik in de relatie oprecht was,' zei Halldóra.
'Ja.'
'Maar dat was nooit wederzijds.'
Erlendur zweeg.
'Nooit,' zei Halldóra opnieuw terwijl ze de rook uitblies.
'Ik neem aan dat je gelijk hebt,' zei Erlendur.
Halldóra snoof. Ze vermeed het hem in de ogen te kijken. Ze zaten er een tijdlang zwijgend bij tot Halldóra haar keel schraapte. Ze strekte haar hand uit naar de asbak en drukte de peuk erin uit.
'Vind je dat fair?' vroeg ze.
'Het spijt me dat het niet wederzijds is geweest,' zei Erlendur.
'Het spijt me!' bauwde Halldóra hem na. 'Denk je soms dat dat helpt! Wat dacht je überhaupt?'
'Ik weet het niet.'
'Het heeft me niet lang gekost dat in te zien,' zei Halldóra. 'Te merken dat het me niets kon schelen. Toch bleef ik het proberen. Als een idioot. En des te meer naarmate ik je beter leerde kennen. Ik heb alles voor je gedaan. Als je ons tijd had gegeven en... Waarom heb je het zo lang laten voortduren? In het begin kon het je geen moer schelen.'
Halldóra staarde naar haar kopje koffie en barstte in huilen uit. Haar schouders zakten af en haar onderlip trilde een beetje.
'Ik heb een vergissing gemaakt,' zei Erlendur. 'Ik... ik kon het niet, ik wist niet wat ik aan het doen was. Ik weet niet wat er is gebeurd. Ik heb geprobeerd er zo min mogelijk over na te denken. Geprobeerd dat hoofdstuk in mijn leven uit de weg te gaan. Misschien was dat zwak van me.'
'Ik heb je nooit begrepen.'
'Ik geloof dat we totaal verschillend zijn.'
'Misschien.'
'Mijn moeder was gestorven,' zei Erlendur. 'Ik bleef zo'n beetje alleen achter. Ik dacht dat...'
'Je dacht een nieuwe moeder te vinden?'
'Ik probeer je te vertellen hoe ik ervoor stond.'
'Laat maar zitten,' zei Halldóra. 'Het doet er verder niet toe.'
'Ik vind dat we eerder aan de toekomst moeten denken,' zei Erlendur.
'Ja, beslist.'
'Ik geloof dat we aan Eva moeten denken,' zei hij. 'Dit draait niet om ons

twee. Niet meer. Allang niet meer, Halldóra. Dat moet je begrijpen.'

Ze zwegen. Uit de keuken klonk gekletter van borden. Twee mannen in spijkerjasjes kwamen binnen en liepen naar de bar. Ze bestelden koffie en pasteitjes en gingen ermee in een hoek zitten. Een man in een windjack zat in zijn eentje aan een tafel in een krant te bladeren. Verder was er niemand in de ruimte.

'Je was een kwade geest,' zei Halldóra zachtjes. 'Dat zei mijn vader altijd. Een kwade geest.'

'Het had anders kunnen lopen,' zei Erlendur. 'Als je begrip had getoond voor hoe het mij verging. Maar dat was te pijnlijk en jij was bitter en vol haat en dat ben je nog steeds. Je stond het mij niet toe de kinderen te zien. Vind je dat het niet genoeg is? Kun je nu nog niet toegeven?'

'Verwijt mij het maar allemaal!'

'Dat doe ik niet.'

'Jawel.'

'Kunnen we iets voor Eva doen?'

'Ik zie niet hoe. Ik heb er geen trek in jouw geweten te sussen.'

'Kunnen we het niet proberen?'

'Het is te laat.'

'Dit had nooit zo moeten lopen,' zei Erlendur.

'Wat weet ik daarvan. Het was jouw beslissing.'

Halldóra griste het pakje sigaretten en de aansteker van tafel en stond op. 'Het was allemaal jouw beslissing,' siste ze en ze struinde de deur uit.

17

De dagen daarop liep Erlendur af en toe het busstation binnen om te kijken of Tryggvi er zat. Hij had vage inlichtingen over hem gekregen van Rúdólf in de Napóleon en hij hoopte dat ze klopten. Toen Erlendur voor de derde keer in het busstation kwam, werd omgeroepen dat de bus naar Akureyri vertrok. Een klein groepje mensen begon in de vertrekhal hun spullen bij elkaar te pakken. Het was na de middagdrukte en het was rustig in het restaurant waar warme maaltijden, softdrinks en sandwiches werden geserveerd. Aan de tafel bij het raam dat uitkeek op de bushaltes kon je roken. Daar zat een man in zijn eentje; hij hield een gele plastic tas vast die hij op tafel had gelegd. De man keek hoe de mensen de lijnbus naar Akureyri instapten. Zijn haar was onverzorgd en op zijn kin zat een groot litteken van een ongeluk of een messteek, zijn handen waren groot en vuil, de nagels zwart bij de wijs- en middelvinger.

'Neem me niet kwalijk,' zei Erlendur toen hij aan zijn tafeltje stond, 'maar heet je Tryggvi?'

De man keek hem wantrouwig aan.

'Wie ben jij?'

'Ik heet Erlendur.'

'Huh...' zei de man, die niet geïnteresseerd leek in mensen die hem ongevraagd aanspraken.

'Kan ik je een kop koffie aanbieden of iets te eten?' vroeg Erlendur.

'Wat moet je?'

'Ik wil alleen maar een beetje met je kletsen. Ik hoop dat dat oké is.'

De man nam hem onderzoekend op.

'Met mij kletsen?'

'Als dat oké is.'

'Wat moet je van me?'

'Kan ik iets voor je halen?'

De man keek Erlendur lang aan, onzeker hoe hij deze inbreuk op zijn privacy op moest nemen.

'Je kunt een brandewijn voor me halen,' zei hij ten slotte.

Erlendur glimlachte koel en aarzelde een moment voor hij naar de tapkast ging. Hij vroeg om een dubbele brandewijn en twee koppen koffie. De man wachtte bij het raam en keek hoe de bus naar Akureyri langzaam wegreed.

De barman bediende Erlendur die vroeg of hij iets afwist van de man die daar bij het raam in het rokersgedeelte zat.

'Bedoel je die zwerver daar?' vroeg de barman terwijl hij met zijn hoofd in de richting van de man knikte.

'Ja, komt hij hier vaak?'

'Hij komt hier al jaren zo nu en dan,' zei de barman.

'Wat doet hij dan?'

'Niks. Hij doet nooit wat en hij maakt nooit moeilijkheden. Ik weet niet waarom hij hier komt. Soms zie ik dat hij zich bij de toiletten scheert. Dan zit hij daar uren achtereen te kijken hoe de bussen wegrijden. Ken je hem?'

'Een beetje,' zei Erlendur. 'Een heel klein beetje. Gaat hij nooit mee met de bus?'

'Nee, nooit. Ik heb hem nog nooit een bus zien instappen,' zei de barman.

Erlendur nam het wisselgeld aan en zei dank je wel, liep toen weer terug naar de man bij het grote raam en ging naast hem zitten.

'Wie zei je dat je was?' vroeg de man.

'Heet je Tryggvi?' stelde Erlendur als wedervraag.

'Ja, ik heet Tryggvi. En jij? Wie ben jij?'

'Ik heet Erlendur,' zei hij nogmaals. 'Ik zit bij de politie.'

Tryggvi haalde de plastic tas langzaam van tafel af.

'Wat wil je van me? Ik heb niks gedaan.'

'Ik wil niets van jou,' zei Erlendur. 'En mij is het om het even wat je in je tas hebt. Ik vertel je maar ronduit hoe het zit: ik heb een vreemd verhaal over jou op de universiteit gehoord en ik wil graag weten of er iets van waar is.'

'Wat voor verhaal?'

'Over... hoe moet ik het verwoorden... over jouw dood.'

Tryggvi staarde Erlendur lang aan zonder iets te zeggen. Hij had de inhoud van het borrelglaasje in zijn keelgat gegoten en schoof het kelkje terug naar Erlendur. Zijn kleurloze ogen lagen diep onder de harige wenkbrauwen, zijn gezicht was vlezig en in wonderlijke tegenspraak met zijn uitgemergelde lijf, hij had een grote neus die ooit was gebroken, en dikke lippen. Zijn gezicht was door de zwaartekracht ingezakt, wat de man een langgerekt uiterlijk gaf.

'Hoe heb je me hier gevonden?'

'Op verschillende manieren,' zei Erlendur. 'Ik heb onder andere in de Napóleon naar je gezocht.'

'Hoe bedoel je, over mijn dood?'

'Ik weet niet of er iets waar is van wat ik heb gehoord over een experiment dat door een student of studenten medicijnen aan de universiteit is uitgevoerd. Je hebt theologie of medicijnen gestudeerd, ik weet niet welk van de twee. Je hebt ingestemd met het experiment. Dat bestond eruit je eventjes dood te maken en vervolgens te reanimeren. Is dat waar?'

'Waarom wil je dat weten?' vroeg de man ruw en met een schorre dronkemansstem. Hij dook met zijn hand in zijn borstzak en viste er een halfleeg pakje sigaretten uit.

'Ik ben nieuwsgierig.'

Tryggvi keek naar het glaasje en toen naar Erlendur. Erlendur stond op, ging weer naar de tapkast, bestelde een halve fles IJslandse brandewijn en kwam ermee terug naar de tafel. Hij vulde het borrelglaasje en zette de fles vlak naast zich op tafel.

'Waar heb je dat verhaal gehoord?' vroeg Tryggvi. Hij leegde het kelkje en liet het weer terug over de tafel glijden.

Erlendur vulde het opnieuw.

'Is het waar?'

'Wat dan nog? Wat wil je ermee?'

'Niks,' zei Erlendur.

'Ben je van de politie?' vroeg de man en hij dronk het kelkje leeg.

'Ja. Ben jij die Tryggvi?'

'Ik heet Tryggvi,' zei de man, terwijl hij om zich heen keek. 'Ik weet niet wat je van me moet.'

'Kun je me vertellen wat er gebeurde?'

'Er gebeurde niks. Niks gebeurde er. Geen ene moer. Waarom al die vragen? Wat gaat jou dat aan? Gaat iemand het wat aan?'

Erlendur wilde de man niet boos maken. Hij had hem kunnen zeggen – zo smerig en slodderig als hij eruitzag met die zwerversstank om zich heen – dat dat hem niets aanging. Maar dan kreeg hij niet te horen wat hij wilde weten. In plaats daarvan probeerde hij Tryggvi mild te stemmen, hij praatte met hem als gelijke, vulde opnieuw het borrelglaasje en stak voor hem een sigaret aan. Hij praatte een beetje over koetjes en kalfjes, over de plek waar ze zaten, dat ze daar nog steeds halve schaapskoppen verkochten en gestampte kool zoals in de goeie ouwe tijd toen de jongens met de meisjes rond het centrum flaneerden en naar het busstation kwamen om ze te versieren. De brandewijn had ook zijn uitwerking. Tryggvi dronk het overvloedig, het ene glaasje na het andere, en hij werd steeds losser van tong. Langzamerhand stuurde Erlendur het gesprek weer in de richting van wat er gebeurde toen Tryggvi op de universiteit zat en met een paar kameraden een ongewoon experiment wilde uitvoeren.

'Wil je iets eten?' vroeg Erlendur.

'Ik dacht dat ik priester kon worden,' zei Tryggvi, terwijl hij het aanbod met zijn hand afwimpelde, ten teken dat eten hem geen goed deed. In plaats daarvan pakte hij de fles en hij nam een flinke slok. Hij veegde zijn mond met zijn mouw af. 'Maar theologie was saai,' ging hij verder. 'Toen probeerde ik medicijnen. De meesten van mijn vrienden studeerden medicijnen. Ik...'

'Wat?'

'Ik heb ze in jaren niet gezien,' zei Tryggvi. 'Zijn ze niet allemaal dokter geworden? Specialist in dit en specialist in dat. Rijk en dik.'

'Hadden ze een rijke fantasie?'

Tryggvi keek Erlendur aan alsof hij zijn boekje te buiten ging. Hier was hij degene die het gesprek bepaalde en als Erlendur dat niet beviel kon hij beter ophoepelen.

'Ik weet nog steeds niet waarom je telkens maar die kant op wilt,' zei hij.

Erlendur zuchtte.

'Het gaat om een mogelijke zaak die ik aan het onderzoeken ben, ik kan je er niet meer over vertellen.'

Tryggvi haalde zijn schouders op.

'Zoals je wilt, mij best.'

Hij dronk weer uit de fles. Erlendur wachtte geduldig.

'Ik hoorde dat je er zelf om hebt gevraagd,' zei hij ten slotte.

'Dat is een verdomde leugen,' zei Tryggvi. 'Ik heb nergens om gevraagd. Ze kwamen bij mij. Zij waren het die bij mij kwamen.'

Erlendur zweeg.

'Ik had nooit naar die idioot moeten luisteren,' zei Tryggvi.

'Welke idioot?'

'Mijn neef. Die vervloekte idioot!'

En weer viel er een stilte die Erlendur niet wilde verbreken. Hij wilde de zaak niet opjagen, maar hij hoopte dat de zwerver de behoefte zou voelen erover te praten, te vertellen wat er was gebeurd, zelfs al was het maar tegen een vreemde op het busstation.

'Heb je het niet koud?' vroeg Tryggvi, die zijn jas dicht tegen zich aan hield.

'Nee, het is hierbinnen niet koud.'

'Ik heb het altijd koud.'

'Hoe zat dat met je neef?'

'Ik kan me niet precies herinneren hoe het zat,' zei Tryggvi.

Erlendur keek hem aan en hij kreeg het gevoel dat de man elke detail dat zich aandiende zou tegenspreken.

'Het was iets wat in een dronken bui opkwam en toen ging het een eigen leven leiden. Ze hadden een proefkonijn nodig. Het liefst een theoloog, zeiden ze. Laat hem naar de hel lopen. Zoals gezegd, een van hen was... hij was mijn neef, een rijke donder met een of andere vervloekte obsessie voor de dood. Zelf was ik daar ook niet vrij van en hij wist dat. Hij wist dat heel goed en hij betaalde me een bedrag dat toen een heel maandloon was. Er was een meisje in de groep dat ik... waar ik een beetje verliefd op was. Misschien deed ik het voor haar. Dat kan ik niet ontkennen. Ze waren verder in de studie dan ik, mijn neef zat in het laatste jaar en zij ook. Het meisje...'

18

Tryggvi had de halve fles leeggedronken en staarde met trieste ogen naar de parkeerplaats van de bussen buiten. Zijn verhaal was verbrokkeld, repetitief en wonderlijk gecompliceerd; soms hield hij op en zat hij er lang zwijgend bij zonder dat Erlendur hem in de rede durfde te vallen. Dan liet hij het hoofd weer zakken en staarde omlaag naar de tafel alsof hij alleen in zijn eigen wereld was, alleen met zijn gedachten en alleen in heel zijn leven. Erlendur merkte dat hij niet veel had gesproken over de gebeurtenissen sinds ze hadden plaatsgevonden. Hetzelfde gold waarschijnlijk voor allerlei onopgeloste zaken die Tryggvi nooit van zich af had weten te schudden en die hem als geesten door het leven achtervolgden.

Zijn neef had een rijke fantasie. Hij zat in het laatste jaar van zijn studie medicijnen en hij zou in de herfst voor een vervolgopleiding naar de Verenigde Staten gaan. Hij werkte in het Gemeentelijk Ziekenhuis, zoals het toen heette, was de beste van zijn jaar en was het middelpunt van het gezelschap als men bijeenkwam, hij speelde gitaar, vertelde komische verhalen en organiseerde uitstapjes naar Þórsmörk. Hij was overal tegelijk, zijn zelfvertrouwen was onverwoestbaar, hij was koppig, brutaal en doortastend. Op een keer toen hij Tryggvi op een familiebijeenkomst tegenkwam vroeg hij of hij had gelezen over een Franse student medicijnen die een hoogst interessant experiment had gedaan, volkomen illegaal natuurlijk.

'Wat voor experiment?' vroeg Tryggvi, die in alles de tegenpool van zijn neef was, gereserveerd, verlegen en daardoor meestal teruggetrokken. Hij begon op bijeenkomsten nooit uit zichzelf te praten, ging niet met zijn energieke medestudenten mee op uitstapjes naar Þórsmörk, en begon de greep te verliezen op zijn alcoholgebruik.

'Het was ongelooflijk,' zei zijn neef. 'Ze veroorzaakten een hartstilstand bij een van zijn kameraden en hielden hem drie minuten lang dood voor ze hem weer reanimeerden. Justitie had geen idee wat ze met de zaak moesten aanvangen. Ze vermoordden hem, maar toch ook niet, snap je?'

Hoogstwaarschijnlijk had dat nieuws zijn neef het hoofd op hol gebracht. Wekenlang had hij het over de Franse medicijnenstudent, hij had het justitiële proces erover gevolgd en hij fluisterde tegen Tryggvi dat hij graag ook iets dergelijks wou doen. Hij had er lang over nagedacht en nu had het nieuws een verlangen in hem opgewekt dat hij niet kon beheersen.

'Jij hebt theologie gestudeerd, jij moet nieuwsgierig zijn,' zei hij op een dag toen ze in de kantine van de faculteit zaten.

'Ik ben niet van plan me te laten vermoorden,' zei Tryggvi. 'Zoek maar iemand anders.'

'Er is niemand anders,' zei zijn neef. 'Jij past volkomen in het plaatje. Je bent jong en sterk. In de familie komt geen enkele vorm van hartziekte voor. Dagmar doet met ons mee en Baddi, een knul die ik ken en die ook medicijnen studeert. Ik heb al met ze gepraat. Dit is waterdicht. Er kan niets misgaan. Ik bedoel, je bent hier al lang mee bezig, weet je, een leven na de dood.'

Tryggvi wist wie Dagmar was. Ze was hem meteen opgevallen toen hij aan de medicijnenstudie begon.

'Dagmar?' vroeg hij.

'Ja,' zei zijn neef, 'en ze is niet stom.'

Dat wist Tryggvi. Ze was een vriendin van zijn neef en ze had een keertje met hem gepraat op een studentenbal dat hij had bezocht, zijn eerste en enige bal. Ze wist dat zij neven waren. Hij was haar later een paar keer tegengekomen en ze hadden met elkaar gekletst. Hij vond haar een prachtig meisje, maar hij had niet het lef de volgende stap te zetten.

'Wil ze met jou hieraan meedoen?' vroeg hij verwonderd.

'Vanzelfsprekend,' zei zijn neef.

Tryggvi schudde het hoofd.

'En ik betaal je natuurlijk,' zei zijn neef.

Uiteindelijk gaf Tryggvi toe. Hij wist niet precies waarom hij zich had laten overreden mee te doen. Hij zat altijd zonder geld, hij wou dolgraag in gezelschap van Dagmar zijn, zijn neef was vasthoudend en niet in de laatste plaats had hij Tryggvi's fascinatie voor een leven na de dood aangewakkerd. Zijn neef kende die interesse van de tijd dat ze jong waren en stil stonden bij vragen over God, de hemel en de hel. Ze hadden beiden heel gelovige ouders die hen naar de zondagsschool stuurden, de kerk regelmatig bezochten en in de congregatie werkten. De neven waren niet bepaald vroom meer naarmate ze ouder werden en ze trokken vele dogma's in twijfel, over de verrijzenis, het eeuwige leven en het bestaan van de hemel. Tryggvi dacht dat de reden dat hij theologie was gaan studeren uit dat verzet was voortgesproten. De twijfels die hij had vermengden zich met de prangende vragen die hem zijn hele leven achtervolgd hadden. Wat als? Bestaat er een eeuwig leven?

'We hebben er zo vaak over gepraat,' zei zijn neef.

'Het is één ding erover te praten en...'

'We doen het één minuut. Je hebt een minuut om naar de andere kant te gaan.'

'Maar ik...'

'Je bent theologie gaan studeren om die antwoorden te vinden,' zei zijn neef.

'En jij?' zei Tryggvi. 'Wat wil jij hiermee bewijzen?'
Zijn neef glimlachte.
'Er gebeurt nooit wat en niemand doet iets,' zei hij, 'in ieder geval niet iets vergelijkbaars. Het is spannend dit over een helder licht en een tunnel uit te testen en we kunnen het doen zonder al te grote risico's. Wij kunnen dit doen.'
'Waarom doe je het niet zelf, waarom laten we jou niet inslapen?'
'Omdat we een goede dokter nodig hebben, iemand met aanzien, neef, en ik ben een betere dokter dan jij.'
Tryggvi las over het justitiële proces van de Franse medicijnenstudent. Het was hen gelukt hun kameraad te reanimeren en hij had zich volledig hersteld, hij voelde zich net zo gezond als daarvoor, naar hij zelf zei.
De avond dat ze actie zouden ondernemen was op de verjaardag van zijn neef, hij werd zevenentwintig. Ze ontmoetten elkaar bij hem thuis, zijn neef, Dagmar en Baddi, en van daaruit gingen ze naar het ziekenhuis. Tryggvi's neef had een lege kamer met een badkuip geregeld en hartbewakings- en elektroshockapparatuur geïnstalleerd. Trygvvi ging in de badkuip liggen. Er liep constant koud water in en ze hadden grote zakken ijs laten bezorgen die ze in de badkuip legden.
Langzaamaan nam de hartslag van Tryggvi af en hij verloor het bewustzijn.

'Ik herinner me nog dat ik weer wakker werd,' zei Tryggvi terwijl hij naar de lege lijnbus keek die het busstation op draaide. Het was begonnen te regenen en de lucht in het zuiden was zwaarbewolkt. Het regenwater stroomde langs de ramen omlaag.
'Wat gebeurde er?' vroeg Erlendur.
'Niets,' zei Tryggvi. 'Er gebeurde niets. Ik merkte niets, zag niets. Geen tunnel, geen licht. Niets. Ik sliep in en ik werd weer wakker. Dat was alles.'
'Maar het experiment was geslaagd? Ze waren erin geslaagd... erin geslaagd je dood te maken?'
'Dat zei mijn neef.'
'Waar is hij nu?'
'Hij begon aan een vervolgstudie in de Verenigde Staten en sindsdien woont hij daar.'
'En Dagmar?'
'Ik weet niet waar zij is. Ik heb haar niet meer gezien sinds... sinds het gebeurde. Ik ben opgehouden met mijn medicijnenstudie. Opgehouden met studeren. Ben de zee op gegaan. Daar verging het me beter.'
'Ging het niet goed met je?'
Tryggvi gaf hem geen antwoord.
'Hebben ze het ooit nogmaals geprobeerd?'

'Niet dat ik weet.'
'Ben je helemaal hersteld?'
'Er was niets om van het herstellen,' zei Tryggvi.
'En geen God?'
'Geen God. Geen hemel. Geen hel. Niets. Mijn neef was heel erg teleurgesteld in me.'
'Verwachtte je een of ander antwoord?'
'Misschien. We waren zo geëxalteerd.'
'Maar er gebeurde niets?'
'Nee.'
'En er valt niet meer over te vertellen?'
'Nee. Er valt niet meer over te vertellen.'
'Weet je het zeker? Hou je niet iets achter?'
'Nee,' zei Tryggvi.
Ze zwegen een tijdje. Er waren meer klanten het restaurant binnengekomen. Ze gingen met hun dienblad of met een kop koffie aan een leeg tafeltje zitten, namen een krant mee om er even in te kijken voor ze weer op weg gingen. Nu en dan hoorde je omroepberichten over het luidsprekersysteem.
'Sindsdien is alles bij je stil blijven staan,' zei Erlendur.
'Wat bedoel je?'
'Je leven,' zei Erlendur. 'Het is niet echt over rozen gegaan.'
'Dat heeft niets met dat idiote experiment te maken. Zinspeel je daarop?'
Erlendur haalde zijn schouders op.
'Je komt hier al jaren, heb ik begrepen. Zit hier bij het raam.'
Tryggvi keek zwijgend door de ruit en het regenwater, ergens in de verte, ergens voorbij Reykjanes en Keilir, die aan de einder verdwenen.
'Waarom zit je hier?' vroeg Erlendur, zo zachtjes dat het nauwelijks te horen was.
Tryggvi keek hem aan.
'Wil je weten wat ik voelde?'
'Ja.'
'Rust. Ik voelde een rust. Soms denk ik dat ik niet had moeten terugkomen.'
Er klonk gerinkel toen iemand bij de tapkast een glas liet vallen en de stukken in het rond vlogen.
'Ik voelde een wonderlijke rust die ik niet kan verklaren, niet aan jou of aan wie dan ook. Niet eens aan mezelf. Daarna was er niets dat me nog interesseerde, andere mensen niet, de opleiding niet, mijn omgeving niet. Op de een of andere manier was ik ermee opgehouden me voor het leven te interesseren. Ik merkte dat ik er geen aansluiting meer mee had.'

Tryggvi aarzelde. Erlendur luisterde naar de regen die onbarmhartig tegen het glas van de ruit sloeg.
'En na die rust...'
'Ja?' vroeg Erlendur.
'Ik kan met een gerust hart zeggen dat ik sindsdien geen rust meer in mijn binnenste heb gevonden,' zei Tryggvi terwijl hij naar de lijnbus van Keflavík keek die van het terrein wegreed. 'Ik voel dat ik altijd ergens heen moet, alsof ik op iemand wacht of iemand op mij wacht, maar ik weet niet waar en ik weet niet wie dat is en ik weet niet waar ik heen moet.'
'Wie denk je dat er op je wacht?'
'Ik weet het niet. Je denkt dat ik gestoord ben. Mensen denken dat ik maf ben.'
'Ik ben maffere mensen tegengekomen,' zei Erlendur.
Tryggvi keek de bus van Keflavík na.
'Heb je het niet koud?' vroeg hij weer.
'Nee,' zei Erlendur.
'Het is een wonderlijke ervaring de mensen na te kijken,' zei Tryggvi na een lang zwijgen. 'Ze de bus zien instappen en de bus zien wegrijden. De hele dag door verdwijnen er mensen.'
'Verlang je er niet naar met ze mee te rijden?'
'Nee, ik ga niet weg,' zei Tryggvi. 'Niet in mijn eigen kleine leven. Ik ga niet weg. Ik laat me niet door een bus vervoeren. Waar gaan die mensen heen? Vertel me dat eens. Waar gaan al die mensen heen?'
Erlendur dacht dat Tryggvi de draad aan het verliezen was en hij probeerde hem er een beetje langer bij te houden. Hij keek naar de smerige handen en het uitgerekte gezicht en de gedachte kwam bij hem op dat hij nooit meer van zo nabij een geest zou zien als nu.
'Het waren dus je neef die nu in Amerika woont, het meisje dat Dagmar heette en dan nog iemand die je Baddi noemde. Wie was dat?'
'Ik kende hem niet,' zei Tryggvi. 'Het was een vriend van mijn neef. Ik herinner me niet eens hoe hij heette. Hij zat bij het toneel en is daarna medicijnen gaan studeren. Hij werd Baddi genoemd.'
'Heette hij soms Baldvin?'
'Ja, precies,' zei Tryggvi. 'Zo heette hij.'
'Weet je het zeker?'
Tryggvi knikte met een uitgebrande sigaret bungelend in zijn mondhoek.
'En hij zat bij het toneel?'
Tryggvi knikte weer.
'Hij was een vriend van mijn neef,' zei hij. 'Een groot acteur, dacht ik. Ik vertrouwde hem het minst van het hele zooitje.'

19

De vrouw keek verwonderd toen ze voor Erlendur de deur opendeed. Er woei een droge, koude noordenwind. Erlendur drukte zijn jas dichter tegen zich aan in de deuropening. Hij had zijn bezoek niet aangekondigd en de vrouw, die Kristín heette, stond stokstijf op de drempel met een koppige gelaatsuitdrukking alsof ze geen boodschap had aan dit onverwachte bezoek. Erlendur legde haar uit dat hij op zoek was naar informatie over wat er gebeurde toen de vader van María stierf. Kristín zei dat ze hem daar niet mee kon helpen.

'Waarom graaf je dit nu op?' vroeg zij.

'Vanwege zelfmoordgevallen,' zei Erlendur. 'We nemen deel aan een gezamenlijk Scandinavisch onderzoek naar de oorzaken van zelfmoorden.'

De vrouw bleef in de deuropening staan en zweeg. Ze was de zuster van Magnús, de vader van María. Magnús' vriend Ingvar had Erlendur aangeraden met haar te praten en hij achtte het niet onwaarschijnlijk dat Leonóra haar iets had verteld over het incident op het Þingvellirvatn, toen Magnús door het ongeval was omgekomen. Kristín woonde alleen. Ingvar zei dat ze nooit getrouwd was, altijd alleen had gewoond, en dat ze waarschijnlijk niet erg bereidwillig was bezoek te ontvangen.

'Als ik even binnen zou mogen komen,' zei Erlendur, die met zijn voeten stampte. Hij had het koud. 'Het zal niet veel tijd in beslag nemen,' voegde hij eraan toe.

Na een pijnlijke aarzeling gaf Kristín ten slotte toe. Ze deed de deur achter hen dicht en huiverde.

'Het is ongewoon koud vandaag,' zei ze.

'Ja, zeg dat wel,' zei Erlendur.

'Ik weet niet waarom je dit na al die tijd oprakelt,' zei ze en ze leek allesbehalve vriendelijk toen ze met hem in de woonkamer ging zitten.

'Ik heb met mensen gepraat die María goed kenden en er is informatie naar voren gekomen waar ik graag je mening over zou horen.'

'Waarom wordt de zaak van María door de politie onderzocht? Is dat gebruikelijk in zulk soort zaken?'

'Dat is absoluut niet het geval,' zei Erlendur. 'We zijn de informatie aan het uitwerken die ons bekend is geworden. Het incident op het Þingvellirvatn is toentertijd onderzocht en de toedracht is duidelijk. Ik ben niet van plan me daar verder mee bezig te houden. Het rapport over die zaak blijft onveranderd.'

'Waarom onderzoek je het dan?'

'Ik ben zo vrij de nadruk te leggen op wat ik reeds zei: er zal van nu af aan niets aan het rapport worden veranderd.'

Kristín had nog steeds niet door waar het om draaide. Ze was in de zestig, ze had kortgeknipt, golvend haar, een knap maar broos uiterlijk en ze keek Erlendur aan met wantrouwige ogen die zeiden dat ze op haar hoede was.

'Wat wil je dan van mij?' vroeg ze.

'Niets van datgene wat je nu of later tegen mij zegt zal iets veranderen aan de conclusie dat je broer door een ongeval is omgekomen. Ik hoop dat je dat begrijpt.'

Kristín haalde diep adem. Misschien begon ze te begrijpen waar Erlendur heen wilde, hoewel ze dat niet liet blijken.

'Ik weet niet waar je op zinspeelt,' zei ze.

'Ik zinspeel nergens op,' zei Erlendur. 'Ik heb van mijn kant totaal geen behoefte een afgesloten zaak te heropenen. Als Leonóra je iets heeft verteld wat wij niet weten, zal dat niets aan de zaak veranderen. Jullie waren uitstekend met elkaar bevriend, heb ik begrepen.'

'Dat waren we, ja,' zei Kristín.

'Praatte ze ooit met je over wat er was gebeurd?'

Erlendur wist dat hij een risico nam. Hij had niets anders in handen dan een flauw vermoeden, een kleine discrepantie in de woorden van Ingvar en een slecht uitgewerkt dossier, en een moeder en dochter wier levens sterker waren vervlochten dan hij eerder had gedacht. Kristín kon mogelijk meer weten als ze Leonóra's hartsvriendin was geweest. Als het wonderlijke geval wilde dat ze al die jaren iets had verzwegen dan kon ze onder bepaalde omstandigheden haar tegenstand opgeven. Ze leek een eerlijke, gewetensvolle vrouw te zijn, een getuige die mogelijkerwijs in een moeilijke positie had gedaan wat ze juist achtte.

Er hing een stilte in de woonkamer.

'Wat wil je weten?' vroeg Kristín ten slotte.

'Alles wat je mij kunt vertellen,' zei Erlendur.

Kristín staarde hem aan.

'Ik weet niet waar je het over hebt,' zei ze, maar met minder overtuigingskracht in haar stem dan eerder.

'Men heeft mij verteld dat je broer Magnús nooit in de buurt van machines kwam en er ook geen sikkepit verstand van had. In het politierapport uit die tijd komt daarentegen naar voren dat hij de dag voor het ongeluk met de motor had gerommeld. Klopt dat?'

Kristín gaf hem geen antwoord.

'Zijn vriend, die Ingvar heet en die me aanraadde met je te praten, zei dat hij geen verstand van machines had en er nooit iets mee van doen wilde hebben.'

'Ja.'

'Leonóra zei tegen de politie dat hij de motor had gerepareerd.'

Kristín haalde haar schouders op.

'Daar weet ik niets van.'

'Ik heb met een oude vriendin van María gepraat die zei altijd het gevoel te hebben gehad dat er iets op het meer is gebeurd dat nooit naar boven is gekomen, dat de dood van Magnús iets anders dan een gewoon ongeluk is geweest,' zei Erlendur. 'Ze hechtte er niet zoveel waarde aan, ware het niet dat María zei dat hij misschien had moeten sterven.'

'Had moeten sterven?'

'Ja. Haar vader. Zo verwoordde María het.'

'Wat bedoelde ze daarmee?' vroeg Kristín.

'Haar vriendin wist dat niet, maar misschien betekende het dat het zijn lot was op die dag te sterven. Een andere uitleg is echter ook mogelijk.'

'Wat voor uitleg?'

'Misschien dat hij het had verdiend te sterven.'

Erlendur keek Kristín aan. Ze sloot haar ogen, haar schouders zakten af.

'Kun je me iets vertellen dat wij niet weten over wat er op het meer gebeurde?' vroeg hij voorzichtig.

'Als je zegt dat het niets aan het rapport verandert...'

'Je kunt me alles vertellen wat je wilt, het verandert niets aan de conclusies die toentertijd zijn vastgelegd.'

'Ik heb hier nooit over gepraat,' zei Kristín, zo zachtjes dat Erlendur het nauwelijks kon verstaan. 'Behalve toen Leonóra op haar sterfbed lag.'

Erlendur merkte hoe moeilijk de vrouw het had. Ze dacht lang na en hij probeerde zich in haar positie te verplaatsen. Ze had dit bezoek niet verwacht en al helemaal niet de vragen waarmee Erlendur was gekomen. Ze leek echter geen reden te hebben hem te wantrouwen.

'Ik geloof dat ik hier in de kast nog een beetje Ålborg heb staan,' zei ze ten slotte en ze stond op. 'Kan ik je iets aanbieden?'

Erlendur nam het aanbod aan. Ze pakte twee borrelglaasjes, zette ze bij hen op tafel en vulde ze tot de rand met aquavit. Ze sloeg het eerste glaasje in één teug achterover, terwijl Erlendur nog bezig was zijn glaasje naar zijn mond te brengen. Toen vulde ze het weer bij en dronk de helft van het tweede glaasje op.

'Ze zijn natuurlijk allebei dood nu,' zei ze.

'Ja.'

'Dus dan maakt het misschien niets meer uit.'

'Ik denk van niet.'

'Ik weet niets van een schroef op de motorboot,' zei Kristín. Ze viel even stil en vroeg toen: 'Waarom heeft María het gedaan?'

'Dat weet ik niet,' zei Erlendur.

'Arm kind,' kreunde Kristín. 'Ik kan me haar nog zo goed herinneren voor Magnús stierf. Ze was het zonnetje in hun leven. Ze wilden niet meer kinderen en ze werd met oneindig veel liefde opgevoed. Toen mijn broer vervolgens daar op het Þingvellirvatn het leven liet, was het alsof haar benen onder haar vandaan werden geslagen. Van hen beiden, María en Leonóra. Ik weet dat Leonóra ontzettend aangeslagen was door de dood van Magnús, zoveel hield ze van hem. En het meisje was helemaal weg van hem. Daarom begrijp ik het niet. Ik begrijp niet wat hem bezielde.'

'Bedoel je Magnús?'

'Na het ongeluk weken ze niet van elkaars zijde. Leonóra nam María zelfs zo in bescherming dat je er moe van werd. Ik vond dat ze haar te veel beschermde. Anderen kwamen amper iets van haar te weten en de familie van Magnús al helemaal niet. Ons contact met hen verwaterde met de tijd. Leonóra verbrak in feite alle banden met ons, de familie van vaderskant, na het voorval op Þingvellir. Ik heb dat altijd heel vreemd gevonden. Maar ik hoorde pas de hele waarheid vlak voordat Leonóra stierf. Ze vroeg of ik bij haar wou komen toen ze op haar sterfbed lag, ze was aan haar bed gekluisterd en heel zwak en ze wist dat ze slechts een paar dagen te leven had. We hadden al een behoorlijke tijd... geen contact met elkaar gehad. Ze lag in haar slaapkamer, vroeg me om de deur te sluiten en bij haar te komen zitten. Ze zei dat ze me iets moest vertellen voordat ze doodging. Ik was totaal van mijn stuk gebracht. Ze begon over Magnús te praten.'

'Vertelde ze wat er op het meer gebeurde?'

'Nee, ze was woedend op Magnús.'

Kristín vulde haar borrelglaasje nogmaals met aquavit. Erlendur sloeg een tweede glaasje af. Ze dronk het in één teug leeg en zette het glaasje langzaam op tafel.

'Nu zijn ze beiden dood,' zei ze.

'Ja,' zei Erlendur.

'Ze waren bijna één.'

'Wat vertelde Leonóra je?'

'Ze zei me dat Magnús van plan was haar te verlaten. Hij had een andere vrouw leren kennen. Ik had het voorzien. Magnús had me er toentertijd over verteld. Daarom vroeg Leonóra me bij haar te komen. Het was alsof ik had deelgenomen aan een samenzwering tegen haar. Ze zei dat niet rechtstreeks, maar ze liet het me merken.'

Erlendur aarzelde.

'Met andere woorden, hij bedroog haar?'
Kristín knikte.
'Het begon een paar maanden voor hij stierf. Hij vertelde het me in vertrouwen. Ik dacht dat hij het tegen niemand anders had gezegd en ik heb het aan niemand verteld. Het ging niemand wat aan. Magnús zei tegen Leonóra dat hij de relatie wilde verbreken. Dat was een enorme schok voor haar, vertelde ze me. Ze wist zich geen raad. Ze had van mijn broer gehouden en zich helemaal gegeven...'
'Heeft hij het haar toen verteld, daar op Þingvellir?'
'Ja. Magnús stierf en ik heb het nooit over zijn overspel gehad. Niet tegen Leonóra, noch tegen iemand anders. Magnús was dood en ik vond dat het niemand wat aanging.'
Kristín haalde diep adem.
'Leonóra verweet het mij dat ik haar niet over zijn overspel had verteld meteen toen ik het hoorde. Magnús moet haar hebben gezegd dat ik het wist. Maar ik vond het beter dat zij het van hem zelf hoorde. Ze was heel onbuigzaam en onverzoenlijk. Het was alsof ze vond dat ik haar had verraden, hoewel er al zoveel jaren overheen waren gegaan. Toen ze stierf... ik durfde simpelweg niet naar de begrafenis. Ik heb daar nu spijt van. Vanwege María.'
'Heb je ooit met María over het ongeluk gepraat?'
'Nee.'
'Kun je mij zeggen wie die vrouw was met wie Magnús een relatie had?'
Kristín dronk van haar aquavit.
'Doet dat er wat toe?' vroeg ze.
'Dat weet ik niet,' zei Erlendur.
'Ik geloof dat het een van de redenen was dat Magnús er zo mee aarzelde. Wie zij was.'
'Hoe dan?'
'De vrouw met wie Magnús een relatie had was een goede vriendin van Leonóra.'
'Ik begrijp het.'
'Ze hebben daarna nooit meer met elkaar gepraat.'
'Heb je ooit een verband gelegd tussen die kwestie en het ongeluk?'
Kristín keek Erlendur ernstig aan.
'Nee. Wat bedoel je?'
'Ik...'
'Waarom onderzoek je dat ongeluk nu?'
'Ik hoorde van het incident bij...'
'Kwam hier iets over naar boven bij de dood van María?'
'Nee,' zei Erlendur.

'Maar María vertelde een vriendin van haar dat Magnús misschien had moeten sterven?'

'Ja.'

'Ik heb datgene wat er op het meer gebeurde altijd als een vreselijk ongeluk gezien. Het is nooit bij me opgekomen dat het iets anders kan zijn geweest.'

'Maar...'

'Nee, geen maren. Het is te laat daar iets aan te veranderen.'

De taxicentrale was in het stadscentrum gevestigd, in laagbouw die ooit betere tijden had gekend. Ooit had daar een verenigingsgebouw gestaan, waar jongelui brillantine in hun haar smeerden en er een spuuglok in maakten en waar meisjes met een permanent op de dansvloer uit hun dak gingen op de nieuwste Amerikaanse rockmuziek, voordat het gebouw in vergetelheid raakte. De helft van het complex was veranderd in een taxicentrale en nu heerste er slechts rust op die plek. Twee oudere mannen speelden rummy. Het gele linoneum op de vloer was stuk gesleten, de glimmend witte verf op de wanden had het al lang geleden tegen het vuil moeten afleggen en er was nog steeds geen geur gevonden die de vochtige lucht kon smoren die uit de vloer en de houten wanden opsteeg. Het was alsof vijftig jaar in het niets verdween als je daar naar binnen stapte. Erlendur genoot ervan. Hij stond een moment lang in het midden van de ruimte en snoof de geschiedenis van de plek op.

De vrouw van de centrale keek op en toen ze zag dat de mannen die rummy speelden niet van zins waren zich te laten storen, vroeg ze of Erlendur een taxi moest hebben. Erlendur ging naar haar toe en informeerde naar een chauffeur van de centrale die Elmar heette.

'Elmar op 32?' vroeg de vrouw die de bloei van haar leven rond dezelfde tijd als het gebouw had gehad.

'Ja, waarschijnlijk,' zei Erlendur.

'Ik weet dat hij op weg hierheen is, wil je soms op hem wachten? Hij is er zo. 's Avonds eet hij altijd hier.'

'Ja, dat heb ik begrepen,' zei Erlendur.

Hij zei dank je wel en ging aan een tafeltje zitten. Een van de rummyspelers keek zijn kant op. Erlendur knikte, maar hij kreeg geen reactie. Het was alsof het rummyspel het bestaan van de beide mannen aaneen lijmde.

Erlendur bladerde in een oud tijdschrift toen een taxichauffeur in de deuropening verscheen.

'Hij vroeg naar je!' riep de vrouw bij de telefooncentrale en ze wees naar Erlendur, die opstond en hem begroette. De man gaf hem een hand en zei dat hij Elmar heette. Hij was de broer van Davíð, de jongeman die lang geleden verdween. Hij was in de vijftig, corpulent met een rond gezicht, had haar dat dunner begon te worden en een slepende gang van het eeuwige zitten. Erlendur vertelde zachtjes wat hij kwam doen. Hij zag vanuit zijn ooghoek dat de rummyspelers hun oren spitsten.

'Zijn jullie daar nog steeds mee bezig?' vroeg Elmar.

'We zijn de zaak aan het afsluiten,' zei Erlendur, die dit niet nader verklaarde.

'Vind je het goed dat ik dit opeet terwijl we praten?' vroeg Elmar en hij ging aan een tafel zitten zo ver mogelijk van de rummyspelers vandaan. Hij had zijn avondeten in een doos van piepschuim, junkfood uit een of andere supermarkt. Erlendur ging bij hem zitten.

'Er was niet zo'n groot leeftijdsverschil tussen jullie,' zei Erlendur.

'Twee jaar,' zei Elmar. 'Ik ben twee jaar ouder. Hebben jullie iets nieuws gevonden?'

'Nee,' zei Erlendur.

'We hadden eigenlijk niet zoveel contact met elkaar, Davíð en ik. Je zou misschien kunnen zeggen dat ik niet zo met mijn gedachten bij mijn jongere broer was, ik vond hem gewoon nog een knulletje. Ik was meer met mijn vrienden en lui van dezelfde leeftijd.'

'Heb je je enigszins een beeld gevormd van wat er gebeurd zou kunnen zijn?'

'Nee, behalve dat hij zelfmoord heeft gepleegd,' zei Elmar. 'Hij verkeerde niet in slecht gezelschap en was nergens in verwikkeld, snap je, dus er was geen reden om hem kwaad te willen doen. Davíð was een voortreffelijke knul. Zonde dat het zo heeft moeten lopen.'

'Wanneer was de laatste keer dat je hem zag?'

'De laatste keer? Ik vroeg hem geld te leen voor de bioscoop. In die tijd had je nooit geld. Niet zoals nu. Davíð werkte soms naast de studie en schraapte wat geld bij elkaar. Ik heb jullie dit allemaal al verteld.'

'En...?'

'Nee, niks, hij leende het me gewoon. Ik wist niet dat hij die avond zou verdwijnen, begrijp je, dus het waren geen gevleugelde afscheidswoorden, gewoon het gebruikelijke, bedankt en tot ziens.'

'Dus er was nooit een nauw contact tussen jullie?'

'Nee, dat kan je eigenlijk niet zeggen.'

'Jullie zijn geen boezemvrienden geweest?'

'Nee. Ik bedoel, hij was mijn broer en zo, maar we verschilden zoveel van elkaar en... weet je...'

Elmar schrokte het eten snel naar binnen. Hij merkte op dat hij meestal maar een half uurtje pauze nam voor het avondeten.

'Weet je of je broer een meisje had voor hij verdween?' vroeg Erlendur.

'Nee,' zei Elmar. 'Van een meisje weet ik niets.'

'Zijn vriend had het erover dat hij een meisje had leren kennen, maar dat was heel vaag.'

'Davíð had nooit een meisje,' zei Elmar terwijl hij een pakje Camel tevoorschijn haalde. Hij bood Erlendur een sigaret aan, die hem afsloeg. 'Of daar was mij niets van bekend,' voegde hij eraan toe en hij keek in de richting van de rummytafel.

'Nee, dat is het namelijk,' zei Erlendur. 'Je ouders hebben lang in de hoop geleefd dat hij terug zou komen.'

'Ja, ze... ze gaven om niets anders dan Davíð. Hij was de enige waar ze om gaven.'

Erlendur meende verbittering in zijn stem te ontwaren.

'Zijn we klaar?' vroeg Elmar. 'Ik zou graag even een spelletje met ze meespelen.'

'Ja, neem me niet kwalijk,' zei Erlendur en hij stond op. 'Ik wil je pauze niet voor je verpesten.'

20

Eva Lind kwam 's avonds bij hem op bezoek. Ze had haar moeder al gezien en een verslag van hun gesprek gehoord. Erlendur zei dat het een vergissing was geweest te proberen hen samen te brengen. Eva schudde het hoofd.

'Jullie zijn niet van plan elkaar weer te ontmoeten?' vroeg ze.

'Je hebt gedaan wat je kon,' zei Erlendur. 'We zijn gewoon niet nader tot elkaar gekomen. Er is te veel wrijving tussen je moeder en mij om weg te poetsen.'

'Wrijving?'

'Het was een heel moeilijk gesprek.'

'Ze zei dat ze naar buiten was gestormd.'

'Dat klopt.'

'Toch hebben jullie elkaar ontmoet.'

Erlendur zat in zijn stoel met een boek in zijn handen. Eva Lind was op de bank gaan zitten. Ze hadden vaak zo tegenover elkaar gezeten. Soms hadden ze enorm ruziegemaakt en Eva Lind was de deur uit gestormd en had haar vader op een gemene manier uitgescholden. Soms hadden ze met elkaar kunnen praten en genegenheid voor elkaar getoond. Eva Lind had dan de neiging op de bank te gaan liggen terwijl hij haar verhalen voorlas over vrijbuiters of over IJsland. Ze was in allerlei gemoedstoestanden bij hem op bezoek gekomen, soms zo uitgelaten dat Erlendur niet begreep waar ze het over had, soms zo gedeprimeerd dat hij bang was dat ze iets doms zou uithalen.

Hij aarzelde of hij zou vragen of Halldóra bijzonderheden over het gesprek had verteld, maar Eva bespaarde hem de moeite.

'Mama vertelde mij dat je nooit wat voor haar had gevoeld,' begon ze voorzichtig.

Erlendur bladerde door zijn boek.

'Maar ze had grote bewondering voor je.'

Erlendur zweeg.

'Dat verklaart misschien een beetje jullie vreemde relatie,' zei Eva Lind.

Erlendur zweeg nog steeds en keek omlaag naar het boek dat hij in zijn hand had.

'Ze zei dat het geen zin had met jou te praten,' zei Eva Lind.

'Ik weet niet wat we voor je kunnen doen, Eva. We zijn geen stap dichter bij elkaar gekomen. Dat wilde ik je vertellen.'

'Mama zei hetzelfde.'
'Ik weet wat je probeert te doen, maar... wij zijn moeilijke ouders, Eva.'
'Ze zei dat ze jou nooit had moeten ontmoeten.'
'Waarschijnlijk was dat het beste geweest,' zei Erlendur.
'Zodanig dat het allemaal hopeloos is?'
'Het lijkt mij van wel.'
'Het is te proberen.'
'Natuurlijk.'
Eva staarde haar vader aan.
'Is dat alles wat je hebt te zeggen?' vroeg zij.
'Kunnen we proberen dit te vergeten?' zei hij terwijl hij van het boek opkeek. 'Ik heb het geprobeerd. Zij ook. Het werkt niet. Dit keer niet.'
'Maar later misschien, bedoel je?'
'Ik weet het niet, Eva.'
Eva Lind zuchtte. Ze pakte een sigaret en stak hem aan.
'Wat een geouwehoer. Ik dacht misschien dat... ik dacht dat het mogelijk zou zijn iets te herstellen tussen jullie. Het is waarschijnlijk hopeloos. Jullie zijn een compleet hopeloos geval.'
'Ja, waarschijnlijk.'
Ze zwegen.
'Ik heb altijd geprobeerd ons vieren als gezin te zien,' zei Eva Lind. 'Dat doe ik nog steeds. Pretenderen dat we een gezin zijn, hetgeen we natuurlijk niet zijn en ook nooit zijn geweest. Ik dacht dat we iets konden bereiken, hoe moet je het zeggen, iets van rust om ons heen. Dacht dat het misschien ons allemaal kon helpen, mij en Sindri en mama en jij. Wat een toestand!'
'We hebben het geprobeerd, Eva. We zijn niet verder gekomen. Nu niet. Ik dacht dat we vrede konden sluiten, als de wil ertoe bestond.'
'Ik heb haar over je broer verteld. Ze wist niets van zijn bestaan.'
'Nee, ik heb haar nooit over hem verteld. Net zomin als iemand anders. Ik heb nooit met iemand over hem gepraat.'
'Ze was heel verbaasd. Ze heeft ook je ouders, je opa en je oma nooit gekend. Ze leek heel weinig over je te weten.'
'Eergisteren was het de verjaardag van je oma,' zei Erlendur. 'Geen bijzondere verjaardag, gewoon de dag dat ze was geboren. Ik probeerde altijd bij haar op bezoek te gaan als ze jarig was.'
'Ik had haar graag willen ontmoeten,' zei Eva Lind.
Erlendur keek op van zijn boek.
'En zij had jou graag leren kennen,' zei hij. 'Waarschijnlijk waren de dingen anders gegaan als ze nog geleefd had.'
'Wat ben je aan het lezen?'
'Een tragedie.'

'Gaat het over je broer?'

'Ja. Ik wou het graag... mag ik het je voorlezen?'

'Je hoeft het voor mij niet goed te maken,' zei Eva Lind.

'Wat?'

'Dat je moeder stierf.'

'Nee, ik wil dat je het hoort. Ik wil het je graag voorlezen.'

Erlendur nam het boek voor zich, ging een paar bladzijden naar het einde en begon met zachte maar krachtige stem te lezen over de hachelijke storm die heel zijn leven had gevormd.

Een drama op de Eskifjarðarheiði

Opgetekend door Dagbjartur Auðunsson

Al eeuwenlang ging er een weg van Eskifjörður door het gewest van Fljótsdalur over de Eskifjarðarheiði. Het was een oud ruiterpad dat ten noorden van de rivier de Eskifjarðará lag, door Langihryggur, omhoog door de Innri-Steinsá, door het Vínárdalur en Vínárbrekkur in Miðheiðarendi, omhoog naar Urðarflötur en langs de Urðarklettur, uitkomend op het Eskifjörðurland. In het noorden ligt het Þverárdalur tussen de bergen Andri en Harðskafi, en de Hólarfjall en de Selheiði verder naar het noorden.

Bakkaselshjáleiga heette vroeger de boerderij op de kop van de Eskifjörður die aan de oude weg naar het gewest van Fljótsdalur lag. Deze boerderij is nu verlaten, maar rond het midden van de vorige eeuw woonde op Bakkaselshjáleiga de boer Sveinn Erlendsson, samen met zijn vrouw Áslaug Bergsdóttir en hun twee zonen van acht en tien die Bergur en Erlendur heetten. Sveinn bezat een kleine schaapskooi en hij was ook onderwijzer op de lagere school van Eskifjörður. Op zaterdag 24 november 1956 was het koud maar helder weer en de wegen waren zwaar begaanbaar. Sveinn was van plan een paar schapen op te drijven die waren afgedwaald. Het was dat jaargetijde slecht weer geweest en er viel weinig te grazen. Hij had zijn twee zonen bij zich en ze gingen 's ochtends toen het licht was te voet van Bakkaselshjáleiga; Sveinn was van plan voor het donker thuis te zijn.

Ze sloegen eerst de weg in die naar het Þverárdalur en de berg Harðskafi voert, zonder de schapen te vinden. Vervolgens liepen ze naar het zuiden en gingen ze naar de Eskifjarðarheiði. Ze gingen langzaam over Langihryggur en kwamen bij Urðarklettur, maar toen sloeg het weer plotseling om. Het stond Sveinn helemaal niet aan en hij overwoog meteen terug op huis te gaan, maar eer ze het in de gaten hadden barstte een van de ergste stormen sinds tijden los, met hevige rukwinden uit het noorden en zware sneeuwval. Het weer verslechterde dusdanig dat ze algauw geen hand voor ogen zagen en in een mum van tijd waren ze in een verblindende sneeuwstorm beland. De jongens werden door de storm van hun vader gescheiden. Hij bleef lang naar ze zoeken door te schreeuwen en te roepen, maar zonder succes. Ten slotte kwam hij met veel pijn en moeite van de heide naar Bakkaselshjáleiga door de Eskifjarðará te volgen. De wind ging met zoveel geweld tekeer dat hij niet rechtop kon staan, en het laatste stuk moest hij op handen en voeten kruipen. Toen hij op de boerderij aankwam waren zijn kleren aan flarden, zijn muts was hij kwijtgeraakt, hij zat onder de ijspegels, maar hij was helder van geest.

Er werd om hulp naar Eskifjörður gebeld en het nieuws verspreidde zich snel dat twee jongens voor hun leven moesten vechten in het noodweer dat was losgebarsten en dat nu de bewoonde wereld beneden had bereikt. Tegen de avond verzamelde zich een reddingsteam in Bakkaselshjáleiga, maar vanwege de slecht begaanbare paden vond men het verstandiger het zoeken op te schorten tot de storm enigszins luwde en het bij het ochtendgloren opnieuw te proberen. Het waren moeilijke uren voor de ouders, die drommels goed beseften dat hun twee zonen op de heide in een sneeuwstorm zaten. Vooral de vader van de jongens was aangeslagen en hij praatte nauwelijks met de anderen, overmand door verdriet en bijna apatisch. Hij dacht aan de jongens buiten in het barre weer en bemoeide zich niet met de organisatie van de zoektocht of met het reddingsteam, maar de vrouw des huizes, Áslaug, was onvermoeibaar voor hen in de weer en ze liep voorop in de groep toen men uiteindelijk de volgende dag bij dageraad op weg ging.

Toen was al de hulp ingeroepen van opsporingsexpedities uit Reyðarfjörður, Neskaupstaður en Seyðisfjörður, bij elkaar een enorm grote groep. De storm was behoorlijk geluwd, maar de hevige sneeuwval hinderde de reddingsteams. Ze gingen eerst de richting van de Eskifjarðarheiði op en ze hadden lange stokken bij zich die ze in de sneeuw staken. Ze probeerden het spoor van de broers te vinden, maar ze konden niets ontdekken. De sneeuw had 's nachts het spoor uitgewist. Men ging ervan uit dat de broers bij elkaar waren gebleven en dat ze zich waarschijnlijk in een sneeuwbank hadden ingegraven. Er was ongeveer achttien uur verloren gegaan tot de zoektocht begon en gezien de koude op de berghellingen was het duidelijk dat de reddingsteams een race tegen de klok liepen.

De broers waren warm aangekleed toen ze van huis vertrokken, met een winterjas, sjaal en muts. Na vier uur zoeken werd een sjaal gevonden, waarvan Áslaug zei dat hij van de oudste was, en er werd hard gezocht in de omgeving waar hij was gevonden. Een man van het team die Halldór Brjánsson heette, uit Seyðisfjörður, meende weerstand te voelen toen hij zijn staf in de sneeuw stak, en toen de anderen begonnen te graven kwam de oudste van de twee broers tevoorschijn. Hij lag met zijn gezicht naar beneden en het was alsof hij voorover was gevallen. Hij gaf tekenen van leven, maar was heel koud en vertoonde bevriezingsverschijnselen aan zijn handen en voeten. Hij was bijna bewusteloos en niet in staat het reddingsteam aanwijzingen te geven waar zijn broer kon zijn. De snelste loper werd erop uitgestuurd om warme melk te halen. Toen splitste de groep zich om de jongen van de heide af te dragen, naar huis naar Bakkaselshjáleiga. Daar was een dokter aanwezig, die hem onderzocht en hij zei dat de jongen opgewarmd moest worden. Hij verbond zijn bevriezingen en na verloop van tijd herstelde de jongen, hoewel het duidelijk was dat hij op het punt van bezwijken had gestaan. Het had weinig gescheeld of hij was door de kou en de ontberingen omgekomen.

Ondertussen was men in het gebied waar de oudste jongen was gevonden nog steeds hard op zoek, maar het leverde niets op. Het leek erop dat hij door de sneeuwstorm weer de richting van het Þverárdalur en Harðskafi was opgegaan. Het zoekgebied werd opnieuw uitgebreid toen ze vanuit Bakkaselshjáleiga hoorden dat de broers in het noodweer van elkaar gescheiden waren geraakt en dat de geredde jongen niet wist wat er van zijn broer was geworden. Hij zei dat ze lang bij elkaar waren gebleven, maar dat hij hem in de sneeuwstorm was kwijtgeraakt. Hij zei dat hij hem had gezocht en zijn naam had geroepen tot hij uitgeput raakte en steeds weer voorover in de sneeuw viel. Men zei dat de jongen ontroostbaar was en met niemand meer wilde praten. Hij wilde niets anders dan de berg op om zijn broer te zoeken en ten slotte moest de dokter hem een kalmerend middel toedienen.

Het begon weer te schemeren en het weer verslechterde, dus de teams gingen terug naar huis. Toen kwam er versterking vanuit Egilsstaður. In Eskifjörður werd een hoofdkwartier voor de reddingsoperatie ingericht. Meteen bij het ochtendgloren de dag daarop ging een grote menigte op zoek, zowel op de heide als in het Þverárdalur en op de hellingen van de Andri en Harðskafi. Men probeerde te bepalen hoe de tocht van de jongen was verlopen nadat hij van zijn broer was gescheiden. De zoektocht in die gebieden bleef zonder resultaat en toen werd er verder naar het noorden en zuiden gezocht, maar de jongen werd niet gevonden. Zo verstreek de dag en werd het avond.

De organisatie van de reddingsteams bleef meer dan een week intact en om een lang verhaal kort te maken: de jongen werd nooit gevonden. Dit was de reden dat er veel werd gespeculeerd over zijn lot, omdat de aarde hoogstwaarschijnlijk zijn stoffelijke resten had opgeslokt. Sommigen meenden dat hij in de Eskifjarðará was terechtgekomen en met de stroom naar zee was meegevoerd, anderen dat hij door de storm hoger de berg was opgedreven dan sommigen zich konden voorstellen. Weer anderen dachten dat hij op zijn weg terug naar huis het drijfzand was ingegaan dat aan de voet van de Eskifjörður ligt.

Men leefde mee met het verdriet van Sveinn Erlendsson over hoe zijn zoon was omgekomen. Later deed in het gewest het gerucht de ronde dat de vrouw des huizes, Áslaug, haar man ervoor had gewaarschuwd die dag beide jongens mee de heide op te nemen, maar hij had haar waarschuwing in de wind geslagen.

De oudere broer herstelde van zijn bevriezingen, maar sindsdien vond men hem futloos en eenzelvig. Men zei dat hij naar de stoffelijke resten van zijn broer had gezocht zolang het gezin op Bakkaselshjáleiga woonde.

Twee jaar na het ongeluk trok het gezin weg uit de streek en verhuisden ze naar Reykjavík, en Bakkaselshjáleiga ligt, zoals reeds gezegd, verlaten.

Erlendur deed het boek dicht en streek met zijn hand over de versleten omslag. Eva Lind zat stil op de bank tegenover hem. Er verstreek een lange tijd voor ze haar hand uitstrekte naar het pakje sigaretten op tafel.

'Futloos en eenzelvig?' zei ze.

'De oude Dagbjartur heeft niemand gespaard,' zei Erlendur. 'Hij had het achterwege kunnen laten de dingen zo onverbloemd te benoemen. Hij wist niet of ik futloos of eenzelvig was. Hij heeft mij nooit ontmoet. Hij kende je oma en opa slechts oppervlakkig. Hij had zijn informatie van iemand van het reddingsteam. Je hoort geen kletspraat en allerlei geleuter van horen zeggen te laten drukken en het dan een verslag noemen. Het is hem gelukt mijn moeder absoluut onnodig pijn te doen.'

'En jou ook.'

Erlendur haalde zijn schouders op.

'Het is lang geleden. Ik heb niet met deze geschiedenis te koop willen lopen, waarschijnlijk uit piëteit voor mijn moeder. Ze heeft datgene wat er is gebeurd nooit geaccepteerd.'

'Is het waar? Wilde ze niet dat jullie met je vader meegingen?'

'Ze was ertegen. Maar ze heeft hem niet verweten hoe het is gelopen, niet met het verstrijken van de tijd. Natuurlijk deed het haar verdriet en was ze kwaad, maar ze wist dat het geen kwestie van schuld of onschuld was. Het was een kwestie van overleven, je handhaven in het gevecht met de natuur. Die tocht moest gemaakt worden. Je kon onmogelijk voorzien dat het zo gevaarlijk zou worden.'

'Wat is je vader overkomen? Waarom heeft hij niets gedaan?'

'Ik heb dat eigenlijk nooit begrepen. Hij is in een shock van de heide af gekomen, ervan overtuigd dat Bergur en ik allebei dood waren. Het was alsof zijn wil om te leven was gedoofd. Het heeft het amper overleefd nadat wij van elkaar gescheiden werden, en toen het begon te schemeren en de nacht inviel en het noodweer erger werd zei je oma dat het leek alsof hij het simpelweg had opgegeven. Hij zat thuis op de rand van het bed en het liet hem koud wat er om hem heen gebeurde. Hij was natuurlijk ook totaal uitgeput en hij had bevriezingsverschijnselen. Toen hij hoorde dat ik was gered kwam hij weer een beetje bij. Ik ging rustig naar hem toe en hij nam me in zijn armen.'

'Hij moet heel blij zijn geweest.'

'Ja, natuurlijk, maar ik... Toen kwam een raar schuldgevoel over me. Ik begreep niet waarom ik was gered en Bergur stierf. Ik begrijp het nog steeds niet. Ik dacht dat ik het lot op de een of andere manier gestuurd moest hebben, dat het mijn fout was. Langzamerhand sloot ik me af met die gedachten. Eenzelvig en futloos. Misschien heeft hij het ondanks alles het beste beschreven.'

Ze zaten er een tijd zwijgend bij tot Erlendur het boek voor zich neerlegde.

'Je oma liet alles netjes achter toen we verhuisden. Ik ben in verlaten huizen geweest waar alles erop wees dat de mensen in grote haast waren weggegaan en nooit achterom hebben gekeken. Borden op tafel, het serviesgoed in de kast, de meubels in de woonkamer, de bedden in de slaapkamer. Je oma had ons huis zorgvuldig leeggehaald en niets achtergelaten, ze is met het huisraad naar Reykjavík verhuisd en ze heeft het aan anderen gegeven. Niemand wilde daar nog wonen nadat wij waren vertrokken. Ons huis werd een verlaten huis. Dat was een vreemd gevoel. De laatste dag gingen we van de ene kamer in de andere en ik voelde een vreemde leegte die me sindsdien is bijgebleven. Het was alsof we ons leven op die plek achterlieten, tussen die oude deuren en de kale ramen. Alsof we ons eigen leven niet meer bezaten. Een of andere kracht had het van ons afgepakt.'

'Zoals het van Bergur was afgepakt?'

'Soms wens ik dat ik vrede met hem krijg. Dat er een hele dag verstrijkt zonder dat hij mij voor de geest komt.'

'Maar dat gebeurt niet?'

'Nee. Dat gebeurt niet.'

21

Erlendur zat voor de kerk in zijn auto, rookte en dacht na over het toeval. Hij had lang nagedacht over hoe het simpele toeval het lot van mensen kon bepalen, hoe het kon beslissen over leven en dood. Hij kende dergelijk toeval vanuit zijn werk. Meer dan eens had hij de locatie van een moord onderzocht, een compleet zinloze moord, zonder enige aanleiding en zonder dat er een relatie bestond tussen de moordenaar en zijn slachtoffer.

Een gruwelijk voorbeeld van een dergelijk toeval was de vrouw die vermoord werd toen ze in een van de buitenwijken van de stad van een supermarkt op weg naar huis liep. De winkel was een van de weinige die in die tijd tot 's avonds laat open was. Twee mannen kruisten haar pad, goede bekenden van de politie. Ze wilden haar beroven, maar ze hield met een wonderlijke vastberadenheid haar handtas vast. De ene crimineel had een kleine koevoet bij zich en gaf haar twee harde klappen op haar hoofd. Toen ze de eerste hulp werd binnengebracht was ze gestorven.

Waarom zij? vroeg Erlendur zichzelf af toen hij twintig jaar geleden op een zomeravond bij het lijk van de vrouw stond.

Hij wist dat de twee mannen die haar hadden aangevallen wandelende tijdbommen waren, en naar zijn mening was het te verwachten dat ze op een dag een zware misdaad zouden begaan, maar het was puur toeval dat zij en de vrouw elkaar tegenkwamen. Het had die avond, die week, maand of dat jaar, iemand anders kunnen zijn. Waarom zij, op die plek, op dat uur? En waarom reageerde ze op die manier toen ze hen tegenkwam? Wanneer begon de loop der gebeurtenissen die eindigde met die moord? vroeg hij zichzelf af. Hij wilde niet de verantwoordelijkheid op de misdadigers afwentelen, maar enkel kritisch onderzoeken hoe een leven kon eindigen in een bloedplas op een trottoir in Reykjavík.

Hij kwam erachter dat de vrouw van buiten de stad kwam en ruim zeven jaar in Reykjavík had gewoond. De reden dat ze samen met haar twee dochters en haar man verhuisde vanuit de kustplaats waar ze was opgegroeid, was de ontslaggolf in de visindustrie. De trawlers uit de streek waren verkocht, de garnalenvangst hield op te bestaan. Misschien was haar laatste reis daar begonnen. Ze vestigden zich in een buitenwijk. Zij wilde dichter naar het centrum verhuizen, maar gelijkwaardige woningen waren daar aanzienlijk duurder. Dat was een van de hobbels op haar weg.

Haar man kreeg werk in de bouw, zij werd vertegenwoordiger bij een telefoonbedrijf. Het bedrijf verplaatste zijn hoofdkantoor, wat het voor haar uiterst moeilijk maakte om met het openbaar vervoer op haar werk te komen, en ze nam ontslag. Ze kreeg werk als surveillante op een lagere school in de buurt en het werk beviel haar, ze mocht de kinderen en zij mochten haar. Ze liep elke dag naar het werk en kreeg plezier in het wandelen, ze nam haar man elke avond op sleeptouw en ze wandelden door de omgeving, iets wat ze nooit oversloegen tenzij het vreselijk slecht weer was. Hun dochters groeiden op. De twintigste verjaardag van de oudste kwam dichterbij.

De tijd naderde zijn einde. Op die noodlottige avond was het hele gezin thuis toen de oudste dochter haar moeder vroeg of ze ijs konden maken. Daarmee werd de loop der gebeurtenissen in gang gezet. Ze hadden room nodig en verschillende andere kleine dingen. De moeder ging naar de supermarkt.

De jongste dochter bood aan naar de winkel te rennen, maar dat wilde de moeder niet hebben. Ze wilde haar avondwandeling maken en ze keek naar haar man. Hij zei dat hij geen zin had. Op televisie was een programma met interviews van mensen van buiten de stad, vaak met rare vogels, en hij wilde dat niet missen. Misschien was het toeval. Als het programma op een ander tijdstip was uitgezonden, was hij met haar meegegaan.

De moeder ging naar buiten en kwam nooit meer terug.

De man die haar de doodsklap gaf zei dat ze haar handtas niet losliet, wat ze ook probeerden. Het bleek dat de vrouw eerder op die dag een aanzienlijke som geld had opgenomen voor verjaardagscadeaus die ze voor haar twintigjarige dochter had willen kopen; het geld had ze in haar handtas gestopt. Daarom hield ze hem zo stevig vast. Anders had ze nooit veel geld bij zich.

Ook dat was toeval.

Met de verjaardagscadeaus voor haar dochter in gedachten verloor ze haar leven op een zomeravond in Reykjavík; het enige wat ze had gedaan was haar gewone leven leiden en liefdevol om haar gezin geven.

Erlendur doofde zijn sigaret en stapte uit de auto. Hij keek omhoog naar de kerk, een kille, grauwe steenklomp, en hij dacht bij zichzelf dat de architect een atheïst moest zijn geweest. Hij kon tenminste niet zien dat het gebouw tot glorie van de Heer was opgetrokken, het zag er eerder uit als een fabriek waar cement werd gemixt.

Dominee Eyvör zat in haar kantoortje en voerde een telefoongesprek. Ze gebaarde hem te gaan zitten. Hij wachtte terwijl ze haar gesprek afrondde. Een kast met toga's, kragen en ambtsgewaden stond half open in het kantoor.

'Jij weer?' zei Eyvör toen ze de telefoon neerlegde. 'Is het nog steeds vanwege María?'
'Ik las ergens dat het aantal mensen dat zich laat cremeren toeneemt,' zei hij, terwijl hij hoopte dat hij niet rechtstreeks antwoord op de vraag hoefde te geven.
'Er zijn altijd mensen die die weg verkiezen en er strikte instructies voor geven. Mensen die niet willen dat hun lichaam in de aarde verteert.'
'Dat heeft niets met geloof of christendom te maken?'
'Nee, in feite niet.'
'Ik heb begrepen dat Baldvin María heeft laten cremeren,' zei Erlendur.
'Ja.'
'Dat was haar wens?'
'Daar weet ik niets van.'
'Ze heeft het nooit met je besproken?'
'Nee.'
'Heeft Baldvin met jou over haar wens gesproken?'
'Nee. Hij heeft het er niet over gehad. Hij zei me gewoon dat zij het zo wilde. Wij eisen voor zoiets geen bewijs.'
'Nee, natuurlijk niet.'
'Haar dood houdt je nogal bezig,' zei Eyvör.
'Misschien,' zei Erlendur.
'Wat denk je dat er is gebeurd?'
'Ik denk dat het erg slecht met haar ging,' zei Erlendur. 'Erg slecht gedurende een lange tijd.'
'Dat geloof ik ook. Daarom was ik misschien niet zo verwonderd als vele anderen over wat er is gebeurd.'
'Had zij het soms met je over visioenen die ze zag, hallucinaties of iets dergelijks?'
'Nee.'
'Niets over dat ze meende haar moeder te zien?'
'Nee.'
'Over contacten met een medium?'
'Nee, daar heeft ze het niet over gehad.'
'Waarover praatten jullie met elkaar, als ik dat mag vragen?'
'Dat is natuurlijk vertrouwelijk,' zei Eyvör. 'Ik kan niet met je daarover in detail treden, bovendien geloof ik dat het je niet direct aangaat hoe ze verkoos uit deze wereld te vertrekken. In het algemeen spraken we over geloofskwesties.'
'Iets speciaals?'
'Ja. Soms.'
'Wat dan?'

'Over vergeving. Over de belijdenis der zonden. Over de waarheid. Hoe dit de mens kan verlossen.'

'Heeft ze het met jou ooit gehad over een incident bij Þingvellir toen ze klein was?'

'Nee,' zei Eyvör. 'Dat kan ik me niet herinneren.'

'Iets over het overlijden van haar vader?'

'Nee. Ik vind het jammer dat ik je daarmee niet kan helpen.'

'Dat is in orde,' zei Erlendur en hij stond op.

'Er is één ding dat ik je misschien kan vertellen. We hebben vaak over een leven na de dood gesproken en ik geloof dat ik het heb vermeld toen we de laatste keer met elkaar hebben gepraat. Ze was... hoe zal ik het zeggen... ze toonde steeds meer interesse voor dat onderwerp naarmate de jaren verstreken, en vooral natuurlijk nadat haar moeder stierf. Ze wilde in feite een bewijs voor zoiets en ik merkte aan haar dat ze bereid was behoorlijk ver te gaan om dat bewijs te krijgen.'

'Hoe bedoel je?'

Eyvör leunde voorover op haar bureau. Erlendur zag een domineeskraag in de kast voor zich.

'Ik geloof dat ze bereid is geweest de hele weg af te leggen. Maar dat is slechts mijn mening, en ik wil niet dat je onzin over haar gaat rondstrooien. Dit is een vertrouwelijke kwestie tussen ons twee.'

'Waarom denk je dat?'

'Ik vind dat gewoon.'

'En zelfmoord was dus...?'

'Haar zoektocht naar antwoorden. Denk ik. Ik weet dat ik niet zo moet praten, maar aangezien ik haar de laatste jaren goed heb leren kennen, geloof ik dat ze eenvoudigweg op zoek naar antwoorden is geweest.'

Toen Erlendur weer in zijn auto zat en van de kerk wegreed ging zijn mobiel over. Het was Sigurður Óli. Erlendur had hem gevraagd de mobiele telefoongesprekken van María te bekijken en Baldvin had daar welwillend toestemming voor gegeven. De dag voor ze stierf had ze met mensen contact gehad vanwege haar academische werkzaamheden, met Karen voor het verblijf in het zomerhuis en met haar man, zowel op zijn werk in het ziekenhuis als op zijn mobiel.

'Het laatste gesprek vanaf haar mobiel was op dezelfde avond dat ze zich ophing,' zei Sigurður Óli zonder omhaal.

'Hoe laat was dat?'

'Om twintig voor negen.'

'Dus toen was ze nog in leven?'

'Daar ziet het naar uit. Het gesprek duurde tien minuten.'

'Haar man zei dat ze hem die avond vanuit het zomerhuis heeft gebeld.'
'Waar ben je mee bezig?'
'Hoe bedoel je?'
'Wat is er aan de hand met deze zaak? De vrouw heeft zelfmoord gepleegd, is daar iets gecompliceerds aan?'
'Ik weet het niet.'
'Je bent dit aan het onderzoeken alsof het een moordzaak is, weet je dat?'
'Nee, dat is niet zo,' zei Erlendur. 'Ik denk niet dat ze is vermoord. Ik wil weten waarom ze zelfmoord heeft gepleegd, dat is alles.'
'Wat gaat jou dat aan?'
'Niets,' zei Erlendur. 'Helemaal niets.'
'Ik dacht dat je je alleen maar voor verdwijningen interesseerde.'
'Zelfmoord is ook een verdwijning,' zei Erlendur en hij verbrak de verbinding.

Het medium deed de deur voor María open en nodigde haar uit binnen te komen. Ze spraken een tijdje met elkaar voordat de seance een aanvang nam. Magdalena maakte een uitstekende indruk op María. Ze was vriendelijk, begripvol en kies, precies zoals Anderson het eerder was geweest. María vond het anders om met een vrouw te praten. Ze was bij Magdalena niet zo schuchter. Het leek ook of María sterkere zienersgaven bezat. Ze had meer aanleg, wist meer en ze kon ook meer en langer dan Andersen zien.

Ze waren in de woonkamer gaan zitten en Magdalena stuurde langzaam aan op de seance. María had weinig aandacht voor het appartement of de inrichting. Baldvin had haar nummer in het ziekenhuis gekregen en ze had Magdalena direct opgebeld, die zei dat ze meteen kon komen. Voor zover María het kon beoordelen woonde de zieneres alleen.

'Ik voel een krachtige aanwezigheid,' zei Magdalena. Ze sloot haar ogen en deed ze weer open. 'Er is een vrouw gekomen,' ging ze verder. 'Ingibjörg. Zegt je dat iets?'

'Mijn oma heette Ingibjörg,' zei María. 'Ze is lang geleden gestorven.'

'Ze is heel ver weg. Jullie hebben geen hechte band met elkaar.'

'Nee, ik kende haar nauwelijks. Ze was mijn oma van vaderskant.'

'Ze is ontzettend verdrietig.'

'Ja.'

'Ze zegt dat het niet jouw fout is hoe het is gegaan. Ze heeft het over een ongeluk,' zei Magdalena.

'Ja.'

'Er is een meer. Iemand die is verdronken.'

'Ja.'

'Een vreselijk ongeluk, zegt de oude vrouw.'

'Ja.'

'Zegt je dat iets... Het is een schilderij, is het een schilderij van het meer? Het is een foto van het Þingvellirvatn. Zegt je dat iets?'

'Ja.'

'Dank je. Er is... er is een man die... Het is vaag, een foto of een schilderij... Er is een vrouw die Lovísa heet, zegt je dat iets?'

'Ja.'

'Ze is met je verwant.'

'Ja.'

'Dank je. Ze is jong... ik... amper twintig. Ze glimlacht. Er is zoveel licht om haar heen. Het straalt helemaal om haar heen. Ze glimlacht. Ze zegt dat Leonóra bij haar is en dat het goed met haar gaat.'

'Ja.'

'Ze zegt dat je je geen zorgen hoeft te maken. Ze zegt dat het fantastisch gaat met Leonóra. Ze zegt...'

'Ja?'

'Ze zegt ernaar uit te kijken jou weer te zien.'

'Ja.'

'Ze wil dat je weet dat het goed met haar gaat. Het zou fantastisch zijn als je komt. Dat zou fantastisch zijn.'

'Ja?'

'Ze zegt je dat je niet bang moet zijn. Ze zegt dat je je geen zorgen moet maken. Het hoort er allemaal bij. Wat je ook doet. Ze zegt dat wat je ook hebt besloten te doen... dan zal het gebeuren... ze zegt dat het goed zal aflopen. Je moet je absoluut geen zorgen maken. Alles loopt goed af.'

'Ja.'

'Het is mooi rondom die vrouw. Ze... Er straalt licht van haar af... Ze zegt je... zegt je dat iets... dat het een schrijver is?'

'Ja.'

'Een Franse schrijver.'

'Ja.'

'Ze glimlacht. Het is... die vrouw die bij haar is... ze is... ze zegt dat het nu beter gaat. Al die... al die ondraaglijke pijnen...'

Magdalena kneep haar ogen weer dicht.

'Ze zijn aan het verdwijnen...'

Ze deed haar ogen open en was een tijdje bezig zich te herstellen.

'Was... was dat in orde?' vroeg ze.

María knikte.

'Ja,' zei ze zachtjes. 'Dank je.'

Toen María thuiskwam vertelde ze Baldvin wat zich op de seance had voorgedaan. Ze was een beetje geëmotioneerd, zei dat ze zo'n duidelijke boodschap niet had verwacht en ze was verbaasd dat iemand zich op de seance had gemanifesteerd. Ze had niet aan haar oma gedacht sinds ze een klein meisje was en over haar tante van moederskant, Lovísa, had ze alleen maar horen praten. Ze stierf jong aan tyfus, ze was de zuster van haar oma.

María had die avond moeite om in slaap te komen. Ze was alleen in het huis, want Baldvin moest noodgedwongen de herfststorm in voor een bliksembezoek aan het ziekenhuis.

Uiteindelijk lukte het haar in te slapen.

Een ogenblik later schrok ze wakker toen ze het tuinhek open hoorde gaan dat buiten tegen het traliewerk sloeg. Het regende dat het goot. Ze hoorde het hek knallen en wist dat dit haar wakker zou houden.

Ze stapte uit bed, en in haar nachtjapon en op haar pantoffels ging ze naar de keuken. Vandaar kwam een deur op de tuin uit, op een terras dat ze een paar jaar geleden hadden laten aanleggen. Ze trok haar nachtjapon dicht tegen zich aan en deed de deur open. Ze rook meteen een sterke sigarenlucht.

Ze stapte behoedzaam naar buiten op het terras en voelde hoe de koude regen op haar neer kletterde.

Is Baldvin met roken begonnen? dacht ze bij zichzelf.

Ze zag hoe het hek open en dicht knalde, maar in plaats van er snel heen te lopen en het te sluiten en weer naar binnen te rennen, stond ze als vastgenageld op het terras en keek in het donker de tuin in. Ze zag daar een man staan, van top tot teen drijfnat, gespierd met een dikke buik, het gezicht lijkbleek. Het water stroomde van hem af en hij deed een paar keer zijn mond open en dicht alsof hij worstelde zuurstof op te zuigen voordat hij naar haar riep: 'Pas op... Je weet niet wat je aan het doen bent!'

22

Het medium, Andersen, was wantrouwig en wilde door de telefoon geen verklaring afleggen, hij geloofde niet eens dat Erlendur van de politie was. Erlendur herkende de stem meteen van de opname. De man zei dat als Erlendur met hem wilde praten, hij zoals ieder ander een afspraak moest maken. Erlendur maakte bezwaren, zei dat de zaak tijdrovend noch belangrijk was, maar de man week geen duimbreed.

'Moet ik er soms voor betalen?' vroeg Erlendur op het eind van het telefoongesprek.

'We zullen zien,' zei de man.

Een tijdje later drukte Erlendur 's avonds op de bel van een flatgebouw in Vogar.

Het medium drukte de deur voor hem open en Erlendur ging langzaam omhoog naar de overloop op de derde verdieping, waar Andersen op hem wachtte. Ze schudden elkaar de hand en de man ging hem voor naar de woonkamer. Een lichte geur van wierook kwam Erlendur tegemoet toen hij het appartement in ging en er klonk rustige muziek uit luidsprekers die hij niet kon zien.

Erlendur had dit bezoek uitgesteld tot hij vond dat hij er niet meer omheen kon. Hij was niet bepaald geïnteresseerd in de bezigheden van een medium of hun kunde contact met dode mensen te leggen en hij vreesde met Andersen in een woordenstrijd te geraken. Hij was vastbesloten zijn kalmte te bewaren en hij hoopte dat het medium dat ook zou doen.

Andersen vroeg hem aan een kleine, ronde tafel te plaats te nemen en ging tegenover hem zitten.

'Woon je hier alleen?' vroeg Erlendur terwijl hij om zich heen keek. Het leek hem een doorsnee IJslandse woning. Er stond een grote televisie, films op video en cd's, voor het merendeel muziek in drie cd-rekken, parket op de vloer, familiefoto's aan de wanden. Geen sluiers of een glazen bol, dacht Erlendur bij zichzelf.

Geen ectoplasma.

'Moet je dat voor het onderzoek weten?' vroeg Andersen.

'Nee,' zei Erlendur. 'Ik ben... Wat kun je mij over María vertellen? De vrouw naar wie ik je over de telefoon vroeg. Degene die zelfmoord heeft gepleegd.'

'Mag ik vragen waarom jullie haar geval onderzoeken?'

Erlendur begon te vertellen over het Zweedse researchproject over zelfmoorden en de oorzaken ervan, maar hij wist niet of hij overtuigend kon liegen tegen een man die zijn brood verdiende als helderziende. Keek Andersen niet dwars door hem heen? Hij zette vaart achter zijn verklaring en hoopte op het beste.

'Dan weet ik niet hoe ik je kan helpen,' zei Andersen. 'Vaak ontstaat een krachtige vertrouwensband tussen mij en degene die mij komt opzoeken en ik heb er moeite mee die te verbreken.'

Hij glimlachte verontschuldigend. Erlendur glimlachte terug. Andersen was een lange man van rond de zestig, hij begon bij de wangen grauw te worden, had een helder uiterlijk met een klare blik en een bijzonder kalme manier van doen.

'Is er altijd genoeg werk voor je?' vroeg Erlendur in een poging de lucht wat op te klaren.

'Ik mag niet klagen. IJslanders hebben een grote interesse voor het zielenleven.'

'Je bedoelt het leven dat verdergaat?'

Andersen knikte.

'Zijn dat niet gewoon fabeltjes?' vroeg Erlendur. 'Het is nog niet zo lang geleden dat we uit de turfhutten en de duistere middeleeuwen zijn gekomen.'

'Het zielenleven heeft niets met turfhutten van doen,' zei Andersen. 'Dergelijke vooroordelen komen deze of gene misschien van pas. Ik heb ze altijd belachelijk gevonden. Maar ik begrijp heel goed dat er een wantrouwen bestaat tegenover mensen zoals ik. Ik zou het zelf ook hebben als ik niet met die pech geboren zou zijn, die perceptie zoals ik het liever noem.'

'Hoe vaak heb je María ontmoet?'

'Ze is tweemaal bij me geweest nadat haar moeder was gestorven.'

'Ze probeerde contact met haar te zoeken, nietwaar?'

'Ja. Dat was haar doelstelling.'

'En... hoe ging het?'

'Ik geloof dat het voor haar naar tevredenheid is verlopen.'

'Ik hoef niet te vragen of je gelooft in een leven na de dood,' zei Erlendur.

'Het is mijn levensbasis.'

'En was dat ook voor haar zo?'

'Vol overtuiging. Absoluut vol overtuiging.'

'Had ze het met je over haar angst voor het donker?'

'Slechts zijdelings. We hebben het erover gehad dat angst voor het donker een psychische vrees was zoals elke andere angst, en dat het mogelijk was die te overwinnen door een andere instelling en door zelfbeheersing.'

'Ze heeft je niet verteld waar die angst voor het donker uit voortkwam?'

'Nee, maar ik ben ook geen psycholoog. Naar onze gesprekken te oordelen kan ik me voorstellen dat het in verband stond met hoe haar vader door een ongeval omkwam. Je kunt je natuurlijk voorstellen dat het haar als kind erg heeft aangegrepen.'

'Is zij... hoe moet ik het zeggen... aan jou verschenen? María bedoel ik, nadat ze zich van het leven heeft beroofd?'

'Nee,' zei Andersen glimlachend. 'Dat ligt niet zo eenvoudig. Ik geloof dat je je een voorstelling van een medium maakt die enigszins absurd is. Weet je iets af van ons werk?'

Erlendur schudde het hoofd. 'Ik heb begrepen dat María een bijzondere interesse had voor een leven na de dood,' zei hij.

'Dat spreekt vanzelf, anders was ze niet bij mij gekomen,' zei Andersen.

'Ja, maar een grotere interesse dan je gewoonlijk meemaakt, bijna een obsessie. Ik heb begrepen dat ze brandde van nieuwsgierigheid over de dood. Over wat er hierna zou komen.'

Erlendur wilde liever niet dat hij het ondubbelzinnig moest bewijzen met het bandje dat hij van Karen had gekregen en hij hoopte dat het medium zelf over de brug kwam. Andersen keek Erlendur lang aan alsof hij wikte en woog wat hij kon of moest zeggen.

'Ze was zoekende,' zei Andersen. 'Zoals zovelen dat zijn. Ik weet zeker dat jij ook zoekende bent.'

'Naar wie was María op zoek?'

'Naar haar moeder. Ze miste haar. Haar moeder wou haar een antwoord geven op de vraag of er leven was na de dood. María dacht dat ze dat antwoord had gekregen en ze kwam naar mij. We hebben met elkaar gepraat. Ik geloof dat het haar goed heeft gedaan.'

'Is haar moeder ooit op die seances verschenen?'

'Nee. Dat is niet gebeurd. Maar dat hoeft niets bijzonders te betekenen.'

'Wat vond María daarvan?'

'Ze accepteerde het.'

'Ik heb begrepen dat ze aan hallucinaties leed,' zei Erlendur.

'Je kunt het noemen zoals je wilt.'

'Dat ze haar moeder had gezien.'

'Ja, ze vertelde me daarover.'

'En?'

'Niets "en". Haar perceptie was ongewoon krachtig.'

'Weet je of ze iemand anders heeft opgezocht, met een ander medium heeft gepraat?'

'Ze vertelde me natuurlijk niet iets wat mij niet aanging. Aan de andere kant belde ze me op een dag op en ze vroeg me over een ander medium, een vrouw die ik niet kende en van wie ik niets af wist. Ze moet een nieuweling zijn geweest. Je kent ze min of meer in dit beroep.'

'Je weet niet wie die vrouw was?'

'Nee. Ik weet niets over haar, behalve haar naam. Zoals ik zei, ik ken haar niet als medium.'

'En wat is haar naam?'

'María zei haar achternaam niet, ze noemde haar Magdalena.'

'Magdalena?'

'Ik heb nooit van haar gehoord.'

'Wat wil dat zeggen? Dat je nooit van haar hebt gehoord?'

'Niets. Het hoeft niets te betekenen. Maar ik heb een beetje rondgebeld en niemand kende die Magdalena.'

'Is ze niet gewoon nieuw zoals je zei?'

Andersen haalde zijn schouders op.

'Ik denk dat het dat moet zijn.'

'Zijn er velen met dit beroep?'

'Nee, niet zoveel. Ik heb geen getal bij de hand.'

'Hoe heeft María haar leren kennen, die Magdalena?'

'Dat weet ik niet.'

'Wat je zei over die angst voor het donker, is dat geen vreemde bewering voor iemand die zijn brood verdient met het leggen van contact met geesten?'

'Hoe bedoel je?'

'Dat de angst voor het donker psychisch is en niet voortkomt uit een geloof in geesten?'

'Er is niets verkeerds aan de spirituele wereld,' zei Andersen. 'We hebben allemaal onze wederopstanding. Jij niet in de laatste plaats.'

'Ik?' zei Erlendur.

Andersen knikte.

'Relikwieën,' zei hij. 'Maar maak je je geen zorgen, blijf zoeken. Je hebt ze nog niet gevonden.'

'Je bedoelt hem,' zei Erlendur.

'Nee,' zei Andersen en hij stond op. 'Ze.'

23

Erlendur had ooit een onregelmatige hartslag gehad, zoals het wordt genoemd. Dan was het alsof het hart een keer extra klopte, hetgeen heel onaangenaam was, en soms leek het alsof het langzamer klopte. Toen dit meer dan eens gebeurde, bladerde Erlendur door de Gouden Gids en hij stopte bij een naam die hem uiterst amusant voorkwam: Hartspecialist Dagóbert. Erlendur voelde zich meteen bij die naam op zijn gemak en hij besloot Dagóbert tot zijn dokter te nemen. Hij was amper vijf minuten in zijn spreekkamer toen hij zijn nieuwsgierigheid niet langer kon bedwingen en vroeg waar de naam vandaan kwam.

'Ik kom van de Westfjorden,' zei de arts, die het gewend leek te zijn die vraag te horen. 'Ik berust er nu in. Mijn neef is jaloers op mij. Hij heet Dósóþeus.'

De wachtkamer van de specialistenpraktijk zat vol mensen die met verschillende soorten ziekten hadden te kampen. Er werkten specialisten uit verscheidene disciplines: keel-, neus- en oorartsen, vaatchirurgen, hartspecialisten, twee nierspecialisten en een oogarts. Erlendur stond aan het einde van de ingang naar de wachtkamer en dacht bij zichzelf dat daarbinnen voor ieders smaak wel iets te vinden was. Hij vroeg zich af of hij bij zijn arts zomaar kon binnenwandelen zonder vele maanden van tevoren een afspraak te hebben gemaakt. Hij wist dat de hartspecialist drukbezet was en tot ver in het komende jaar was volgeboekt en dat zijn bezoek de wachttijd van iemand anders daarbinnen met minstens een kwartier zou verlengen. Hij stond daar al ruim twintig minuten.

Vanaf de wachtkamer liep een lange gang naar de spreekkamers van de doktoren, en toen drie kwartier was verstreken vanaf het moment dat Erlendur zijn komst had aangekondigd, ging de deur open. Dagóbert kwam vanuit de wachtkamer en vroeg Erlendur hem te volgen. Erlendur ging achter hem aan de spreekkamer binnen en de arts deed de deur achter hen dicht.

'Ben je weer voor dat gekomen?' vroeg Dagóbert en hij zei tegen Erlendur op de bank naast hem te gaan liggen. Erlendurs dossier lag op het bureau.

'Nee,' zei Erlendur. 'Met mij is alles in orde, ik ben hier eerder voor een ambtelijke kwestie.'

'O?' zei de arts, een corpulente, kwajongensachtige man, gekleed in een wit overhemd met stropdas en spijkerbroek, zonder doktersjas of stethoscoop om zijn hals. 'Wil je desondanks niet gaan liggen zodat ik even kan luisteren?'

'Niet nodig,' zei Erlendur en hij nam plaats op de stoel voor het bureau. Dagóbert ging op de bank zitten. Erlendur herinnerde zich hun eerste ontmoeting, toen de arts vertelde hoe de hartslag werd gestuurd door elektrische impulsen die de bron van de storing waren geworden. Meestal gebeurde dat onder invloed van stress. Erlendur begreep niet veel van wat hij had gezegd, behalve dat de aandoening niet gevaarlijk was en dat het met de tijd zou helen.

'Wat kan ik dan...?' vroeg Dagóbert.

'Het is wel iets medisch,' zei Erlendur.

Hij had met de woordkeus geworsteld vanaf het moment dat het bij hem opkwam het een arts te vragen. Hij wilde er niet met een politiebeambte over praten, noch met een patholoog-anatoom of anderen, omdat hij er geen trek in had uitleg te moeten geven.

'Ja, wat dan?'

'Als iemand een ander dood wil maken, slechts voor een of twee minuten, hoe gaat hij dan te werk?' vroeg Erlendur. 'Als die iemand van plan is hem meteen weer tot leven te wekken zodat niemand sporen kan zien van wat er is gebeurd?'

De arts keek hem een tijdje aan.

'Je bent op de hoogte van een dergelijk geval?' vroeg hij.

'Dat wou ik eigenlijk aan jou vragen,' zei Erlendur. 'Ik weet van niets.'

'Het is mij niet bekend dat iemand dat weloverwogen heeft gedaan, als je dat bedoelt,' zei Dagóbert.

'Hoe zou zo iemand te werk gaan?'

'Dat hangt van zoveel dingen af. Wat zijn de omstandigheden?'

'Dat kan ik niet met zekerheid zeggen. Laten we er bijvoorbeeld van uitgaan dat het bij iemand thuis gebeurt.'

Dagóbert keek Erlendur met een ernstige blik aan.

'Heeft iemand die je kent daarmee geknoeid?' vroeg hij. Dagóbert wist dat Erlendur bij de recherche werkte en het was hem duidelijk dat zijn hartritmestoornis arbeidsgerelateerd was, zoals hij het uitdrukte. Verder verviel hij niet vaak in specialistentaal, tot opluchting van Erlendur.

'Nee,' zei Erlendur. 'En dit is geen politieaangelegenheid. Ik wil slechts iets weten vanwege een oud dossier dat toevallig bij mij belandde.'

'Je wilt weten hoe een hartstilstand wordt opgeroepen zonder dat het wordt ontdekt en zodanig dat de persoon in kwestie het overleeft?'

'Eventueel,' zei Erlendur.

'Waarom zou men zoiets doen?'

'Ik heb geen idee,' antwoordde Erlendur.

'Ik neem aan dat je enige nadere achtergrondinformatie hebt.'

'Eigenlijk niet.'

'Ik ben compleet de draad kwijt. Zoals ik zei: waarom zou iemand een hartstilstand willen oproepen?'

'Dat weet ik niet,' zei Erlendur. 'Ik had gehoopt dat jij daar antwoord op kon geven.'

'Het eerste waar je aan moet denken is dat er geen organen worden beschadigd,' zei Dagóbert. 'Zodra het hart ophoudt te kloppen begint de afbraak van het lichaam; de celweefsels en de organen zijn meteen in gevaar. Ik neem aan dat er verschillende medicijnen in aanmerking komen om de dood op te roepen, maar misschien is het een kwestie van hypothermie, zoals je het poneert. Iets anders staat me niet helder voor ogen.'

'Hypothermie?'

'Onderkoeling,' zei de arts. 'Het werkt tweeledig. Het hart houdt op met kloppen als de lichaamstemperatuur onder een bepaald punt komt en je sterft in feite, maar tegelijkertijd zorgt de kou ervoor dat het lichaam en de organen worden geconserveerd. De koude vertraagt elke lichaamsactiviteit.'

'Hoe wordt iemand daarna gereanimeerd?'

'Waarschijnlijk door hartmassage en vervolgens door hem snel van de koeling te halen, om aldus de lichaamstemperatuur op te jagen.'

'Is er specialistische kennis voor nodig om dit te doen?'

'Absoluut. Ik kan het me niet anders voorstellen. Er moet een arts aanwezig zijn, een hartspecialist zelfs. Maar natuurlijk moet niemand met dat soort zaken gaan experimenteren.'

'Hoe lang is het mogelijk iemand in zo'n toestand te houden voor het onomkeerbaar wordt?'

'Nu ben ik geen specialist in het in coma brengen door onderkoeling,' zei Dagóbert glimlachend. 'Het is een kwestie van slechts luttele minuten na de hartstilstand, hooguit vier of vijf. Ik weet het niet. Je moet bij deze kwestie incalculeren wat voor faciliteiten je hebt. Als je in een ziekenhuis bent en je hebt de beste technologie bij de hand, is het misschien mogelijk het iets langer te laten duren. Hypothermie is de laatste jaren wel gebruikt om mensen in een coma te houden terwijl hun verwondingen heelden. Het is ook een goede methode om de organen te conserveren van iemand die bijvoorbeeld door een hartstilstand is getroffen. Dan wordt de lichaamstemperatuur op eenendertig graden gehouden of ergens in die trant.'

'Als dat bij iemand thuis wordt gedaan, wat moet er dan aanwezig zijn?'

De arts dacht een tijdje na.

'Ik kan me niet...' begon hij, maar toen zweeg hij weer.

'Wat komt als eerste bij je op?'

'Een badkuip. IJs. Shockapparatuur en een goede elektriciteitsbron. Dekens.'

‘Zou het sporen achterlaten? Als het is gelukt de persoon in kwestie te reanimeren?’

‘Sporen van wat er heeft plaatsgevonden? Dat denk ik niet,’ zei Dagóbert. ‘Waarschijnlijk is het net zoiets als in een sneeuwstorm belanden. De kou vermindert langzaamaan elke lichaamsactiviteit, men wordt eerst soezerig, dan raak je in een coma en uiteindelijk stopt het hart en je gaat dood.’

‘Is dat niet precies wat er gebeurt als je sterft door blootstelling aan de elementen?’ vroeg Erlendur.

‘Absoluut hetzelfde geval.’

De vrouw van wie men met zekerheid wist dat zij de laatste was die met de studente Guðrún had gepraat werkte als afdelingshoofd van het Nationale Museum. Het waren haar oom en tante, de ouders van Guðrún, die haar hadden gevraagd een oogje op hun dochter te houden terwijl zij hun lange reis naar Azië maakten. Ze was drie jaar ouder dan Guðrún, klein van stuk, ze had blond, lang haar dat ze in een paardenstaart droeg. Ze heette Elísabet maar noemde zich Beta.

‘Ik vind het heel onaangenaam dit op te rakelen,’ zei ze toen ze in de koffiekamer van het Nationale Museum waren gaan zitten. ‘Dúna was op de een of andere manier mijn verantwoordelijkheid of ik vond dat ze het was, alhoewel ik het natuurlijk, zoals je weet, absoluut niet had kunnen voorkomen. Ze verdween gewoon. Het was echt niet te geloven. Waarom zijn jullie dit nu aan het onderzoeken?’

‘We zijn de zaak aan het afsluiten,’ zei Erlendur, in de hoop dat dit voldoende uitleg was. Hij had geen idee waarom hij op zoek was naar het meisje van de universiteit of de knul Davíð, hij wist alleen dat hij zich interesseerde voor verdwijningen en het niet gewend was zo weinig te kunnen doen.

‘Jullie weten bijgevolg dat ze nooit zal worden gevonden?’ vroeg Beta.

‘Het is lang geleden,’ zei Erlendur zonder een rechtstreeks antwoord te geven.

‘Ik kan me gewoon niet voorstellen wat er gebeurd zou kunnen zijn,’ zei Beta. ‘Op een dag rijdt ze weg en pfft, ze is verdwenen. De auto wordt nooit gevonden en van haar taal noch teken. Ze bleek geen enkele winkel of dorp te hebben aangedaan, noch op weg naar het noorden noch hier in de omgeving van Reykjavík.’

‘Men heeft het zelfmoord genoemd,’ zei Erlendur.

‘Daar was ze gewoon het type niet voor,’ zei Beta meteen.

‘Wat voor een type moet je dan zijn?’ vroeg Erlendur.

‘Nee, ik bedoel, ze was niet zo.’

‘Ik ken niemand die zo is,’ zei Erlendur.

'Je weet wat ik bedoel,' zei Beta. 'En wat is er van haar auto geworden? Heeft die soms ook zelfmoord gepleegd?'
Erlendur glimlachte.
'We hebben in elke haven overal in het land gezocht. Duikers hebben bij aanlegsteigers het water afgezocht voor het geval ze de macht over het stuur heeft verloren. We hebben niets gevonden.'
'Ze was helemaal weg van haar kleine, gele Mini,' zei Beta. 'Ik heb me nooit kunnen voorstellen hoe ze van een steiger af zou kunnen rijden. Ik heb dat altijd absurd gevonden. Een groteske gedachte.'
'Ze weidde niet uit over haar plannen in je laatste telefoongesprek met haar?'
'Nee. Als ik had geweten wat er stond te gebeuren was het anders geweest. Ze belde me op om te vragen naar een kapster op de Laugavegur waar ik haar op had gewezen. Ze was van plan daarheen te gaan. Daarom heb ik ook nooit in zelfmoord geloofd. Er was niets wat daarop wees.'
'Was er een reden, stond er iets te gebeuren?'
'Om naar de kapper te gaan? Nee, het was gewoon tijd dat ze haar haar liet knippen, volgens mij.'
'En jullie hebben nergens anders over gesproken?'
'Nee, eigenlijk niet. Toen hoorde ik niets meer van haar. Ik dacht dat ze naar Akureyri was gereden, ik heb haar geloof ik twee of drie keer gebeld, maar ik kreeg haar niet te pakken. Ze was toen ongetwijfeld al verdwenen. Het is zo moeilijk je voor te stellen wat er gebeurd kan zijn. Hoe kan een meisje zoals zij, in de bloei van haar leven, zo zonder aanleiding of waarschuwing verdwijnen? Wat moet je daarmee? Hoe kan je dit ooit begrijpen?'
'Ze heeft nooit een relatie gehad, met een jongen gegaan of...?'
'Nee, nooit, dat was helemaal niks voor haar.'
'Waar reed ze heen als ze met de auto wegging? Ik weet dat het in het rapport staat, maar je kunt zoiets niet vaak genoeg vragen.'
'Naar het noorden natuurlijk. Ze miste Akureyri soms en ze reed erheen als ze kon. Verder de omgeving van Reykjavík. Reykjanes. Naar het oosten voor de bergen. Ritjes met een sneeuwmobiel in Hveragerði. De gebruikelijke dingen. Je weet dat ze aan het water verknocht was.'
'Ja.'
'Het Þingvellirvatn was haar favoriete plek.'
'Het Þingvellirvatn?'
'Ze kende het als de palm van haar hand. Ze ging er heel vaak heen en ze had daar haar lievelingsplek aan het water. Een oom van ons hier uit Reykjavík bezat een zomerhuis in Lundarreykjadalur in Borgarfjörður waar we veel gebruik van maakten, en ze ging vaak naar Uxahryggir en Þingvellir op weg naar de stad. Ze reed naar het oosten voor de meren. Soms zette ze

daar haar tent op, op þingvellir, samen met haar vriendinnen. En soms alleen. Ze reed de stad uit en ze was één met het water. Ze was er een beetje verliefd op, op het alleen-zijn, ze had dan genoeg aan zichzelf.'

'Er zijn geen aanwijzingen dat ze in dat zomerhuis van jullie oom is geweest?' vroeg Erlendur en hij probeerde zich het rapport over de verdwijning van Guðrún voor de geest te halen.

'Nee, daar is ze niet geweest,' zei Beta.

'Waar kwam die verknochtheid aan de meren vandaan?'

'Dat wist niemand en zij zelf ook niet. Dúna is altijd zo geweest, al vanaf dat ze klein was. Ze zei me ooit dat de meren een vreemde aantrekkingskracht op haar hadden, haar een wonderlijke rust gaven. De nabijheid met de natuur voelde ze vooral bij de meren, de vogelfauna en de kustlijn. Ze studeerde natuurlijk biologie. Dat was geen toeval.'

'Ging ze dan het water op? Had ze een boot?'

'Nee, dat was het rare met Dúna. Ze had watervrees toen ze klein was. Er was veel overreding voor nodig om haar op schoolzwemmen te krijgen en ze was niet makkelijk voor zwemtochtjes te porren. Ze voelde er niet voor in of op het water te zijn, slechts in de buurt van het water. Het was de liefde voor de natuur die haar beheerste.'

'Het is nergens zo mooi als bij het Þingvellirvatn.'

'Dat is absoluut waar.'

24

Twee dagen later was Erlendur thuis bij een toneelleraar die al op leeftijd was; hij heette Jóhannes en hij schonk kruidenthee voor hem in. Erlendur dronk zoiets in de regel niet, maar de man was tegenover hem nogal weigerachtig geweest, hij begreep niet wat de politie van hem wilde en hij was nauwelijks van zins Erlendur binnen te laten. Toen hij hoorde dat het niet om hemzelf ging maar eerder om een onschuldig praatje over anderen, klaarde hij op en deed hij de deur voor hem open. Hij zei dat hij thee aan het zetten was en vroeg of Erlendur een kop met hem mee wilde drinken.

Orri Fjeldsted had hem op de toneelleraar gewezen toen Erlendur vroeg wie het beste de oud-leerlingen van de toneelschool kende. Orri hoefde niet lang na te denken. Jóhannes had hem toentertijd lesgegeven, het was een beste vent en een ontzettende kletsmajoor, wist heel veel, en alles wat hij vertelde over Orri zelf – mocht hij over de tong gaan – was een leugen.

Jóhannes woonde in een rijtjeshuis in het oostelijke deel van de stad, hij was nogal lang en had een luide stem, een kaal hoofd met een vrolijke blik en ongewoon grote oren. Orri zei dat hij gescheiden was, zijn vrouw had hem jaren geleden verlaten. Ze waren kinderloos. Jóhannes was in zijn jonge jaren een groot acteur geweest, maar toen hij ouder werd schrapten ze het aantal rollen dat op het speelplan stond en hij begon met lesgeven op de toneelschool terwijl hij nu en dan een rol aannam in zowel professionele als amateurtheaters. Af en toe een kleine filmrol had ook zijn naam als acteur in de schijnwerpers gehouden en soms trad hij op in praatprogramma's op radio en tv om herinneringen op te halen.

'Ik kan me Baldvin goed herinneren,' zei Johannes toen hij met de kruidenthee voor hen beiden in zijn werkkamer had plaatsgenomen. Erlendur nam een slokje van de thee en vond het smerig. Hij had Johannes verteld wat hij kwam doen en vroeg hem het niet door te vertellen dat hij vragen stelde over een oudstudent van hem op de toneelschool. Naar wat Orri vertelde had het weinig zin om om discretie te verzoeken, maar Erlendur hoopte op het beste.

'Hij had het niet in zich acteur te worden, naar ik me herinner hield hij op in het tweede jaar,' ging Jóhannes verder. 'Het komediespel had hij redelijk in de vingers. Meer niet. Hij hield midden in het semester op, midden in de voorstelling als ik het zo mag uitdrukken. Hij dacht dat hij iets met medicijnen moest doen. Ik heb hem sindsdien nauwelijks gezien.'

'Was het een goede groep, zijn jaar?'

'Jazeker,' zei Jóhannes en hij nam een slokje van zijn kruidenthee. 'Orri Fjeldsted zat erin, een voortreffelijk acteur hoewel hij een beetje monotoon kan zijn. Ik heb die vreselijke voorstelling van *Othello* gezien. Dat was niet zijn beste rol. Svala zat in de groep en Sigríður, dát is pas een actrice, in de wieg gelegd om Ibsen en Strindberg te spelen, die reuzen hier in Scandinavië. En natuurlijk Heimir, van wie ik persoonlijk altijd heb gevonden dat hij grotere rollen had moeten krijgen. Met de jaren is hij nogal verbitterd en gefrustreerd geworden. Zocht troost in de fles. Ik kreeg hem zover Jimmy te spelen in *Omzien in wrok* van John Osborne toen ik het regisseerde en ik vond dat hij hem heel goed speelde, hoewel niet iedereen het daarmee eens was. Ik weet eigenlijk niet wat hij tegenwoordig doet, ik hoorde een paar dagen geleden dat hij een rolletje had in een televisiespel. Ze zijn allemaal op middelbare leeftijd gekomen: Lilja, Sæbjörn, Einar. Karólína zat ook in dat jaar. Ze is nooit een groot actrice geworden, het arme kind.'

'Kun je je iets herinneren van toen Baldvin ophield?' vroeg Erlendur, die merkte dat hij de informatie niet bepaald met een tang uit de oude acteur hoefde te trekken.

'Baldvin? Tja, hij hield er gewoon mee op. Hij gaf er geen nadere uitleg voor, dat was ook niet nodig. Van de andere kant was het in die tijd heel moeilijk om op de toneelschool te komen, er waren enorm veel aanmeldingen, zoveel dat je er niet vrolijk midden in de voorstelling mee ophield, kan ik je zeggen. Midden in de voorstelling.'

'Hij is toch niet letterlijk midden in een voorstelling opgehouden?'

'Nee, zo noem ik het gewoon, zie je, dat hij dat deed, ophouden. Hield er heel plotseling mee op, vond ik, gezien wat die jongelui ervoor overhadden om op de toneelschool te komen. Toen droomden de jongelui ervan acteur te worden. Dat was de droom. Je erdoorheen slaan en beroemd worden, iets bereiken. Het toneel kan je dat geven zolang je je ervoor inspant. Elke serieuze acteur geeft het nog veel meer. Mij heeft het de cultuur gegeven, de literatuur en de toneelschrijfkunst, het heeft voor mij de deur geopend naar het leven zelf.'

De oude acteur zweeg en glimlachte.

'Je moet het mij niet kwalijk nemen dat ik zo hoogdravend doe. Wij acteurs hebben misschien de neiging te overdrijven. Vooral als we op het toneel staan.'

Hij moest meteen om zichzelf lachen.

'Ik heb begrepen dat Baldvin een vrouw heeft leren kennen met wie hij is getrouwd vlak nadat hij ophield,' zei Erlendur glimlachend.

'Ja, ze was historica, nietwaar? Is onlangs gestorven, hoorde ik. Van het leven beroofd. Je bent misschien daarom hier, of...'

'Nee,' zei Erlendur. 'Kende je haar soms?'
'Nee. Hoe ze is gestorven? Was er iets verdachts aan?'
'Nee,' zei Erlendur. 'Had hij er vrede mee dat hij met het toneel was opgehouden? Baldvin? Herinner je je dat?'
'Ik heb altijd geloofd dat Baldvin deed wat ie wou,' zei Jóhannes. 'Zo kwam hij op mij over. Alsof hij zich niets liet gezeggen; een zelfbewuste knul die zo'n beetje zijn eigen weg ging. Maar de andere leerlingen zeiden dat dat meisje zo'n grote invloed op hem had dat hij het roer helemaal omgooide. Bovendien was hij geen goed acteur. Hij heeft dat waarschijnlijk zelf ook ingezien.'
'Was er iets wat hen met elkaar verbond?' vroeg Erlendur, die de kruidenthee voor zich neerzette. 'Die groep op de toneelschool?'
'Zoals het gaat,' zei Jóhannes. 'Ze hebben altijd wel iets met elkaar, maar misschien niet zo diep. Sommigen zijn getrouwd, lui uit hetzelfde jaar van de toneelschool. Dat gebeurt altijd.'
'En Baldvin?'
'Bedoel je voordat hij zijn vrouw tegenkwam? Tja, daar kan ik je niet verder mee helpen. Ik heb gehoord dat hij verliefd was op Karólína, die in zijn jaar zat. Ze was zeker knap, maar ze had geen echt talent als actrice, bovendien heeft ze er nooit echt gebruik van gemaakt. Mijn god, ik weet niet waarom we haar ooit tot de opleiding hebben toegelaten. Ik heb het nooit geweten.'
'Is ze dan actrice geworden?' vroeg Erlendur, die het betreurde dat hij niet beter van het theater op de hoogte was.
'Ja, maar het is geen lange carrière geworden, totaal nietszeggend. Volgens mij heeft ze allang niet meer gespeeld. Ze had meestal bijrollen. De grootste rol die ze heeft gehad kreeg zulke vernietigende recensies dat het daarna compleet afgelopen was met haar.'
'Welke rol was dat?' vroeg Erlendur.
'Het was zo'n Zweeds probleemstuk waarvan er toentertijd dertien in een dozijn gingen. Niet goed en ook niet slecht. *Het hoopvolle vuur* heette het. Ik weet niet waarom ze dat opgevoerd hebben, het geëngageerde volkstoneel was toen op z'n retour.'
'Ja,' zei Erlendur, die niets van de Zweedse toneelschrijfkunst af wist.
'Hij was toentertijd een behoorlijk populaire schrijver.'
Erlendur knikte afwezig.
'Er was iets met Karólína. Er was niemand die zo graag beroemd wilde worden, de ster, de koningin van het theater wilde zijn. Ik dacht dat dat een van de redenen was dat ze naar de toneelschool ging, terwijl anderen misschien meer dachten aan het toneel zelf en de cultuur die het je gaf. Karólína was wat dat betreft een beetje een rare. Maar ze had niet wat ervoor nodig

was, het ontbrak haar aan talent. Ongeacht wat we op school probeerden. Het ging gewoon niet.'

'Maar ze kreeg die rol?'

'De rol in *Het hoopvolle vuur* was niet zo slecht,' zei Jóhannes, die zijn thee opdronk. 'Maar ze was onmogelijk. Een complete ramp, het arme kind. Daarna heeft ze zich grotendeels teruggetrokken, geloof ik. Maar dit terzijde, zij en Baldvin waren verliefd op elkaar in de jaren voordat hij trouwde en kinderen... nee, ze hebben nooit kinderen gekregen, nietwaar?'

'Nee,' zei Erlendur, die zich verwonderde hoe goed de toneelleraar op de hoogte was. Niets leek zijn grote oren te zijn ontgaan.

'Misschien dat het van invloed is geweest bij die vrouw,' zei hij. 'Geen kinderen hebben.'

Erlendur haalde zijn schouders op.

'Ik weet het niet.'

'Heeft ze zich niet opgehangen?'

Erlendur knikte.

'En Baldvin, hoe heeft hij erop gereageerd?'

'Zoals je erop kunt reageren, volgens mij.'

'Tja, hoe reageer je op zoiets? Ik weet het niet. Ik kwam Baldvin een paar jaar geleden tegen. Hij verving toen mijn huisarts op het gezondheidscentrum. Ontzettend aimabele knul, Baldvin. Ik herinner me dat hij altijd in geldnood zat. Altijd met een lange rits onbetaalde schulden. Hij kreeg vaak geld van me, tot ik ermee ophield hem geld te lenen. Hij verkwistte veel door boven zijn stand te leven, maar wie doet dat niet vandaag de dag?'

'Ja,' zei Erlendur en hij stond op.

'Het is alsof het in de mode is om grote schulden te hebben,' zei Jóhannes, die met hem naar de voordeur liep.

Erlendur gaf hem een hand.

'Ze was overigens behoorlijk knap, Magdalena,' zei de acteur. 'Een knap kind.'

Erlendur bleef bij de deur staan.

'Magdalena?' vroeg hij.

'Ja, de knappe Magdalena. Karólína. Wacht even, kraam ik nu onzin uit? Ik haal het in m'n kop allemaal door elkaar, rol en actrice.'

'Wie was Magdalena?' vroeg Erlendur.

'Dat was de rol van Karólína in het Zweedse toneelstuk. Ze speelde een jonge vrouw die Magdalena heette.'

'Magdalena?'

'Brengt je dat iets verder?'

'Ik weet het niet,' zei Erlendur. 'Mogelijk.'

Hij zat in zijn auto en dacht weer na over het toeval. Hij had al zijn vierde sigaret opgerookt en voelde kleine steken in zijn borst. Hij had 's ochtends niet gegeten en met sigaretten verdreef hij de honger. Door een kleine spleet in het raam aan de bestuurderskant stroomde het grootste deel van de rook naar buiten. Het was avond geworden. Hij had gekeken hoe de herfstzon onder het wolkendek verdween. De auto stond op gepaste afstand van de oude eengezinswoning in Kopavogur in het westelijke stadsdeel, en terwijl hij naar de zonsondergang keek, hield hij ook een scheef oog op het huis. Hij wist dat ze alleen woonde en hij vermoedde dat ze niet veel geld had, want anders had ze waarschijnlijk wel iets aan het onderhoud van het huis gedaan. Het verkeerde in een nogal slechte staat, het was al lang niet geschilderd en bruine strepen roest liepen bij de ramen omlaag. Hij had geen mensen in de straat gezien. Een aftands Japans autootje stond in de straat tegenover het huis. De mensen die in de huizen eromheen woonden waren die namiddag thuisgekomen van hun werk of school of ze hadden hun kooplust uitgeleefd of wat het ook was dat de mensen deden in hun dagelijks gevecht om het bestaan, en hij volgde een beetje beschroomd het typische gezinsleven achter de twee keukenramen die hij goed kon zien vanuit de plek waar hij in zijn auto zat.

Hij was erheen gegaan vanwege de toevalligheden in deze zaak, waarvan hij niet precies wist waarom hij die zo ijverig onderzocht. Niets wees op iets anders dan de tragische dood van een vrouw die op de rand van de afgrond was gekomen. Haar verleden wees erop, het zware verlies van haar moeder, haar hardnekkige geloof in een hiernamaals. Hij had niets gevonden dat op geweld wees tot er een naam viel die hij eerder had gehoord. De naam maakte het vreemde idee bij hem los dat er een verband was, duidelijk of obscuur, tussen degenen die de ongelukkige vrouw van Þingvellir kenden of degenen die haar niet kenden. Magdalena heette het medium dat María had opgezocht. Erlendur wist dat het toeval zelden iets anders was dan dat het leven zelf een gemene streek met mensen uithaalde of hen juist blij maakte. Het was als de regen die zowel onterecht als terecht viel. Het kon ten goede of ten kwade zijn. Het gaf in meerdere of mindere mate het zogenaamde lot van de mensen vorm. Het ontsproot uit het niets, onverwachts, vreemd en onverklaarbaar.

Erlendur hoedde zich ervoor om het toeval met iets anders te verwarren. Vanuit zijn werk wist hij als geen ander dat het soms gestuurd werd. Het kon heel efficiënt gebeuren in het leven van mensen die niets vermoeden. Dan heette het voorval geen toeval meer. Het verschilde hoe het werd genoemd, maar in de wereld van Erlendur bestond er maar één woord voor en dat was 'misdaad'.

Hij dacht hier grondig over na toen het licht bij de voordeur van het huis aanging, de deur openging en een vrouw naar buiten kwam. Ze deed de deur achter zich dicht, liep naar de auto die voor het huis stond, ging erin zitten en reed weg. Ze moest hem drie keer starten, maar uiteindelijk sloeg de motor aan en de auto reed met veel herrie de straat uit. Erlendur meende dat een deel van de uitlaat het waarschijnlijk had begeven.

Hij keek de auto na, startte zijn oude Ford en reed erachteraan. Hij wist niet veel over de vrouw die hij bespioneerde. Na het bezoek aan de toneelleraar was hij een beetje de gangen van Karólína Franklín nagegaan. Ze heette Franklínsdóttir, maar ze gebruikte de naam van haar vader als eigennaam, waarvan haar oude leraar vond dat dit haar goed karakteriseerde. 'Alles aan de oppervlakte bij dat kind,' zei hij. 'Hierboven zit niets,' voegde hij eraan toe en hij tikte met zijn wijsvinger tegen zijn voorhoofd. Erlendur was erachter gekomen dat Karólína in de stad als directiesecretaresse werkte bij een grote financiële onderneming. Ze was gescheiden, kinderloos en ze was als actrice jarenlang niet in de openbaarheid verschenen. De rol van Magdalena in *Het hoopvolle vuur* was haar laatste, volgens Jóhannes speelde ze daarin een Zweedse arbeidster die erachter was gekomen dat haar man haar bedroog en een wraakactie beraamde.

Hij reed achter Karólína aan tot de kiosk annex videotheek in de buurt, keek hoe ze een film uitkoos en een of andere kleinigheid kocht en terug naar huis reed.

Erlendur zat een uur lang bij haar buiten in de auto, rookte nog twee sigaretten en reed toen de straat uit naar huis toe.

25

De directeur van de bank liet niet op zich wachten. Hij kwam naar hem toe, gaf hem een hand en nodigde hem uit in zijn kantoor. De bankdirecteur was in de vijftig, onberispelijk gekleed in een chic streepjespak met bijbehorende stropdas en glimmende lakschoenen. Hij was even lang als Erlendur, hij glimlachte en was vriendelijk en zei dat hij met een kleine groep cliënten net uit Londen was gekomen, waar ze een belangrijke wedstrijd uit de Premier League hadden gezien. Erlendur had van de club gehoord, maar meer ook niet. De bankdirecteur had de gewoonte rijke cliënten, die niets anders wensten dan een snelle, probleemloze dienstverlening, te fêteren. Erlendur wist dat de man zich naar zijn positie had opgewerkt met doorzettingsvermogen, uithoudingsvermogen en een gevoel voor dienstverlening dat hem aangeboren was. Ze waren elkaar vaak tegen het lijf gelopen, al sinds de directeur nog een eenvoudige bankbediende was. Ze konden goed met elkaar opschieten, niet in de laatste plaats omdat de bankbediende een import-Reykjavíker was, opgegroeid op een kleine boerderij in het gewest Öræfi voordat het gezin de brui gaf aan het keuterboeren en naar de hoofdstad verhuisde.

Hij schonk koffie in voor Erlendur en ze gingen op het leren bankstel zitten in het ruimbemeten kantoor. Ze bespraken de paardenfok in het oosten van het land en het nieuws over een keiharde criminele organisatie in Reykjavík die sterk de hand had in het toenemende drugsgebruik. Toen de gespreksstof even op leek te drogen en Erlendur zich afvroeg of de directeur niet verder moest met het verdienen van miljarden voor de bank – hoewel hij hier niets van liet merken – schraapte hij zijn keel en kwam hij langzaam op zijn onderwerp.

'Je bent natuurlijk allang niet meer degene die ons van de politie van dienst is,' zei hij terwijl hij in het kantoor om zich heen keek.

'Er zijn nu andere mensen voor,' zei de directeur terwijl hij zijn stropdas gladstreek. 'Wil je met hen praten?'

'Nee, helemaal niet. Ik heb iets met jou te bespreken.'

'Wat dan? Heb je een lening nodig?'

'Nee.'

'Is het je kredietlimiet?'

Erlendur schudde zijn hoofd. Hij had nooit echt financiële problemen gehad. Zijn loon was altijd ruimschoots voldoende geweest, behalve toen hij de flatwoning betrok, maar hij had nooit zijn kredietlimiet overschreden of een lening nodig gehad en de hypotheek was allang volledig afbetaald.

'Nee, niets in die trant,' zei Erlendur. 'Desalniettemin is het iets persoonlijks. Het moet absoluut tussen ons blijven. Tenzij je wilt dat ik bij de politie word ontslagen.'

De bankdirecteur glimlachte.

'Druk je jezelf niet al te krachtig uit? Waarom zouden ze je kwijt willen?'

'Je weet het nooit met die lui. Geloof je in geesten?' vroeg Erlendur. 'Geloofden de meesten er niet in, daar in Öræfi?'

'Nogal, ja. Mijn vader kan je daar verhalen over vertellen. Hij zei dat ze zo levendig waren dat ze er een gemeentebelasting op moesten heffen.'

Erlendur glimlachte.

'Ben je geesten aan het onderzoeken?' vroeg de bankdirecteur.

'Dat is mogelijk.'

'Geesten die cliënten van de bank zijn?'

'Ik heb een naam,' zei Erlendur. 'Ik heb zijn sofinummer. Ik weet dat dit zijn kredietinstelling is. Het was ook de bank van zijn vrouw, die nu is gestorven.'

'Is zij de geest?'

Erlendur knikte.

'Wil je een kijkje nemen in de boeken van die man?'

Erlendur knikte.

'Waarom bewandel je niet de gewone weg? Heb je een gerechtelijk bevel?'

Erlendur schudde het hoofd.

'Is het een crimineel?'

'Nee. Waarschijnlijk niet.'

'Waarschijnlijk niet? Is het de man naar wie je een onderzoek instelt?'

Erlendur knikte.

'Wat is er gaande? Waar ben je naar op zoek?'

'Dat kan ik je niet vertellen.'

'Wie is het?'

Erlendur schudde zijn hoofd.

'Krijg ik het niet te weten?'

'Nee. Ik weet dat het ongebruikelijk is en zelfs onbegrijpelijk voor een eerzaam mens als jij, maar ik zou graag de rekening van die man willen bekijken en ik kan er niet mee door het systeem. Jammer genoeg niet. Ik zou het doen als ik het kon, maar ik kan het niet.'

De directeur staarde hem aan.

'Je vraagt me om de wet te overtreden.'

'Je hebt wetsovertredingen en wetsovertredingen,' zei Erlendur.

'Dit is dus geen openbaar onderzoek?'
Erlendur schudde zijn hoofd.
'Erlendur,' zei de directeur. 'Ben je wel goed wijs?'
'Deze zaak, waarover ik je niets kan vertellen, is een pure nachtmerrie geworden. Ik weet zelf maar bitter weinig over wat er is gebeurd, maar de inlichtingen die ik van je vraag kunnen me mogelijk helpen het beter te begrijpen.'
'Waarom is dit geen normaal onderzoek?'
'Omdat ik er op eigen houtje mee rommel,' zei Erlendur. 'Niemand weet waar ik mee bezig ben of wat ik heb ontdekt. Ik sta hierin volkomen alleen. Dit blijft tussen ons. Ik heb nog steeds niet genoeg in handen om het onderzoek openbaar te maken. Degenen naar wie ik een onderzoek instel weten er niets van, of ik hoop dat ze het niet weten. Zelf weet ik niet precies wat voor inlichtingen ik nodig heb, maar ik verwacht er hier op de bank iets over te weten te komen. Je moet me vertrouwen.'
'Waarom ben je hiermee bezig? Riskeer je niet je baan te verliezen?'
'Het is een van die zaken waarbij je niets in handen hebt, maar heel veel vermoedt. Het enige wat ik heb zijn brokstukjes. Het ontbreekt me gewoon aan een simpel verband, een voorgeschiedenis voordat de dingen in gang werden gezet. Ik moet de geschiedenis van die mensen invullen, onder andere hun zakelijke handel en wandel. Ik zou je dit niet vragen als ik niet... als ik niet zou geloven dat er een misdaad is gepleegd. Een smerige misdaad waarvan niemand weet heeft en... de betrokkenen lijken ermee weg te komen.'
De bankdirecteur keek Erlendur lang zwijgend en veelbetekenend aan.
'Kun je de gegevens van cliënten met de computer daar naar boven halen?' vroeg Erlendur en hij knikte in de richting van drie computerschermen op het grote bureau van de directeur.
'Ja.'
'Wil je me helpen?'
'Erlendur, ik... ik kan hier niet in meegaan, het spijt me. Ik kan het niet.'
Ze keken elkaar lang aan.
'Kun je me vertellen of de persoon in kwestie diep in de schulden zit? Een simpel ja of nee?'
De bankdirecteur dacht na.
'Ik kan het niet, Erlendur. Je moet het me niet vragen.'
'Maar zijn vrouw? Ze is dood. Dat kan niet schaden.'
'Erlendur...'
'In orde. Ik begrijp je.'
De bankdirecteur was opgestaan en klopte met zijn vinger op het bureau.
'Heb je haar sofinummer?'
'Ja.'

Hij tikte de cijferreeks in, drukte op een paar toetsen, klikte met de muis en staarde naar het computerscherm.

'Ze was steenrijk,' zei hij.

De oude man lag in een ziekenhuisbed en leek te slapen. Het was stil op de gang na het avondeten. Twee mannen bij hem op de kamer lagen in hun bed zonder Erlendur enige aandacht te schenken. De een las een boek en de ander doezelde weg.

Erlendur ging bij het bed zitten en keek op zijn horloge. Hij was op weg naar huis toen hij besloot even bij hem langs te gaan. De oude man werd wakker en zag hem.

'Ik heb Elmar ontmoet, je zoon,' zei Erlendur.

Hij wist niet hoeveel tijd hij had en kwam meteen ter zake.

'O?'

De man die aan het lezen was, legde zijn boek op het nachtkastje en draaide zich om naar de wand. Erlendur veronderstelde dat hij alles hoorde wat ze zeiden. Degene die wegdommelde lag in het bed tussen hen in en begon zachtjes te snurken. Erlendur besefte dat dit geen uitgelezen plek was om een politieonderzoek te verrichten, maar hij kon er weinig aan doen en bovendien kon je een gesprek als dit moeilijk een politieonderzoek noemen.

'Boterde het niet altijd tussen hen beiden?' vroeg Erlendur en hij probeerde zo te klinken dat hij geen onnodige achterdocht zaaide. Hij bedacht dat hij dit misschien eerder had gevraagd.

'De twee broers verschilden heel veel van elkaar, als je dat bedoelt.'

'Misschien waren ze niet erg op elkaar gesteld?' vroeg Erlendur.

De oude man schudde zijn hoofd.

'Nee, dat waren ze niet. Hij is nooit hier geweest, mijn Elmar. Kwam me nooit opzoeken. Hij zei dat hij slecht tegen verzorgingstehuizen kon, ziekenhuizen, bejaardentehuizen of wat dit nu is. Hij is taxichauffeur. Wist je dat?'

'Ja,' zei Erlendur.

'Gescheiden, zoals zovelen,' zei de oude man. 'Altijd nogal op zichzelf geweest.'

'Ja, sommige mensen zijn zo,' zei Erlendur om maar iets te zeggen.

'Heb je dat meisje gevonden waar je navraag over deed?'

'Nee. Je zoon Elmar zei dat Davíð nooit een meisje heeft gehad.'

'Daar heeft ie gelijk in.'

De man in het middelste bed begon luider te snurken.

'Je moet misschien met die zoektocht ophouden,' zei de oude man.

'Het is nauwelijks een zoektocht,' zei Erlendur. 'Er is op dit moment weinig te doen, dus je hoeft je over mij geen zorgen te maken.'

'Denk je werkelijk dat je hem ooit zult vinden?'

'Ik heb geen flauw idee,' zei Erlendur. 'Mensen verdwijnen. Soms vind je ze, soms niet.'

'Het is te lang geleden. We zijn er al heel lang mee opgehouden hem ons levend voor te stellen. Het was in feite een zekere opluchting, ook al hebben we nooit gepast om hem kunnen rouwen.'

'Nee, natuurlijk,' zei Erlendur.

'En ik verdwijn ook gauw,' zei de oude man.

'Maak je je er zorgen over?'

'Nee, ik ben er niet bang voor.'

'Maak je je zorgen over wat er hierna komt?' vroeg Erlendur.

'Helemaal niet. Ik verwacht mijn Davíð weer te zien. En Gunnþóra. Dat zou mooi zijn.'

'Je bent gelovig?'

'Ik ben altijd gelovig geweest.'

'Geloof je in een leven na de dood?'

'Ja, ja.'

Ze zwegen.

'Ik wilde graag weten wat er van de jongen is geworden,' zei de oude man. 'Vreemd hoe de dingen gaan. Hij zei tegen zijn moeder dat hij van plan was naar de boekhandel te gaan en dan naar zijn vriend, en daarmee was zijn korte leven afgelopen.'

'In de boekhandel heeft niemand hem gezien. Hier in Reykjavík noch ergens in een naburige plaats. Toentertijd moet dat toch zijn opgevallen. Hij heeft ook met zijn vriend geen afspraak gemaakt.'

'Misschien heeft zijn moeder het verkeerd begrepen. Het was allemaal zo onbegrijpelijk. Zo volkomen onbegrijpelijk.'

De man met het boek was in slaap gevallen.

'Wat moest hij hebben uit de boekhandel? Herinner je je dat?'

'Hij heeft het tegen Gunnþóra gezegd. Hij wilde een boek over meren kopen.'

'Een boek over meren?'

'Ja, een of ander boek over meren.'

'Hoezo, meren? Wat bedoelde hij daarmee?'

'Het was een nieuw boek, zei zijn moeder. Een fotoboek over de meren rondom Reykjavík.'

'Had hij interesse voor zulk soort boeken? Over de natuur van IJsland?'

'Ik was me dat nooit bewust. Ik herinner me dat zijn moeder dacht dat hij van plan was het boek aan iemand cadeau te doen. Maar ze wist het niet zeker. Ze dacht dat het een misverstand moest zijn geweest omdat hij het nooit eerder over zoiets had gehad.'

'Wisten jullie wie het was? Wie het boek zou krijgen?'

'Nee.'
'Het was zijn vriend ook niet bekend?'
'Nee, niemand.'
'Kan het het meisje geweest zijn waar Gilbert het over had? Die van wie hij dacht dat je zoon haar had leren kennen?'
'Er was geen meisje,' zei de oude man. 'Davíð heeft het er nooit over gehad. En zij was dan toch naar voren gekomen toen hij verdween? Iets anders is ondenkbaar. Daarom kan er geen meisje zijn geweest. Dat zou absurd zijn.'
De oude man wuifde het met zijn hand weg.
'Absurd,' zei hij.

26

De volgende dag sloeg Erlendur tegen de avond in Grafarvogur de doodlopende straat in en hij stopte bij het huis waar de dokter woonde. Ze hadden voor die avond afgesproken. Erlendur had hem in de namiddag opgebeld en gevraagd of hij hem kon treffen. Baldvin wilde weten waarom en Erlendur zei dat hij van derden inlichtingen had gekregen die hij met hem wilde bespreken. Het leek of de dokter verrast was, hij wilde weten wat die derden hadden gezegd en of hij soms bij de politie onder een microscoop lag. Erlendur kalmeerde hem net als de vorige keer en zei dat het niet veel tijd zou kosten om zijn vragen te beantwoorden. Hij wilde eraan toevoegen dat het niet zo belangrijk was, maar dan zou hij liegen.

Hij zat een tijdje in zijn auto voor hij de motor afzette. Hij zag het ophanden zijnde gesprek met Baldvin met gemengde gevoelens tegemoet. Hij stond hier alleen in. Elínborg noch Sigurður Óli wisten precies waar hij mee bezig was en zijn meerderen bij de recherche wisten het ook niet. Erlendur had geen idee hoe lang hij aan deze zaak kon werken zonder dat het aan het licht kwam. Misschien zou hij na Baldvins reactie een idee krijgen waar het heen zou leiden.

Baldvin deed voor Erlendur de deur open en nodigde hem uit in de woonkamer. Hij was alleen thuis. Erlendur had niet anders verwacht. Ze gingen zitten en de atmosfeer was gespannener dan bij hun vorige ontmoeting. Baldvin was beleefd en zeer vormelijk. Toen ze over de telefoon praatten had Baldin niet gevraagd of er een advocaat bij aanwezig moest zijn, tot opluchting van Erlendur. Hij had niet geweten wat voor antwoord hij daarop had moeten geven. Zoals de zaken ervoor stonden kon hij het beste met Baldvin alleen praten.

'Zoals ik je over de telefoon zei...' begon Erlendur en hij wilde de introductie opzeggen waar hij in de auto op had geoefend. Baldvin interrumpeerde hem.

'Wil je niet gewoon ter zake komen?' zei hij. 'Ik hoop dat dit geen lang gesprek wordt. Wat is het dat je wilt weten?'

'Ik wou je vertellen dat er drie punten zijn en...'

'Wat wil je weten?'

'Magnús, je schoonvader...'

'Ik heb hem nooit ontmoet,' zei Baldvin.

'Nee, dat is me duidelijk. Wat deed hij?'
'Deed hij?'
'Waarvan leefde hij?'
'Ik heb het vermoeden dat je dat al weet.'
'Het zou eenvoudiger zijn als je antwoord gaf op de vraag,' zei Erlendur ernstig.
'Hij was handelaar in vastgoed.'
'En dat ging hem goed af?'
'Nee, miserabel in feite. Rond de tijd dat hij stierf stevende hij af op een faillissement, vertelde María me. Leonóra had het er ook over.'
'Maar hij is niet failliet gegaan?'
'Nee.'
'En zij erfden? Leonóra en María?'
'Ja.'
'Wat was het dat ze erfden?'
'Het was voor die tijd niet zo bijzonder,' zei Baldvin. 'Ze behielden dit huis omdat Leonóra heel kien en vasthoudend was.'
'En verder?'
'Een strook land in Kópavogur. Magnús had het binnengehaald bij een afkoopregeling, als aanbetaling of iets dergelijks, en hij kreeg het in bezit. Dat was twee jaar voordat hij stierf.'
'En Leonóra heeft het door de jaren heen gehouden? Ook toen ze het huis moest aankopen?'
'Waar wil je heen?'
'Sinds ze Kópavogur hadden, groeide de gemeenschap op IJsland heel snel en daar zijn meer mensen naartoe verhuisd dan naar welk ander stuk grond ook, Reykjavík incluis. Toen Magnús het land in bezit kreeg was het zo ver weg van de bewoonde wereld dat niemand ervoor voelde daar te gaan wonen. Nu ligt het bijna in het hart van de stad. Wie had dat ooit gedacht?'
'Ja, ongelooflijk.'
'Ik heb de verkoopprijs gezien toen Leonóra het verkocht, was het niet drie of vier jaar geleden? Ze kreeg er een fantastische som geld voor. Volgens de rekening van Kópavogur was het rond de driehonderd miljoen kronen. Leonóra wist met geld om te gaan, nietwaar? Ze liep daar niet mee te koop, ze was er misschien überhaupt niet bijzonder in geïnteresseerd. Dus het grootste deel stond op een bankrekening en verzamelde rente. María erfde van haar moeder. Jij erft van María. Niemand anders. Jij alleen.'
'Ik kan daar weinig aan doen,' zei Baldvin. 'Ik zou het je verteld hebben als ik had gedacht dat het ertoe deed.'
'Wat was Maria's opvatting over dat geld?'

'Opvatting? Ik... geen bijzondere. Ze had überhaupt geen bijzondere opvatting over geld.'

'Wilde ze bijvoorbeeld dat jullie het gebruikten om meer en beter van het leven te genieten dan jullie deden? Wilde ze het verkwisten aan luxe en nutteloze zaken? Of was ze zoals haar moeder en wilde ze er zo min mogelijk vanaf weten?'

'Ze wist heel goed dat het geld er was,' zei Baldvin.

'Maar ze gebruikte het niet?'

'Nee. Zij noch Leonóra. Dat is de waarheid. Ik denk dat ik de redenen daarvoor kende, maar dat is een andere zaak. Met wie heb je gesproken, als ik vragen mag?'

'Dat doet er op dit moment wellicht niet toe. Ik kan me voorstellen dat je van het leven wilde genieten. Daar lag al dat geld. En niemand die het gebruikte.'

Baldvin haalde diep adem.

'Ik heb er geen behoefte aan over dat geld te praten,' zei hij.

'Hoe was het geregeld tussen jou en María, hebben jullie huwelijkse voorwaarden opgemaakt?'

'Om de waarheid te zeggen, ja.'

'Wat voor huwelijkse voorwaarden?'

'Zij bezat dat stuk land en het geld dat ze ervoor kreeg.'

'Dat was dus haar eigen vermogen?'

'Ja, zij zou dat allemaal behouden als we zouden scheiden.'

'Oké,' zei Erlendur. 'Dan hebben we punt nummer twee. Ken je een man die Tryggvi heet?'

'Tryggvi? Nee.'

'Het is natuurlijk lang geleden dat jullie elkaar zijn tegengekomen, maar je moet je de omstandigheden herinneren. Hij heeft een neef die in Amerika woont. Die heet Sigvald. Zijn geliefde heette Dagmar. Zij is uitgerekend nu op vakantie in Florida. Over een week of zo komt ze weer naar huis. Ik wil proberen haar te spreken te krijgen. Is die naam je bekend?'

'Vaag... wat...?'

'Studeerde je met hen medicijnen?'

'Ja, als we het over dezelfde mensen hebben.'

'Heb je deelgenomen aan een experiment op Tryggvi waarbij hij enkele minuten dood werd gehouden?'

'Ik weet niet wat...'

'Jij, je vriend Sigvald en zijn vriendin, Dagmar?'

Baldvin staarde Erlendur lang aan zonder antwoord te geven. Het was alsof hij niet meer stil kon zitten en hij stond op.

'Er is niets gebeurd,' zei hij. 'Hoe heb je dat opgegraven? Wat probeer je te bereiken? Ik heb alleen maar toegekeken, Sigvald regelde alles. Ik... er is niets gebeurd. Ik stond er gewoon bij, kende die man niet eens. Heet hij Tryggvi?'

'Je weet dus waar ik het over heb?'

'Het was een idioot experiment. Er viel helemaal niets te bewijzen.'

'Maar Tryggvi is eventjes dood geweest?'

'Dat weet ik niet eens. Ik ben naar buiten gegaan. Sigvald had een kamer in het ziekenhuis in orde gemaakt en we gingen erheen. Die Tryggvi was een rare snuiter. Sigvald nam hem altijd op de hak, lang voordat dit gebeurde. Ik was net begonnen aan mijn medicijnenstudie. Sigvald was een heel intelligente knaap, maar altijd een beetje tegendraads. Hij was degene die hiervoor verantwoordelijk was, helemaal in zijn eentje. En misschien Dagmar. Ik wist heel weinig over wat ze van plan waren.'

'Ik heb niet met ze gesproken, maar ik ben van plan dat te doen,' zei Erlendur. 'Hoe ging Sigvald te werk om het hart van Tryggvi stil te laten staan?'

'Hij koelde zijn lichaam af en gaf hem een medicijn. Ik weet niet hoe het heette en of het nog steeds op de markt is. Het medicijn vertraagde langzaamaan de hartslag tot het hart ophield met kloppen. Sigvald nam de tijd van de hartstilstand op en toen er een minuut was verstreken gebruikte hij de shockapparatuur. Dat werkte meteen. Het hart begon weer te kloppen.'

'En?'

'En wat?'

'Wat zei Tryggvi?'

'Niets. Hij zei niets. Hij heeft er niets van gemerkt, voelde zich kiplekker. Hij beschreef het als een diepe slaap. Ik snap niet waarom je hiernaar zit te graven. Waarom zoek je het zo ver weg? Waarom onderzoek je zo gedetailleerd mijn doen en laten? Wat denk je dat ik heb gedaan? Is het jullie gewoonte op zo'n manier een zelfmoord te onderzoeken? Wil je mij vervolgen?'

'Slechts één ding nog,' zei Erlendur zonder hem antwoord te geven. 'Dan ben ik vertrokken.'

'Is dit een officieel onderzoek geworden?'

'Nee,' zei Erlendur.

'Wat dan? Moet ik soms op deze vragen antwoord geven?'

'In feite niet. Ik probeer er slechts achter te komen wat er is gebeurd toen María een eind aan haar leven maakte. Of er iets abnormaals is voorgevallen.'

'Iets abnormaals?! Is zelfmoord niet abnormaal genoeg? Wat wil je van mij?'

'María heeft een medium opgezocht voordat ze stierf. Ze noemde het medium Magdalena. Is je daarvan iets bekend?'

'Nee,' zei Baldvin. 'Daar is mij niets van bekend. We hebben het daar al over gehad. Ik wist niet dat ze naar een medium is gegaan. Het medium Magdalena is mij niet bekend.'

'Ze ging naar het medium omdat ze dacht dat ze haar moeder hier thuis had gezien, een behoorlijke tijd nadat Leonóra was gestorven.'

'Mij is daar niets van bekend,' zei Baldvin. 'Ze was misschien gevoeliger dan anderen, ze meende in een halfwakkere staat dingen te zien. Dat is niet ongewoon. En ook niet abnormaal, als je op iets dergelijks uit bent.'

'Nee, natuurlijk niet.'

Baldvin aarzelde. Hij was weer tegenover Erlendur gaan zitten.

'Ik moet misschien met je superieuren gaan praten,' zei hij.

'Vanzelfsprekend,' zei Erlendur. 'Als je meent dat je je daar prettiger bij voelt.'

'Er is iets... als we het over spoken hebben. Er is één ding dat ik je niet heb verteld,' zei Baldvin terwijl hij zijn gezicht in zijn handen begroef. 'Je begrijpt María misschien beter als je dat te horen krijgt. Dat wat ze deed. Het stelt je misschien een beetje gerust. Hopelijk begrijp je dat ik haar niets heb aangedaan. Ze deed dit helemaal alleen.'

Erlendur zweeg.

'Het houdt verband met het ongeluk op Þingvellir.'

'Het ongeluk? Toen Magnús overleed?'

'Ja. Ik dacht dat ik daar niet over hoefde uit te weiden, maar voordat je denkt dat er iets verdachts is gebeurd, is het waarschijnlijk het beste dat je het te horen krijgt. Ik heb María beloofd het niemand te vertellen, maar ik voel me niet prettig bij die bezoekjes van jou en ik wil dat ze ophouden. Ik wil je niet hier hebben met insinuaties en toespelingen. Ik wil dat je hiermee ophoudt en ons... mij toestaat in vrede over mijn vrouw te rouwen.'

'Waar heb je het over?'

'Dat wat María mij vertelde nadat Leonóra stierf. Over haar vader en het Þingvellirvatn.'

'Wat is daarmee?'

Baldvin haalde diep adem.

'De versie van Leonóra en María over wat er gebeurde toen hij verdronk is correct op alle belangrijke punten, op één ding na. Je hebt waarschijnlijk de zaak onderzocht, je lijkt niets met rust te kunnen laten wat ons aangaat.'

'Ik ben er een beetje van op de hoogte,' zei Erlendur.

'Ik kende net zoals iedereen anders slechts de officiële versie. De schroef raakte los, Magnús heeft waarschijnlijk geprobeerd de motor onder controle te krijgen, hij viel overboord, het water was ijskoud en hij verdronk.'

'Ja.'

'María vertelde mij dat hij niet alleen in de boot is geweest. Ik besef dat ik je dit niet zou moeten vertellen, maar ik weet niet hoe ik anders van je af kan komen.'

'Wie was er met hem in de boot?'

'Leonóra.'

'Leonóra?'

'Ja. Leonóra en...'

'En wie?'

'María.'

'Zat María ook in de boot?'

'Magnús deed stiekem tegenover Leonóra, hij bedroog haar. Ik heb begrepen dat hij het haar op Þingvellir heeft verteld. In het zomerhuis. Leonóra kreeg een zenuwinzinking. Ze had geen flauw idee dat hij haar bedroog. Magnús, Leonóra en María gingen toen met het bootje het meer op. María heeft me niet verteld wat daar gebeurde, maar we weten dat Magnús overboord viel. De doodsstrijd duurde kort. Niemand blijft lang in leven in het Þingvellirvatn, niet in de herfst.'

'En María?'

'María keek toe,' zei Baldvin. 'Ze zweeg toen de politie ter plekke kwam en ze bevestigde het verhaal dat Magnús alleen in de boot had gezeten.'

'María vertelde je niet wat er aan boord van het bootje gebeurde?'

'Nee. Dat wilde ze niet.'

'En je geloofde haar?'

'Vanzelfsprekend.'

'Heeft het zwaar op haar gedrukt?'

'Ja, altijd. Pas nadat Leonóra stierf, na dat zware ziekbed hier in huis, vertelde María het mij. Ik beloofde het tegen niemand te zeggen. Ik hoop dat je die belofte in ere houdt.'

'Was het omdat ze niet aan zijn geld konden komen? Hadden ze een slecht geweten?'

'Het land was totaal waardeloos tot het bewoonde gebied rondom Reykjavík werd uitgebreid. Ze waren het al vergeten tot een grote projectontwikkelaar bij hen aanklopte en een bod op het land deed. Honderden miljoenen. Ze waren compleet overdonderd.'

Baldvin keek naar de foto van María die op de tafel naast hen stond.

'Ze had er simpelweg genoeg van,' zei hij. 'Ze had nooit met iemand kunnen praten over wat er gebeurd was en Leonóra maakte haar op de een of andere manier medeplichtig, ze verzekerde zich van haar zwijgen. María kon niet in haar eentje met de waarheid leven en... ze koos voor die oplossing.'

'Bedoel je dat de zelfmoord met haar vader had te maken?'

'Volgens mij is dat overduidelijk,' zei Baldvin. 'Ik was niet van plan je dit te vertellen, maar...'

Erlendur stond op.
'Ik zal je niet verder storen,' zei hij. 'Het is genoeg voor vandaag.'
'Heb je iets aan die wetenschap? Over wat er op Þingvellir gebeurde?'
'Ik zie geen reden om er nog langer bij stil te staan. Het is lang geleden en ze zijn allebei dood, Leonóra en María.'
Baldvin liep met hem mee naar de voordeur. Erlendur stond al op de stoep toen hij zich weer omdraaide.
'Nog één ding,' zei hij. 'Is er een douche op Þingvellir?'
'Een douche?' zei Baldvin verbaasd.
'Ja, of een bad?'
'We hebben het allebei. Een douche en een buitenbad, een jacuzzi. Ik ga ervan uit dat je de jacuzzi bedoelt. Hij staat buiten op de veranda. Waarom vraag je dat?'
'Het is niets. Natuurlijk, een jacuzzi. Heeft niet iedereen zo'n geval bij zijn zomerhuis?'
'Tot ziens.'
'Ja, tot ziens.'

María had al lange tijd geen last van visioenen gehad tot haar vader in de tuin verscheen en naar haar riep dat ze moest oppassen. Niemand anders had hem gezien. Niemand anders had hem horen roepen. Haar vader verdween even plotseling als hij was verschenen en het enige wat María daarna hoorde was het gejank van de wind en het geknal van het hek. Ze rende geschrokken weer naar binnen en sloot de deur naar het terras af, verdween naar haar kamer en begroef haar gezicht in het kussen.

Ze had die stem eerder bij het medium Andersen gehoord, precies dezelfde waarschuwende woorden, maar ze wist niet wat ze te betekenen hadden, waarom ze waren geuit en hoe serieus ze het moest nemen. Ze had geen idee waarom ze moest oppassen.

Ze was nog steeds wakker toen Baldvin 's avonds laat thuiskwam en ze begonnen weer te praten over de seance bij Magdalena waar María hem over had verteld. Ze beschreef de seance nauwkeuriger en de uitwerking die die op haar had gehad, ze zei te geloven in wat zich daar had gemanifesteerd en dat ze erin wilde geloven. Ze wilde geloven dat er een leven na dit leven was. Dat met ons leven op aarde niet alles zou eindigen.

Baldvin lag zwijgend op bed en luisterde naar haar.

'Heb ik je ooit verteld over een kennis van me bij de medicijnenstudie die Tryggvi heette?' vroeg hij.

'Nee,' zei María.

'Hij wilde erachter zien te komen of er een leven na dit leven was. Hij kreeg zijn neef zover hem erbij te helpen. Die was arts. Hij had iets gelezen over een Frans experiment met een bijna-doodervaring. We studeerden samen medicijnen. Er was ook een meisje bij. We waren met z'n vieren en deden dat experiment.'

María luisterde aandachtig naar het verhaal van Baldvin, hoe ze Tryggvi hadden doodgemaakt en gereanimeerd en dat het een fantastisch succes was, maar dat Tryggvi er niets over kon vertellen.

'Wat is er van hem geworden?' vroeg María.

'Dat weet ik niet,' zei Baldvin. 'Ik heb hem sindsdien niet meer gezien.'

Een lange stilte daalde neer over de slaapkamer van het echtpaar waar Leonóra haar doodsstrijd had gestreden.

'Denk je...?'

María aarzelde.
'Wat?' vroeg Baldvin.
'Denk je dat jij zo'n experiment kunt doen?'
'Het is uiteraard mogelijk.'
'Kun je het bij mij doen? Voor mij?'
'Voor jou?'
'Ja, voor mij... Ik heb veel gelezen over bijna-doodervaringen.'
'Dat weet ik.'
'Is het een gevaarlijk experiment?'
'Het kan gevaarlijk zijn,' zei Baldvin. 'Ik ben niet van plan...'
'Kunnen we het hier doen?' vroeg María. 'Hier thuis?'
'María...'
'Is het een groot risico?'
'María, ik kan niet...'
'Is het een groot risico?'
'Dat... hangt van verschillende zaken af. Ben je nu serieus?'
'Waarom niet?' zei María. 'Wat valt er te verliezen?'
'Weet je het zeker?' vroeg Baldvin.
'Heb je het hek afgesloten?' vroeg María.
'Ja, ik heb het afgesloten toen ik thuiskwam.'
'Hij zag er vreselijk uit,' zei María. 'Vreselijk.'
'Wie?'
'Papa. Ik weet dat het niet goed met hem gaat. Het kan niet goed met hem gaan. Dat weet ik. Hij had niet zo moeten overlijden. Hij had niet zo dood moeten gaan. Het had nooit mogen gebeuren.'
'Waar heb je het over?'
'Vertel eens meer over die Tryggvi,' zei María. 'Wat gebeurde er precies? Hoe gaat zo'n experiment in zijn werk? Wat heb je nodig om zo'n experiment uit te voeren?'

27

Erlendur belde 's zondags vroeg zijn dochter op en vroeg of ze met hem een autotochtje wilde maken. Hij wilde graag de dag benutten om in de streek rondom Reykjavík naar de meren te kijken. Hij wekte Eva Lind, die tijd nodig had om het idee te laten bezinken. Ze was nogal moeilijk te sturen, maar Erlendur gaf niet op. Ze had niet veel te doen op die zondag, niet meer dan anders. Ze ging niet naar de kerk. Ten slotte hakte ze de knoop door. Erlendur probeerde ook Sindri Snær te bereiken, maar hij kreeg de melding dat zijn mobiel niet aanstond of buiten bereik was. Valgerður werkte het hele weekend.

Onder normale omstandigheden had hij dit in zijn eentje gedaan en hij vond zoiets leuk, maar dit keer wilde hij gezelschap van Eva hebben; natuurlijk was hij doodmoe van zichzelf geworden, zoals Eva in het telefoongesprek algauw opperde. Hij glimlachte. Eva Lind was in een vrolijker bui dan gewoonlijk, ook al had haar idee om Halldóra mee te nemen tot niets geleid en het leek een idee-fixe dat haar droom van een normaal contact tussen haar ouders ooit in vervulling zou gaan.

Ze repten er met geen woord over toen Erlendur met zijn dochter de stad uit reed. Het was die zondag mooi herfstweer. De zon scheen laag over de Bláfjöll, het was koud maar er stond geen wind. Ze kwamen bij een café-restaurant waar Erlendur proviand en sigaretten kocht. Hij had thuis koffie gezet en in een thermosfles gedaan. Hij had dekens in de kofferbak gelegd en hij bedacht toen hij van het café wegreed dat hij nog nooit met Eva Lind een zondagse rijtoer had gemaakt.

Ze begonnen in een kleine cirkel rond de stad te rijden. Hij had een gedetailleerde landkaart van de omgeving van Reykjavík bestudeerd en had niet verwacht dat er in zo'n relatief klein gebied zo enorm veel meren waren te vinden. Ze waren haast ontelbaar. Ze begonnen bij het Elliavatn, waar nieuwbouw was verrezen, ze reden over een redelijk begaanbare weg in een rondje om het Rauðavatn en naar het Reynisvatn, dat achter de bebouwing in Grafarholt was verdwenen. Van daaruit reden ze langs het Langavatn en ze keken uit over een aantal meertjes op de Miðdalsheiði voordat ze langzaam verder reden in de richting van de Mosfellsheiði. Ze namen een kijkje bij het Leirvogsvatn vlak langs de weg naar Þingvellir, het Stíflisdalsvatn en het Mjóavatn. Het was al wat later op de dag toen ze omlaag naar Þingvellir reden, afbogen naar het noorden en langs het Sandkluftavatn gingen, dat aan de weg naar het noorden bij Hofmannaflöt lag, en ze reden de weg omhoog naar Uxahryggir en het Lundarreykjadalur uit. Ze hielden pauze bij het Litla-Brunnavatn, vlak langs de weg bij Biskupsbrekka.

Erlendur spreidde de dekens uit, ze strekten de benen en deden zich te goed aan de sandwiches uit het café-restaurant. Hij haalde chocoladekoekjes tevoorschijn en schonk koffie in in twee koppen. Hij keek in de richting van Þingvellir en Hoffmannaflöt onder de Ármannsfell, waar men zich in vroeger tijden vermaakte met paardengevechten. Hij was naar een tweedehandsboekwinkel gegaan om een boek over meren te vinden waarvan het aannemelijk was dat Davíð het had willen kopen. Het enige boek dat ervoor in aanmerking leek te komen was net gepubliceerd toen hij verdween en het heette simpelweg *Meren in de omgeving van Reykjavík*. Het was fraai uitgegeven, met enorm veel foto's van meren en hun omgeving, die in verschillende seizoenen waren genomen. Eva Lind bladerde door het boek en bekeek de foto's.

'Als je denkt dat ze in een van al die meren hier is gereden, dan wens ik je veel succes met zoeken,' zei Eva Lind en ze nam een slok van de koffie.

Erlendur had haar verteld over Guðrún, die Dúna werd genoemd en die dertig jaar geleden verdween zonder dat iemand precies wist wanneer. Hij vertelde Eva over haar passie voor meren en zei dat hij het niet helemaal ondenkbaar achtte dat haar verdwijning iets te maken had met een andere verdwijning, die van een jongeman die Davíð heette. Eva Lind vroeg nieuwsgierig of hij het meisje had ontmoet kort voordat hij verdween. Erlendur veronderstelde dat het boek voor Guðrún was bedoeld. Ze waren elkaar kort geleden tegengekomen, zo kort geleden dat niemand behalve Gilbert, de vriend van Davíð, er lucht van had gekregen. Informatie over die vriendschap was pas vele jaren later naar boven gekomen, toen Gilbert vanuit Denemarken terug naar IJsland verhuisde.

Eva Lind vond het allemaal vergezocht van haar vader en dat zei ze ook. Erlendur knikte, maar hij wees erop dat juist het feit dat er over beide zaken zo bitter weinig bekend was, ze met elkaar verbond. Men wist niets van Davíð. Het enige wat ze van Guðrún wisten was dat haar auto met haar verdween en dat deze nooit was gevonden.

'Wat als ze elkaar kenden?' zei Erlendur en hij keek uit over het Litli-Brunnavatn. 'Wat als Davíð het boek over meren voor haar had gekocht? Wat als ze samen hun laatste autotochtje maakten? We weten wanneer Davíð verdween. Het bericht over de verdwijning van Guðrún kwam ruim twee weken later binnen. Daarom hebben we hen twee nooit met elkaar in verband gebracht, maar zij kan heel goed op dezelfde tijd als hij zijn verdwenen.'

'Ik wens je veel succes ze te vinden,' herhaalde Eva Lind. 'Er zijn zeker zo'n duizend meren die in aanmerking komen als je denkt dat ze erop uit zijn getrokken om de meren te bekijken. Het is net zoals in *fucking* Finland. Is het niet eenvoudiger aan te nemen dat ze in zee zijn gereden, dat ze van een of andere steiger zijn afgereden?'

'We hebben in alle belangrijke havens naar haar auto gezocht,' zei Erlendur.

'Zouden ze niet ieder op hun eigen manier zelfmoord gepleegd kunnen hebben?'

'Jawel, natuurlijk. Dat hebben we tot nu toe aangenomen. Ik... het is een compleet nieuwe gedachte om hen twee met elkaar in verband te brengen. Ik ben er een beetje van bezeten. Tientallen jaren is er niets gebeurd in deze zaak, maar dan komt opeens naar boven dat zij geïnteresseerd in meren was en dat hij het erover had een boek over meren te kopen, iets waar hij daarvoor nooit interesse in heeft getoond.'

Erlendur nam een slok van zijn koffie.

'En dan heb je nog zijn vader, die stervende is en waarschijnlijk nooit een antwoord op zijn vragen krijgt. Niet meer dan de moeder van de jongen die is gestorven. Daar denk ik ook over na. Antwoorden. Ik wil dat mensen een antwoord krijgen. Mensen wandelen niet gewoon de deur uit en verdwijnen. Er is altijd een spoor. Behalve in deze gevallen. Die twee zaken hebben iets gemeenschappelijks. Er is geen spoor. We hebben niets in handen. In geen van de twee zaken.'

'Oma heeft ook nooit een antwoord gekregen,' zei Eva Lind terwijl ze languit op haar rug ging liggen en omhoogkeek naar de hemel.

'Nee, ze heeft geen antwoord gekregen,' zei Erlendur.

'Toch geef je niet op,' zei Eva. 'Je blijft zoeken. Je gaat erheen, naar het oosten.'

'Ja, dat doe ik. Ik ga naar het oosten. Ik ga de Harðskafi op en binnendoor naar de Eskifjarðarheiði. Soms zet ik daar mijn tent op.'

'Maar je vindt nooit iets.'

'Nee. Niets, behalve herinneringen.'

'Is het niet genoeg die te hebben?'

'Ik weet het niet.'

'Wat is Harðskafi trouwens?'

'Je oma dacht dat Bergur die berg is opgegaan. Ik weet niet waarom ze dat dacht. Het was een ingeving die ze kreeg. Hij moet toen behoorlijk van de route af zijn geraakt, maar de wind stond die kant op en we zochten natuurlijk onze weg voor de wind uit. Ze ging vaak die kant op, helemaal daarheen, tot we uit de streek verhuisden.'

'Ben jij de berg op geweest?'

'Ja, hij is goed te beklimmen, hoewel de naam niet veel goeds belooft.'

'Ga je nog vaak naar boven?'

'Ik kom nauwelijks nog tot de top, behalve met mijn ogen.'
Eva Lind dacht over zijn woorden na.
'Je bent natuurlijk ook zo verdomd oud geworden.'
Erlendur glimlachte.
'Heb je het dan opgegeven?' vroeg Eva Lind.
'Het laatste wat je oma vroeg was of ik mijn broer had gevonden. Dat was het laatste wat door haar hoofd ging voor ze stierf. Ik heb me soms afgevraagd of zij hem heeft gevonden... of zij hem aan de andere kant heeft gevonden. Ik geloof zelf niet in een leven na de dood, ik geloof niet in God en niet in de hel, maar je oma geloofde er allemaal in. Ze kreeg dat met haar opvoeding mee en ze was ervan overtuigd dat de strijd om het bestaan hier op aarde het begin noch het einde was. Van de andere kant was ze ermee verzoend te sterven en was ze er zeker van dat Bergur in goede handen was. Bij zijn familie.'
'Oude mensen praten zo,' zei Eva Lind.
'Ze was helemaal niet oud. Gestorven in haar beste jaren.'
'Zegt men niet dat de goden het meest houden van degenen die jong sterven?'
Erlendur keek zijn dochter aan.
'Ik geloof niet dat de goden ooit van mij hebben gehouden,' zei Eva Lind. 'Ik kan het me in ieder geval niet voorstellen. Waarom zouden ze ook?'
'Ik weet niet zeker of je je lot in handen van de goden moet leggen, wie het ook zijn,' zei Erlendur. 'Je schept je eigen lot.'
'Jij hebt mooi praten. Wie schiep jouw lot? Ging je vader niet in dat krankzinnige weer met jullie de bergen in? Wat deed hij met zijn kinderen daarboven? Heb je je dat nooit afgevraagd? Word je nooit kwaad als je daaraan denkt?'
'Hij wist niet beter. Het was niet zijn bedoeling dat wij van de kou zouden omkomen.'
'Maar hij had het anders kunnen doen. Als hij meer om zijn kinderen had gegeven.'
'Hij gaf altijd heel veel om ons, zijn jongens.'
Ze zwegen. Erlendur keek een auto na die uit het oosten van Uxahryggir kwam en afsloeg in de richting van Þingvellir.
'Ik heb mezelf altijd gehaat,' zei Eva Lind ten slotte. 'En ik was kwaad. Ik was soms zo kwaad dat ik wou ontploffen. Kwaad op mama, kwaad op jou en op school en op de klootzakken die me pestten. Ik wou me van mezelf bevrijden. Ik wilde mezelf niet zijn. Ik walgde van mezelf. Ik behandelde mezelf als een stuk vuil en ik stond anderen toe het ook te doen.'
'Eva...'
Eva Lind staarde omhoog naar de helderblauwe hemel.

'Nee, zo was het,' zei ze. 'Ik was kwaad en walgde van mezelf. Dat gaat niet goed samen. Ik heb hier vaak over nagedacht nadat ik erachter kwam dat datgene wat ik deed gewoon een natuurlijk vervolg was op iets wat begon voordat ik was geboren. Iets waar ik juist geen macht over had. Ik was vooral kwaad op jou en mama. Waarom wilden jullie mij hebben? Waar waren jullie op uit? Wat had ik te zoeken op deze wereld? Wat voor voordeel had ik ervan? Niets. Een vergissing van mensen die elkaar niet kenden en elkaar niet wilden leren kennen.'

Erlendur fronste zijn wenkbrauwen.

'Er was voor jou geen voordeel, Eva,' zei hij.

'Nee, misschien niet.'

Ze zwegen.

'Is dit niet een ontzettend mooi zondags autotochtje geworden?' zei Eva Lind terwijl ze haar vader aankeek.

Een tweede auto kwam met een kalme vaart over de weg van Biskupsbrekka en sloeg af in de richting van het Lundarreykjadalur. Het was een echtpaar met twee kinderen en een klein, donkerharig meisje zwaaide naar hen vanuit het kinderzitje op de achterbank. Geen van beiden wuifde terug en het meisje keek een beetje beteuterd voor ze uit het zicht verdween.

'Denk je dat je me ooit kunt vergeven?' vroeg Erlendur terwijl hij zijn dochter aankeek.

Ze gaf geen antwoord, maar staarde omhoog naar de hemel met haar handen onder haar hoofd en haar benen gekruist.

'Ik weet dat je je eigen lot schept,' zei ze ten slotte. 'Iemand die sterker en intelligenter is dan ik heeft een ander lot geschapen. Iemand heeft jullie twee waarschijnlijk met die hele shit opgezadeld, dat is het enige antwoord, denk ik, eerder dan dat je van jezelf gaat walgen.'

'Ik heb nooit gedacht dat jij jezelf haatte. Ik wist dat niet.'

'Je vader wilde beslist niet zijn zoon verliezen.'

'Nee. Dat wilde hij niet.'

Toen ze van Uxahryggir wegreden, door het Lundarreykjadalur omlaag naar Borgarfjörður, was het al donker geworden. Ze stopten niet meer bij andere meren en zaten meestal zwijgend naast elkaar op weg naar huis door Hvalfjarðargöng en over Kjalarnes. Erlendur zette zijn dochter af voor de deur van haar woning en ze namen afscheid in de avondduisternis.

Het was een mooie dag aan de meren geweest en hij zei dat tegen haar. Ze knikte en zei dat ze dat vaker moesten doen.

'Als ze hier in de omgeving in een meer zijn gereden kun je net zo goed de lotto winnen als hen vinden.'

'Daar moet ik dan maar mee leven,' zei Erlendur.

Ze zwegen een tijdje, Erlendur streek over het stuur van de Ford.

'We lijken erg veel op elkaar, Eva,' zei hij terwijl hij luisterde naar het kalme gebrom van de motor. 'Jij en ik. We zijn uit hetzelfde hout gesneden.'

'Denk je dat?' zei Eva Lind en ze stapte uit de auto.

'Ja, ik ben bang van wel,' zei Erlendur.

Daarop reed hij de straat uit naar zijn huis en hij dacht erover dat ze nooit voor elkaar komedie hoefden te spelen. Hij viel in slaap met de gedachte dat ze geen antwoord had gegeven op zijn vraag of zij hem kon vergeven. Ook dat bleef ongezegd op de dag dat ze van het ene meer naar het andere reden, op zoek naar uitgewiste sporen.

28

De dag erop reed Erlendur 's middags nogmaals naar het huis in Kópavogur en hij parkeerde op een redelijke afstand. Er brandde geen licht achter de ramen van het huis en hij zag Karólína's auto ook niet. Hij nam aan dat ze nog niet was thuisgekomen van haar werk. Hij stak een sigaret op en wachtte rustig op haar. Erlendur wist niet waarom hij haar aan de tand wilde voelen. Hij vermoedde dat zij en Baldvin met elkaar hadden gepraat na zijn laatste bezoek aan Baldvin; hij nam aan dat ze op de een of andere manier contact met elkaar hadden, hoewel hij dat niet precies wist. Misschien hadden ze de draad weer opgepakt die ze hadden laten vallen toen ze beiden op de toneelschool zaten en zij ervan droomde een ster te worden. Na een poosje stopte de kleine japanner voor het huis en Karólína stapte uit. Ze ging snel het huis binnen zonder links of rechts te kijken met een propvolle tas van de supermarkt in de hand. Erlendur liet een half uur verstrijken voor hij naar het huis liep en op de deur klopte.

Ze kwam naar de deur; ze had haar kantoorkleding verwisseld voor makkelijker kleren, een dunne trui, grijze trainingsbroek en pantoffels.

'Ben jij Karólína?' vroeg Erlendur.

'Ja?' zei ze ongeduldig alsof hij een vertegenwoordiger was die haar kwam storen.

Erlendur stelde zich voor, zei dat hij van de politie was en een sterfgeval bij het Þingvellirvatn van een tijdje geleden onderzocht.

'Een sterfgeval?'

'Van een vrouw die op Þingvellir een einde aan haar leven maakte,' zei Erlendur. 'Zou ik even binnen mogen komen?'

'Wat heb ik daarmee te maken?' vroeg Karólína.

Ze was even lang als Erlendur, met kort, donker haar boven een hoog, rond voorhoofd en delicate wenkbrauwen boven haar donkerblauwe ogen. Ze was slank, had een lange hals en ze was goedgebouwd voor zover Erlendur het kon beoordelen in haar dunne trui en wijde trainingsbroek. Ze had een vastberaden blik en er was iets halsstarrig en hards in haar gezicht dat beloofde dat ze geen makkelijke vrouw was. Hij meende te begrijpen wat Baldvin in haar zag, maar hij had niet veel tijd daarbij stil te staan. Karólína's vraag bleef in de lucht hangen.

'Je hebt waarschijnlijk haar man gekend,' zei Erlendur. 'De vrouw heette

María. De man met wie ze was getrouwd heet Baldvin. Ik heb begrepen dat jullie samen op de toneelschool hebben gezeten.'

'En wat dan nog?'

'Ik wil graag even met je praten.'

Karólína keek de straat af naar de huizen van de buren, keek Erlendur aan en zei dat ze misschien beter naar binnen konden gaan. Erlendur stapte de hal binnen en zij deed de deur achter hem dicht. De eengezinswoning bestond alleen uit een begane grond met een woon- en eetkamer, een keuken en suite, een badkamer en twee slaapkamers aan de linkerkant als je vanuit de vestibule binnenkwam. Hij was ingericht met fraaie meubels en foto's aan de wanden. De geur die er hing was een mengeling van IJslands eten en de bedwelmende lucht van cosmetica en parfum die het sterkst was bij de badkamer en de twee slaapkamers. De een leek te worden gebruikt als rommelkamer en de ander was de slaapkamer van Karólína. Erlendur zag door de open deur een groot bed tegen de wand, een kaptafel met een spiegel, een flinke klerenkast en een commode.

Karólína liep snel de keuken in en haalde een pan van het vuur. Erlendur had haar gestoord bij het koken. De lucht uit de keuken drong door het hele huis, gebraden lamsvlees, dacht Erlendur.

'Ik was koffie aan het zetten,' zei Karólína toen ze terug uit de keuken kwam. 'Kan ik je een kop aanbieden?'

'Graag,' zei Erlendur. De regel was om altijd koffie aan te nemen als deze werd aangeboden. Elínborg had dat snel door. Sigurður Óli had het nog steeds niet geleerd.

Karólína kwam terug met twee koppen dampende koffie. Ze dronk hem zwart, net als Erlendur.

'Baldvin en ik hebben elkaar op de toneelschool bij de oude Jóhannes leren kennen. Tjezus, wat kon die saai zijn. Jóhannes, bedoel ik. Als acteur hopeloos. Maar hoe dan ook, Baldvin en ik hebben met elkaar gekapt toen hij met het toneel ophield en medicijnen ging studeren. Mag ik vragen waarom je een onderzoek naar Baldvin instelt?'

'Ik ben niet echt bezig met een onderzoek naar hem,' zei Erlendur. 'Van de andere kant hoorde ik, en je weet hoe er gekletst wordt, dat jullie elkaar kenden en zelfs dat jullie die kennismaking onlangs hebben hernieuwd.'

'Waar heb je dat gehoord?'

'Ik ben het vergeten, ik zou dat moeten opzoeken.'

Karólína glimlachte.

'Is dat iets wat jou aangaat?'

'Dat weet ik juist nog steeds niet,' zei Erlendur.

'Hij heeft mij al verteld dat je mij misschien een bezoek zou brengen,' zei ze.

'Baldvin?'

'We hebben de draad weer opgepakt, dat klopt. Het is onnodig dat verborgen te houden. Dat zei ik tegen hem en hij was het met me eens. Het is zo'n vijf jaar geleden begonnen. We ontmoetten elkaar toen onze klas van de toneelschool bij elkaar kwam voor een reünie van afgestudeerden. Baldvin verscheen ook, hoewel hij niet was afgestudeerd. Hij zei dat hij doodmoe werd van dat mens, Leonóra, de moeder van María. Hij woonde bij hen thuis.'

'Waarom verbrak hij niet de huwelijksband en is met jou gaan samenwonen? Dat lijkt me in zo'n geval voor de hand liggend.'

'Dat was hij eigenlijk ook van plan,' zei Karólína. 'Ik werd er gek van en gaf hem een ultimatum. Maar toen werd die kenau van een Leonóra ziek en hij kon de gedachte niet verdragen het María aan te doen. Hij wilde haar bijstaan in die moeilijke tijd en dat deed hij ook. Ik was vooral bang dat de relatie tussen hen beter zou worden nadat de heks was gestorven. En inderdaad kwam hij niet meer bij mij. Hij zag niets behalve zijn María. Daar is hij nu van bevrijd.'

'Beschreef Baldvin Leonóra op die manier? Als een heks?'

'Hij kon haar niet meer uitstaan. Het werd erger met de jaren. Ik moet haar misschien dankbaar zijn, om het erg gemeen uit te drukken. Hij wilde haar het huis uit hebben, maar María was daar faliekant op tegen.'

'Ze hadden geen kinderen, María en Baldvin?'

'Baldvin kan geen kinderen krijgen en María voelde er weinig voor,' zei Karólína zonder omhaal.

'Wanneer dachten jullie de relatie openbaar te maken?' vroeg Erlendur.

'Je lijkt wel een dorpsdominee.'

'Neem mij niet kwalijk, het is niet mijn bedoeling...'

'Baldvin is discreet,' zei Karólína. 'Hij wil een heel jaar wachten. Ik heb hem gezegd dat dat misschien te lang is, maar hij is er niet van af te brengen. Niet voor er een jaar om is, zegt hij.'

'Maar daar ben je niet gelukkig mee?'

'Ik begrijp hem goed. Een drama als dit en zo. We moeten ons niet haasten.'

'Wist María van jullie relatie?'

'Mag ik vragen wat je aan het onderzoeken bent? Waar ben je naar op zoek? Denk je dat Baldvin haar iets heeft aangedaan?'

'Denk *jij* dat?'

'Nee. Zoiets is niets voor hem. Het is een dokter! Waarom denk je dat het geen zelfmoord is geweest?'

'Ik denk niet dat het iets anders was,' zei Erlendur.

'Is dit een Zweeds onderzoeksproject, of...?'

'Heb je daarover gehoord?'

'Baldvin heeft daar iets over gehoord. We weten niet wat er gaande is.'

'Ik verzamel slechts inlichtingen zodat we deze zaak kunnen afsluiten,' zei Erlendur. 'Weet je dat hij honderden miljoenen van zijn vrouw erft?'

'Dat weet ik pas sinds kort. Hij vertelde het me een paar dagen geleden. Was het geen grondspeculatie van haar vader?'

'Ja, hij bezat een kleine strook land in Kópavogur dat in waarde omhoogschoot. Baldvin is de enige erfgenaam.'

'Ja, hij had het daar vaag over. Ik geloof dat hij er pas sinds kort iets vanaf wist. Of, dat heeft hij mij verteld.'

'Ik heb gehoord dat dat geld hem heel goed uitkomt,' zei Erlendur.

'Hè?'

'Zijn schuldverplichtingen zien er niet al te best uit.'

'Baldvin heeft een beetje pech gehad met de aankoop van aandelen, dat is het enige wat ik weet. Een mislukte investering, een of andere projectontwikkelaar die over de kop is gegaan, en dan is hij geld schuldig aan de artsenpraktijk die niet goed loopt. We praten niet veel over dergelijke dingen. Tot nu toe niet, in ieder geval.'

'Je bent met acteren opgehouden, nietwaar?' vroeg Erlendur.

'Dat klopt, zo goed als.'

'Mag ik vragen waarom?'

'Ik stond nog in een paar stukken. Geen erg grote dingen, maar...'

'Ik ga jammer genoeg heel zelden naar het theater.'

'Ik kreeg gewoon te weinig goede rollen, vond ik. Of juister gezegd, niet bij de grote theaters. Dan is er natuurlijk ook een keiharde concurrentie. Het is een genadeloos wereldje. Je komt er meteen achter op de toneelschool. De leeftijd telt ook. Actrices zoals ik, op middelbare leeftijd, worden niet vaak gevraagd. Ik kreeg een mooie baan bij een financieringsmaatschappij en ik speel af en toe een kleine rol als een regisseur me vraagt.'

'Ik heb begrepen dat je grootste rol Magdalena in dat Zweedse stuk is geweest, hoe heet het ook alweer...' zei Erlendur terwijl hij deed alsof hij zich de naam van het stuk niet herinnerde.

'Wie heeft je dat verteld? Iemand die zich mij herinnerde?'

'Ja, juist, een vrouw die ik ken, ze heet Valgerður. Ze gaat vaak naar het theater.'

'En ze herinnerde zich mij?'

Erlendur knikte en zag dat hij zich geen zorgen hoefde te maken om antwoord te geven op de vraag waarom hij überhaupt met andere mensen over Karólína praatte. Ze leek van de faam te genieten, om wat voor redenen dan ook. Hij herinnerde zich de woorden van de toneelleraar over Karólína's ambities, de roem waar ze zo van droomde om als actrice te worden bejegend. Hoe zei hij het ook alweer? De koningin van het theater.

'*Het hoopvolle vuur*,' zei Karólína. 'Het was een heel goed stuk, dat klopt, zo'n beetje de grootste rol die ik heb gespeeld toen ik op mijn top was, als ik het zo mag uitdrukken.'

Ze glimlachte.

'De recensenten waren er niet zo van gecharmeerd, ze vonden het nogal ouderwets volkstoneel. Ze kunnen echt vreselijk zijn. Ze weten zelden waar ze het over hebben.'

'Mijn vriendin dacht dat ze het misschien verwarde met een andere rol, een personage dat ook Magdalena heette.'

'O?'

'Dat was een zieneres, een medium,' zei Erlendur.

Hij probeerde een reactie bij Karólína uit te lokken, maar het was alsof het niet tot haar doordrong en hij bedacht dat hij ofwel op het verkeerde spoor zat, ofwel dat ze een betere actrice was dan men beweerde.

'Die rol ken ik niet,' zei Karólína.

'Ik kan me niet herinneren hoe ze zei dat het stuk heette,' zei Erlendur en hij permitteerde het zich een stapje verder te gaan. 'Ik geloof dat het *De zwendelaar* heette of iets dergelijks.'

Karólína aarzelde.

'Daar heb ik nooit van gehoord,' zei ze toen. 'Was het bij het Nationale Toneel?'

'Dat weet ik niet,' zei Erlendur. 'Die Magdalena geloofde in een spirituele wereld, die net zo werkelijk was als wij twee hier in deze kamer.'

'O.'

'María geloofde ook iets dergelijks. Baldvin heeft je er natuurlijk over verteld.'

'Ik kan me niet herinneren of Baldvin het erover heeft gehad,' zei Karólína. 'Ik geloof niet in geesten.'

'Nee, ik ook niet,' zei Erlendur. 'Hij heeft je niet verteld dat ze hulp zocht bij een ziener, bij een medium?'

'Nee, daar weet ik niets van. Ik weet niet veel over María, om eerlijk te zijn. We praten niet veel over haar als we bij elkaar zijn, Baldvin en ik. We hebben wel wat belangrijkers te doen.'

'Dat geloof ik graag,' zei Erlendur.

'Was er verder nog iets?'

'Nee, dit was het voor dit moment. Ik dank je.'

29

Het was voor Erlendur geen probleem de vrouw te achterhalen die een relatie met Magnús had toen hij stierf. Kristín had hem haar naam verteld en hij vond haar adres in de telefoongids. Hij praatte met haar over de telefoon, maar ze ging een verder gesprek uit de weg toen ze erachter kwam waar het om ging en Erlendur liet het rusten. Later die dag belde hij haar terug en nu drukte hij door met het verhaal dat er waarschijnlijk nieuwe feiten naar boven waren gekomen over het voorval bij het Þingvellirvatn toen Magnús het leven liet.

'Met wie heb je gepraat?' vroeg ze over de telefoon.

'Ik kreeg je naam van Kristín, de zuster van Magnús,' zei Erlendur.

'En wat zei ze over mij?'

'Het ging eigenlijk over jou en Magnús,' zei Erlendur.

Er volgde een lang zwijgen op zijn woorden.

'Misschien is het het beste dat je bij mij thuis komt,' zei de vrouw ten slotte over de telefoon. Ze heette Sólveig, was getrouwd en had twee volwassen kinderen. 'Ik ben deze week overdag thuis,' zei ze.

Toen hij bij haar aan de deur kwam merkte Erlendur dat Sólveig heel erg op haar hoede was en dat ze de zaak snel wilde afhandelen. Ze leek enigszins ontdaan te zijn. Ze stonden bij haar thuis in de vestibule. Ze vroeg hem niet binnen te komen.

'Ik weet niet wat ik je kan vertellen,' zei ze. 'Ik weet niet waarom je hier bent gekomen. Over wat voor nieuwe feiten heb je het?'

'Feiten over jou en Magnús.'

'Ja, dat vertelde je me over de telefoon.'

'En jullie relatie.'

'Heeft Kristín het daar met je over gehad?'

Erlendur knikte.

'De dochter van Magnús heeft onlangs zelfmoord gepleegd,' zei hij.

'Dat heb ik gehoord.'

Sólveig zweeg. Ze had een vriendelijk, knap gezicht, was smaakvol gekleed en ze woonde in een klein rijtjeshuis in Fossvogur. Ze was verpleegster en ze had die week avonddienst.

'Misschien is het beter dat je even binnenkomt,' zei Sólveig ten slotte en ze ging hem voor naar de woonkamer. Hij ging op de bank zitten zonder zijn jas uit te doen.

‘Ik weet niet wat ik je moet vertellen,’ verzuchtte ze. ‘In al die jaren heeft niemand vragen over dat incident gesteld. En dan begint zij erover, het goede mens, en kom jij dingen vragen die niemand eerder heeft gevraagd en nooit zou moeten vragen.’

‘Misschien is dat het probleem geweest,’ zei Erlendur. ‘María’s probleem. Heb je daar ooit bij stilgestaan?’

‘Je kunt je heel goed voorstellen dat ik er niet bij heb stilgestaan. Leonóra bekommerde zich om María. Niemand anders kwam bij haar in de buurt.’

‘Ze gingen samen het meer op met het bootje. Magnús, Leonóra en María.’

‘Daar ben je dus achter gekomen?’

‘Ja.’

‘Ze zaten alle drie in de boot,’ zei Sólveig.

‘Wat is er gebeurd?’

‘Ik heb er vaak over nagedacht. De relatie tussen Magnús en mij. We waren van plan het Leonóra op Þingvellir te vertellen. We waren van plan zo mild mogelijk tegen haar te zijn. Magnús wilde mij mee hebben, Leonóra en ik waren hechte vriendinnen, maar ik had er de moed niet toe. Misschien waren de dingen anders gelopen als ik er ook bij was geweest.’

Sólveig keek Erlendur aan.

‘Je denkt natuurlijk dat ik een serpent ben,’ zei ze.

‘Ik denk niets.’

‘Leonóra was dominant. Altijd. Ontzettend drammerig. Ze was Magnús absoluut de baas. Ze liet het hem weten als haar iets niet beviel, ook in het bijzijn van anderen. Magnús kwam bij mij. Het was een goede man. We begonnen elkaar stiekem te ontmoeten. Ik weet niet wat er gebeurde. We raakten verliefd op elkaar. Misschien had ik in het begin medelijden met hem. We wilden samenwonen. We zouden Leonóra zover krijgen dat ze het begreep. Ik wilde geen stiekeme relatie hebben, achter haar rug om, en een samenzwering tegen haar op touw zetten. Ik wilde de dingen in het daglicht hebben. Ik duldde... ik duldde geen gekuip achter de schermen. Hij wilde ermee wachten het haar te vertellen. Ik oefende druk op hem uit. We werden het erover eens dat hij haar dat weekend op Þingvellir de waarheid zou vertellen.’

‘Vermoedde Leonóra niets?’

‘Nee. Ze had geen flauw vermoeden. Zo was Leonóra. Goedaardig. Ze vertrouwde mensen. Ik schond dat vertrouwen. Magnús ook.’

‘Ben je Leonóra na het ongeluk tegengekomen?’

Sólveig sloeg haar ogen neer.

‘Word je er iets beter van als je dit te horen krijgt?’ vroeg ze. ‘Het is toentertijd onderzocht. Het was een afgedane zaak. Sindsdien heeft niemand vragen gesteld. Als iemand het had moeten doen, dan was ik het, en ik heb het nooit gedaan.’

'Ben je Leonóra nog tegengekomen?'

'Ja. Eenmaal. Het was vreselijk. Afschuwelijk. Het was kort na de uitvaart van Magnús. Ik wist niet of hij haar over ons had verteld voordat hij stierf en ik probeerde bij de uitvaart te doen alsof er niets aan de hand was. Maar ik merkte meteen dat Leonóra niets met me te maken wilde hebben. Ze groette me niet. Deed alsof ik niet bestond. Toen wist ik dat Magnús het haar had verteld.'

'Wilde ze daarna nog met je praten of...?'

'Ja, ze belde me op en vroeg me bij haar thuis in Grafarvogur te komen. Ze was kil toen ze me ontving.'

Sólveig hield een pauze in haar verhaal. Erlendur wachtte geduldig. Hij merkte dat het haar moeilijk viel die gebeurtenis van lang geleden op te rakelen.

'Leonóra vertelde me dat de kleine María op school zat en dat ze mij graag precies wilde vertellen wat er op het meer was gebeurd. Ik zei haar dat ik er niets over hoefde te weten, maar toen lachte ze en zei dat ik er niet zo makkelijk van afkwam. Ik wist niet wat ze bedoelde.'

'Magnús heeft me over jullie twee verteld,' zei Leonóra. 'Hij zei me dat jullie van plan waren te gaan samenwonen en dat hij mij wilde verlaten.'

'Leonóra,' zei Sólveig, 'ik...'

'Hou je mond,' zei Leonóra zonder haar stem te verheffen. 'Ik zal je vertellen wat er gebeurd is. Er zijn twee dingen die jij moet begrijpen. Je moet begrijpen dat ik mijn kind dien te beschermen en je moet begrijpen dat het ook jouw schuld is. Jouw schuld en die van Magnús. Jullie hebben dit over je afgeroepen.'

Sólveig zweeg.

'Wat dacht je wel?' zei Leonóra.

'Ik wou je geen pijn doen,' zei Sólveig.

'Mij geen pijn doen? Je hebt geen idee wat je hebt gedaan.'

'Het ging slecht met Magnús,' zei Sólveig. 'Daarom kwam hij bij mij. Het ging slecht met hem.'

'Dat is een leugen. Het ging niet slecht met hem. Jij hebt hem van me afgepakt, hem naar je toe gelokt.'

Sólveig zweeg.

'Ik wil geen ruzie met je,' zei ze toen zachtjes.

'Nee, dit is een gedane zaak,' zei Leonóra. 'Daar verandert niets aan. Maar ik wil niet in mijn eentje de verantwoording dragen. Jij bent ook verantwoordelijk. En Magnús ook. Jullie twee.'

'Niemand is verantwoordelijk voor zo'n ongeluk. Hij viel overboord. Zulke dingen gebeuren.'

Leonóra glimlachte flauwtjes, een ondoorgrondelijke glimlach. Ze leek in een vreemde toestand te verkeren. Het huis was donker en koud en Leonóra leek zichzelf niet. Sólveig vroeg zich af of ze had gedronken of dat ze misschien onder invloed van medicijnen was.

'Hij viel niet in het water,' zei Leonóra.

'Hoe bedoel je?'

'Hij is niet gevallen.'

'Maar... ik heb het in de kranten gelezen...'

'Ja, het stond in de kranten, maar dat was een leugen.'

'Een leugen?'

'Vanwege María.'

'Ik begrijp je niet.'

'Waarom moest je hem van mij afpakken? Waarom kon je ons niet met rust laten?'

'Hij kwam naar mij, Leonóra. Waarom moest je vanwege María liegen?'

'Begrijp je het niet? Wij zaten met Magnús in de boot. María was bij ons.'

'Bij jullie...? Maar...'

Sólveig staarde Leonóra aan.

'Magnús was alleen in de boot,' zei ze. 'Dat was overal in het nieuws.'

'Dat is een leugen,' zei Leonóra. 'Mijn leugen. Ik was bij hem en María ook.'

'Waarom... waarom moest je liegen...? Waarom...?'

'Dat zal ik je vertellen. Magnús viel niet uit de boot.'

'Wat dan?'

'Ik gaf hem een duw,' zei Leonóra. 'Ik gaf hem een duw en hij verloor zijn evenwicht.'

Het duurde lang voor Sólveig de draad weer opnam. Erlendur luisterde zwijgend naar haar verhaal en hij begreep hoe slecht ze zich voelde over wat er was gebeurd.

'Het was Leonóra die Magnús zo'n duw gaf dat hij in het water viel,' zei ze. 'Zij en María waren er getuige van dat hij verdronk. Magnús had Leonóra over mij verteld. 's Ochtends hadden ze een heftige ruzie gehad. María wist daar niets van, ze wilde mee het meer op. Magnús was kwaad en ze begonnen weer ruzie te maken. Toen begaf de motor het opeens. De bonje werd nog erger dan daarvoor. Magnús ging staan om naar de motor te kijken. Leonóra duwde hem van zich af, het gebeurde in een flits... en hij viel in het water.'

Leonóra keek Sólveig zwijgend aan.

'Konden jullie hem niet redden?' vroeg Sólveig.

'We konden niets doen. De boot slingerde stuurloos heen en weer en we hadden er onze handen vol aan om niet zelf in het water te belanden. De boot dreef weg van Magnús en toen we weer in evenwicht waren was hij verdwenen.'

'Godallemachtig,' kreunde Sólveig.

'Je ziet wat je hebt gedaan,' zei Leonóra.

'Ik?'

'Het kind is ontroostbaar. Ze denkt dat het haar schuld is wat haar vader is overkomen. De ruzie. Alles bij elkaar. Ze heeft alles op zichzelf betrokken. Ze denkt dat zij de hand had in de dood van haar vader. Hoe denk je dat ze daaronder lijdt? Hoe denk je dat zij lijdt? Hoe denk je dat ik lijd?'

'Je moet met een arts praten, een psycholoog. Ze moet hulp krijgen.'

'Ik bekommer me om María. Als jij dit aan de grote klok hangt, ontken ik alles.'

'Waarom vertel je het me dan?'

'Jij gaat niet vrijuit. Ik wil dat je dat weet. Jij draagt evenveel verantwoordelijkheid als ik!'

Toen ze klaar was met haar verhaal keek Sólveig Erlendur lang zwijgend aan.

'Waarom ben je niet naar de politie gegaan?' vroeg hij ten slotte. 'Wat heeft je daarvan weerhouden?'

'Ik vond... ik vond dat ik hier zelf min of meer schuld aan had, zoals Leonóra zei. Aan wat er was gebeurd. Ze was er als de kippen bij om mij daarop te wijzen. Dit is jouw schuld, siste ze me toe. Dit allemaal. Het is jouw fout. Ze richtte haar woede helemaal op mij. Van angst, verdriet en uit een vreemde consideratie voor Leonóra was ik helemaal de kluts kwijt. Ik kon het absoluut niet aan. Het was voor mij zo'n klap. Ik stond hier volkomen machteloos tegenover. En dan was er die arme María. Ik kon de gedachte niet verdragen haar de waarheid over haar moeder te vertellen. Ik kon het niet... Zij...'

'Wat?'

'Het was zo absurd dat ik het nauwelijks geloofde, dat ik niet geloofde dat het was gebeurd.'

'Je had consideratie voor het meisje?' vroeg Erlendur.

'Ik hoop dat je mijn standpunt begrijpt. Ik wilde niemand straffen. Het was een ongeluk, hoe je het ook bekeek. Het kwam niet bij me op aan de woorden van Leonóra te twijfelen. Ze zei me dat ze María er niet in wilde betrekken zolang het meisje nog op school zat.'

'Het is zeker geen pretje geweest daarmee te leven,' zei Erlendur.

'Nee, het is geen pretje geweest, dan kun je wel stellen. Stel je je eens voor hoe het voor hen is geweest, vooral voor María. Toen ik hoorde dat ze zichzelf van het leven had beroofd... kwam het voor mij eigenlijk niet onverwachts. Ik heb... ik heb mezelf verweten dat ik dit heb laten gebeuren. Dat ik heb toegestaan dat Leonóra weg kon komen met wat ze heeft gedaan. Weg te komen door er niets over te zeggen.'

'Waarover maakten ze ruzie in de boot?'

'Magnús zei dat hij van haar af wilde, wat er ook zou gebeuren. Ongeacht wat er gebeurde, zei hij tegen mij. Hij was haar bazige gedrag beu, hij was haar zat, hij zei dat ze gewoon tot een regeling voor de voogdij van María moesten komen. Leonóra zei dat hij het meisje nooit meer te zien zou krijgen. Dat kon hij vergeten. Ze maakten ruzie om haar en María zat erbij en luisterde ernaar. Het was misschien geen wonder dat ze dacht dat het allemaal haar schuld was.'

'Heb je Leonóra of María daarna ooit nog ontmoet?'

'Nee. Nooit. Geen van beiden.'

'Er waren geen getuigen bij?'

'Nee. Ze waren helemaal alleen daar aan het meer.'

'Geen mensen die er overnachtten?'

'Nee.'

'Of bezoekers op Þingvellir?'

'Nee. Geen bezoekers. Dat was de week daarvoor. Magnús en ik waren alleen in het zomerhuis. We hebben het twee keer gebruikt, herinner ik me, om elkaar stiekem te ontmoeten. Toen kwam hij een vrouw tegen waar hij grote verhalen over vertelde omdat ze de meren hier rondom de stad bekeek, omdat ze zo enthousiast over meren was. Dat was daar vlak bij het zomerhuis. Ze bestudeerde een landkaart en was van plan binnendoor naar het Sandkluftavatn te gaan. Ik herinner het me zo goed omdat ik de naam van dat meer nooit eerder had gehoord.'

'Was ze met de auto?' vroeg Erlendur.

'Ja, ik geloof van wel.'

'Wat voor auto?'

'Hij was geel.'

'Geel? Weet je dat zeker?'

'Ja. Heten die dingen geen Mini? Ik zag de auto door het struikgewas wegrijden.'

'Denk je dat het de vrouw is geweest met wie Magnús had gesproken?' vroeg Erlendur, die op het puntje van zijn stoel ging zitten. 'Degene die in die auto zat?'

'Ik geloof van wel, het was vlak bij het zomerhuis.'

'Een Mini? Bedoel je een Austin Mini?'

'Ja, heten die niet zo? Een heel klein autootje.'

'Een gele Austin Mini?'

'Ja, waarom?'

Erlendur was opgestaan.
'Op de weg binnendoor naar het Sandkluftavatn?'
'Mijn god, ja, wat is er aan de hand?'
'Was er iemand bij haar?'
'Dat weet ik niet. Wat is er aan de hand? Wat heb ik gezegd?'
'Is het mogelijk dat er een jongeman bij haar was?'
'Dat weet ik niet. Wat voor mensen waren dat? Ken je ze? Weet je wat voor mensen dat waren?'
'Nee,' zei Erlendur. 'Vermoedelijk. Nee, misschien niet. Het Sandkluftavatn, zei je?'
'Ja, het Sandkluftavatn.'

30

Wat wist hij over het Sandkluftavatn? Hij was er met Eva Lind langs gereden zonder er speciaal op te letten. Het lag ongeveer een uur rijden van Reykjavík, vlak aan de weg ten noorden van Þingvellir, tussen Ármannsfell en Lágafell voordat de weg omhoogging naar de Bláskógaheiði. De vertrouwde berg Skjaldbreiður waakte erover in het noordoosten.

De duiker heette Þorbergur en hij kende de meren in het zuiden van IJsland goed, hij had er vaak gedoken. Hij had vroeger bij de brandweer gewerkt, was de politie van dienst geweest bij de opsporing van smokkelwaar, en hij had gedoken bij de havenhoofden van IJsland op zoek naar vermiste personen. Hij was beschikbaar als iemands verdwijning bekend werd gemaakt, de stranden werden afgezocht of als er in zee en in de meren gedoken moest worden. Maar hij hield op met zijn werk als duiker, veranderde van beroep en werd automonteur, hetgeen nu zijn voornaamste bezigheid was, en hij begon met zijn eigen garage. Erlendur was af en toe met zijn Ford voor een smeerbeurt naar hem toe gegaan. Þorbergur was bijna twee meter lang en Erlendur had hem altijd een trol gevonden met zijn rode haar en baard, zijn lange zwemarmen en krachtige tanden die vaak onder zijn baard tevoorschijn kwamen, want hij had een opgewekte aard en een gulle lach.

'Jullie hebben duikers die voor jullie werken,' zei hij. 'Waarom ga je niet naar hun toe? Ik ben ermee opgehouden. Dat weet je.'

'Ja, ik weet het,' zei Erlendur. 'Het kwam gewoon bij me op met jou te praten om dit te... je hebt je apparatuur toch nog?'

'Jawel.'

'En je rubberboot?'

'Ja. Die kleine.'

'En je duikt soms nog, ook al werk je niet meer voor ons?'

'Niet vaak meer.'

'Dit is geen, hoe zal ik het zeggen, geen officieel onderzoek,' zei Erlendur. 'Dit is eerder een beetje gerommel van mijzelf. Ik zal je uit eigen zak betalen als je dit even wilt doen.'

'Ik kan geen geld van je aannemen, Erlendur.'

Þorbergur zuchtte. Erlendur wist waarom hij was opgehouden met dit werk voor de politie. Op een dag had hij er genoeg van toen hij naar het lijk van een vrouw dook dat in de haven van Reykjavík was gevonden. Ze was al drie weken vermist en het lijk zag er vreselijk uit toen hij ermee aan kwam zwemmen. Hij wilde een dergelijke aanblik niet meer riskeren. Hij wilde 's nachts niet wakker schrikken omdat een vrouw zoals zij hem in zijn dromen niet met rust liet.

'Het is een verdwijning van lang geleden,' zei Erlendur. 'Heel lang geleden. Jongelui. Waarschijnlijk twee. Gisteren kwam er een doorbraak na een patstelling van tientallen jaren. Toegegeven, er is bijzonder weinig om op te bouwen, maar ik vond dat ik in ieder geval met je moest praten. Om mijn geweten te sussen.'

'Met andere woorden, je wilt het op mijn rug laden,' zei Þorbergur.

'Ik kon niemand anders bedenken. Ik ken niemand die dit beter kan.'

'Je weet dat ik ben opgehouden. Ik duik alleen nog maar onder de motor van een auto.'

'Ik begrijp je heel goed,' zei Erlendur. 'Ik zou hier zelf ook mee zijn opgehouden als ik iets anders kon.'

'Wat voor doorbraak?' vroeg Þorbergur.

'In de zaak?'

'Ja.'

'We hebben dit altijd gezien als twee verdwijningen die geen verband met elkaar hielden, maar waarschijnlijk waren ze samen toen ze verdwenen, een jongeman in zijn examenjaar van het gymnasium en een iets oudere vrouw die op de universiteit biologie studeerde. Er is eigenlijk niets wat hen met elkaar verbindt, en we hebben ook niets van ieder afzonderlijk gevonden. De zaak was tot voor kort zo dood als een pier en dat is al tientallen jaren zo. Gisteren ben ik erachter gekomen dat de vrouw, die Guðrún heette en Dúna werd genoemd, vermoedelijk op Þingvellir was en naar het Sandkluftavatn wilde gaan. Ik heb vanochtend de data bekeken. Ze komen in feite niet met elkaar overeen. De vrouw is vermoedelijk laat in de herfst op Þingvellir gezien. Ze was toen waarschijnlijk alleen onderweg. De jongeman verdween pas een paar maanden later. Eind februari 1976 werd de jongen als vermist opgegeven. Het bericht over haar verdwijning kwam medio maart bij ons binnen. Sindsdien heeft men niets over hen gehoord, hetgeen ook ongewoon is; niemand begrijpt het namelijk dat twee gevallen met zo'n korte tussenpoze gebeuren. Meestal is er ergens een spoor. In deze gevallen is er geen enkel spoor gevonden.'

'Lui die rond hun twintigste van leeftijd verschillen storten zich misschien niet zo gauw in een liefdesavontuur,' zei Þorbergur. 'Niet als het meisje ouder is.'

Erlendur knikte. Hij merkte een groeiende interesse bij de duiker.

'Precies,' zei hij. 'Er was niets wat hen twee samenbracht.'

Ze zaten in Þorbergurs kantoor van zijn garage. Drie andere garagemonteurs waren druk bezig met het repareren van auto's en soms keken ze vanuit een ooghoek naar het kantoor. Het was niet veel meer dan een glazen kast en je kon makkelijk vanuit de werkplaats naar binnen kijken. De telefoon ging met regelmatige tussenpozen over en stoorde het gesprek, maar Erlendur liet zich niet van de wijs brengen.

'Ik heb ook het weer van die winter bekeken,' zei hij. 'Het was ongewoon koud. De meeste meren waren bevroren.'

'Ik hoor dat je al een theorie klaar hebt.'

'Ja, maar die hangt aan een zijden draad.'

'En niemand mag hier iets van weten?'

'Het is niet nodig de zaak ingewikkelder te maken dan hij al is,' zei Erlendur. 'Als je iets vindt, dan bel je me op. Als je niets vindt, dan is de zaak even morsdood als ze al was.'

'Ik heb trouwens nooit in het Sandkluftavatn gedoken,' zei Þorbergur. 'Het is in de zomer te ondiep en behalve als het dooit wordt het nooit veel dieper. Ten oosten daarvan liggen andere meren. Het Litli-Brunnavatn, Reyðarvatn, het Uxavatn.'

'Zeker.'

'Hoe heetten ze? Die mensen?'

'Davíð en Guðdrún. Dúna genaamd.'

Þorbergur keek naar de werkplaats. Een nieuwe klant was de garage binnengekomen en keek hun richting op. Het was een vaste klant. Þorbergur knikte naar hem.

'Zou je het voor me willen doen?' vroeg Erlendur en hij stond op. 'Ik sta behoorlijk onder tijdsdruk. Een oude man die op sterven ligt wacht op een antwoord vanaf het moment dat zijn zoon verdween. Het zou mooi zijn hem nieuws over zijn zoon te kunnen geven voordat hij afscheid van deze wereld neemt. Ik weet dat de kans niet groot is, maar dit is het enige wat ik in handen heb en ik wil graag een poging wagen.'

Þorbergur keek hem een tijdje aan.

'Wacht eens even, verwacht je van me dat ik er nu heen rijd?'

'Misschien niet voor de middag.'

'Vandaag?'

'Ik... alleen maar als je kunt. Denk je dat je dit voor mij kunt doen?'

'Heb ik daar iets over gezegd?'

'Dank je,' zei Erlendur. 'Je belt me.'

Hij had nogal wat moeite het zomerhuis te vinden en hij reed tweemaal langs de zijweg. Uiteindelijk zag hij het bord dat door het laaggroeiende struikgewas bijna was verzwolgen. Sólvangur. Hij reed de zijweg omlaag naar het water en parkeerde de auto bij het zomerhuis.

Ditmaal wist hij wat hij zocht. Hij was alleen onderweg en had niemand over zijn klusje verteld. Hij was niet van plan dat te doen voordat de zaak helemaal opgehelderd was, als dat ooit mocht gebeuren. Nog steeds was het te vaag, nog steeds ontbrak het hem aan bewijsmateriaal, nog steeds wist hij niet zeker of datgene wat hij deed juist was.

Hij had met de patholoog-anatoom gesproken die op María sectie had verricht en hem gevraagd of zij kort voor ze overleed slaapmiddelen had genomen. De patholoog-anatoom zei dat hij die in een kleine hoeveelheid had aangetroffen, echter in een te lage dosis om haar dood te verklaren. Erlendur vroeg of het mogelijk was vast te stellen hoe lang voor haar overlijden María die pillen had ingenomen, maar hij kreeg nogal nietszeggende antwoorden. Vermoedelijk diezelfde dag.

'Denk je dat er sprake is van een misdrijf?' vroeg de patholoog-anatoom.

'In feite niet,' zei Erlendur.

'In feite niet?'

'Heb je op haar borstkas brandwonden gevonden?' vroeg Erlendur aarzelend.

De patholoog-anatoom had het sectierapport opengeslagen voor zich liggen. Ze zaten in zijn kantoor. Hij keek op van het rapport.

'Brandwonden?'

'Of een ander soort wonden,' haastte hij zich te zeggen.

'Waar ben je naar op zoek?'

'Dat weet ik zelf nauwelijks.'

'Je had het te horen gekregen als we brandwonden hadden gevonden,' zei de patholoog-anatoom moraliserend.

Erlendur had niet de sleutel van het zomerhuis, maar dat deed er niet toe, zijn aandacht ging uit naar de veranda en de jacuzzi en de afstand tot het water. Een vliesdunne ijslaag lag op het meer en het slijk klotste tegen de berijpte stenen op de oever. Vlakbij lag een kleine zandbank die zich tot in het water uitstrekte, doorsneden door een kreek die nu bevroren was. Erlendur haalde een medicijnflesje tevoorschijn dat Valgerþur hem had geleend en hij vulde het met water van het meer. Hij mat de afstand van de waterkant tot de veranda, vijf passen, en van het eind van de veranda naar de jacuzzi, zes passen. Het buitenbad was afgesloten met een plaat van aluminium en plexiglas die was vastgemaakt met een klein, inferieur hangslot. Hij haalde een kruissleutel uit de Ford en sloeg op het slot tot het opensprong. Toen lichtte hij de plaat op. Hij was loodzwaar en zat vast met een haak die aan de muur van de veranda was bevestigd. Erlendur wist niet veel van jacuzzi's. Hij had nog nooit in zo'n ding gezeten en had er ook totaal geen behoefte aan. Hij nam aan dat de jacuzzi niet meer gebruikt was vanaf het moment dat María zich van het leven beroofde.

Voor hij de stad uit reed was hij naar een zaak voor bouwmaterialen gegaan en hij had gesproken met een employee die beweerde een expert te zijn. De interesse van Erlendur ging uit naar de afvoer en de techniek die gebruikt werd om het bad te vullen. 'Leegmaken en vullen,' zei hij. De employee wilde vol enthousiasme beginnen, maar toen hij zag dat Erlendur niet de intentie had er een te kopen, liet hij al gauw zijn verkooppraatje varen en werd een en al redelijkheid. Hij liet Erlendur een gewild type zien met computergestuurde af- en aanvoer en zei dat die vandaag de dag het meest verkocht werd. Erlendur bromde.

'Is dat het beste systeem?' vroeg hij.

De medewerker fronste zijn wenkbrauwen.

'Veel mensen willen het gewoon handmatig regelen,' zei hij.

'Handmatig?' herhaalde Erlendur en hij keek de verkoper aan. Hij was amper de kleuterjaren ontgroeid met zijn zachte vlasbaard.

'Ja, ze willen gewoon zelf de kraan opendraaien en hem weer dichtdraaien als hij vol is. Zoals je het in een badkuip laat stromen. Dan regel je de warmte met een normale warme en koude kraan.'

'En als het niet handmatig gebeurt?'

'Dan installeer je een regelkast, vaak binnen op het toilet, je drukt op de knop en de jacuzzi begint zich met warm water van een bepaalde temperatuur te vullen. Daarna druk je op een andere knop en dan stroomt hij leeg.'

'Is er dan een leiding voor het water naar de jacuzzi en een andere voor het water uit het bad?'

'Nee, het is dezelfde leiding. Het water wordt er via een rooster in de bodem uit gezogen en als je het wilt vullen gaat het water via het rooster dezelfde weg omhoog.'

'Maar het is niet hetzelfde water?'

'Nee, natuurlijk niet, vers water komt via het rooster omhoog, maar sommige mensen vinden dat een beetje een nadeel van zo'n jacuzzi. Ik zou zelf zo'n ding niet nemen.'

'Wat? Wat is het nadeel?'

'Dat de afvoer en de aanvoer een en dezelfde pijp is.'

'Ja, en dan?'

'De pijp moet zichzelf reinigen, maar soms komen er kleine ongerechtigheden mee van de laatste lozing. Iets wat zich in de pijp heeft vastgezet, snapt u. Daarom willen de mensen het liever handmatig doen. Misschien is het alleen maar voor de show. Sommigen zeggen dat dit de sjiekste jacuzzi is.'

Nadat hij met de verkoper had gepraat pleegde hij een kort telefoontje met de man van de technische recherche die de leiding had bij het onderzoek in het zomerhuis. Hij meende zich een kleine regelkast in de badkamer te herinneren voor het vullen en legen van de jacuzzi.

'Op zo'n manier dat de jacuzzi computergestuurd is?' vroeg Erlendur.

'Volgens mij wel,' zei de deskundige. 'Anders moet ik het misschien beter bekijken.'

'Wat is het voordeel van computerbesturing?'

'Nou, dan hoef je de jacuzzi niet handmatig te vullen,' zei de man van de technische recherche en hij schrok enigszins toen Erlendur met een diepe kreun de verbinding verbrak.

Erlendur keek een tijdje omlaag in de jacuzzi. Hij zocht waterkranen, maar zag ze niet. De medewerker had hem gezegd dat ze in de buurt van de jacuzzi konden zitten, vaak onder de opbouw. Erlendur vond geen klep in de opbouw waar een waterkraan in verborgen kon zitten. Hij nam aan dat het vullen computergestuurd werd, zoals de deskundige zich meende te herinneren. Hij klom in de jacuzzi. Hij boog zich naar het rooster en het lukte hem het los te maken. Het was donker geworden, maar hij had een zaklamp bij zich waarmee hij het binnenste van het rooster verlichtte. Een klein beetje water in de pijp was bevroren. Erlendur haalde een tweede medicijnflesje uit zijn zak en deed er een stukje ijs in dat hij uit de pijp brak.

Hij sloot de jacuzzi met de zware plaat plexiglas af en hing het nutteloze hangslot weer op zijn plek.

Hij liep om het zomerhuis heen tot hij achter bij de schuur kwam waarvan hij aannam dat dit het botenhuisje was. Hij drukte zijn gezicht tegen het ruitje en zag een boot in het huisje staan. Hij vroeg zich af of het dezelfde boot zou zijn als die waar Magnús en Leonóra op die noodlottige dag lang geleden in hadden gezeten. Een lage stapel hout lag vlak bij de schuur.

Het botenhuisje was met een klein hangslot afgesloten en opnieuw kostte het Erlendur geen moeite het open te breken. Binnen in de schuur lichtte hij met zijn zaklamp bij. De boot was oud en in een vervallen staat alsof hij al lang niet was gebruikt. Tegen beide wanden stond een werktafel en tegen de gevel schappen die van de vloer tot aan het plafond reikten. Op een van de lagere schappen bij de vloer zag hij een oude buitenboordmotor van het merk Husqvarna.

Erlendur lichtte zorgvuldig bij achter de schappen en over de vloer. In het botenhuisje werden verschillende dingen bewaard die vanzelfsprekend horen bij een zomerhuis: tuingereedschap zoals een kruiwagen en schoppen, een gasfles en een gril, blikken en potten met vernis, en ook allerlei soorten hengels. Erlendur wist niet precies waar hij naar zocht en pas toen hij bijna een kwartier in de schuur stond en elk hoekje en gaatje had bijgelicht, begon het hem te dagen.

Het was dus heel praktisch gebeurd. Er was niet geprobeerd het apparaat te verbergen, integendeel, maar het was op de een of andere manier ook niet opvallend. Het was onderdeel van de inrichting, onderdeel van de chaos,

desalniettemin trok het de aandacht toen hij wist waar hij naar zocht.
Hij bescheen het met de zaklamp: een kist die net zo groot en dik was als een attachékoffertje. Het apparaat zag er onschuldig uit, maar op een vreemde manier riep het bij hem oude angsten op van toen hij op de heide in het oosten bijna was doodgevroren.

Leonóra had altijd gezegd dat het ongeluk hun geheim was en dat niemand mocht weten wat er werkelijk was gebeurd. Het zou hen mogelijk van elkaar verwijderen. Het was het beste niet over die vreselijke gebeurtenis te praten. Het ongeluk was gebeurd, niemand viel iets te verwijten en dit was iets van hen alleen. Van nu af aan zou er niets veranderen, niets zou hen zover krijgen te vertellen wat er precies aan boord was voorgevallen. María luisterde naar haar moeder en stelde al haar vertrouwen in haar. Pas veel later kwamen de langdurige consequenties van de leugens aan het licht. María's leven zou nooit meer hetzelfde zijn, hoezeer haar moeder dit ook wenste. Het zou nooit meer onbeschadigd zijn.

Naarmate de tijd verstreek herstelde María zich van de hallucinaties en de depressies die haar hadden geplaagd na het overlijden van haar vader, en zelfs haar angsten namen af, maar het schuldgevoel sluimerde altijd in haar binnenste zodat er voor de rest van haar leven amper een dag voorbijging waarop ze niet dacht aan het voorval op het Þingvellirvatn. Het kon op ieder moment van de dag gebeuren. Ze had geleerd die gedachten te verstikken zodra ze de kop opstaken, maar ze waren hardnekkig en María voelde zich zo slecht dat ze niet kon vertellen wat er was gebeurd, dat ze zich niet kon ontlasten door over het ongeluk te praten, dat ze soms overwoog zichzelf van het leven te beroven, een eind te maken aan haar ellende en verdriet. Niets was erger dan het benauwende zwijgen dat haar elke dag en soms vaker op een dag aanvloog.

Ze had nooit op een normale manier om haar vader kunnen rouwen, nooit afscheid van hem kunnen nemen, nooit de kans gehad hem te missen. Dat vond ze des te erger omdat ze zich altijd sterk tot hem aangetrokken had gevoeld en omdat hij altijd goed voor zijn kleine meisje was geweest. Ze had ook geen herinneringen meer over hem van voor het voorval. Die luxe stond ze zichzelf niet toe.

'Vergeef me,' fluisterde Leonóra.

María zat zoals gewoonlijk bij haar moeder op de rand van het bed. Ze wisten beiden dat ze nog maar korte tijd te leven had.

'Wat?' zei ze.

'Het... was verkeerd. Helemaal vanaf het begin. Ik... vergeef me...'

'Het is in orde,' zei María.

'Nee... het is niet in orde. Ik geloof dat... Ik dacht aan jou. Ik deed het voor

jou. Je... je moet dat begrijpen. Ik wilde niet... dat jou iets zou overkomen.'
'Dat weet ik,' zei María.
'Maar... ik... ik had het ongeluk niet moeten verzwijgen.'
'Je had het beste met me voor,' zei María.
'Ja... maar dat was ook uit eigenbelang...'
'Nee,' zei María.
'Kun je het me vergeven?'
'Maak je daar nu geen zorgen over.'
'Kun je het?'
María zweeg.
'Ga je vertellen wat er gebeurd is als ik dood ben?'
María gaf geen antwoord.
'Vertel het...' kreunde Leonóra. 'Doe het... voor jezelf... Vertel het... Vertel alles.'

31

De volgende twee dagen verzamelde Erlendur meer inlichtingen over wat er volgens hem gebeurd kon zijn in het zomerhuis op de avond dat María dood gevonden werd. Hij was nog niet bereid met zijn hypothese voor de dag te komen en hij vroeg zich af of het beter zou zijn met ieder afzonderlijk of met Baldvin en Karólína samen te praten. Hij had met niemand over zijn onderzoek gesproken. Sigurður Óli en Elínborg wisten dat hij druk bezig was met iets, maar ze hadden geen idee wat dat was en Valgerður kreeg minder van hem te horen dan ze gewend was. De zaak eiste al zijn aandacht op. Hij wachtte ook nog steeds op een telefoontje over het Sandkluftavatn.

De afgelopen dagen was het verlangen weer naar het oosten naar het verlaten huis en de heide te gaan zo groot geworden dat het hem aanvloog.

Hij zat thuis aan een kom havermout en zure leverworst toen hij op de deur hoorde kloppen. Hij ging naar de deur en deed open voor Valgerður, die hem op de wang kuste en langs hem heen naar binnen glipte. Ze deed haar jas uit, legde die op een stoel en ging in de keuken bij hem zitten.

'Ik heb al tijdenlang niks van je gehoord,' zei ze terwijl ze voor zichzelf havermout in een kom deed. Erlendur sneed voor haar een stuk leverworst af. Hij vond de worst niet zuur genoeg, ook al had hij gevraagd de worst rechtstreeks uit de zuurton te halen die in de winkel bij de vleesvitrine stond. De jonge knul die hem bediende deed het met een misprijzende blik en hij had er duidelijk geen zin in zijn hand in het zuur te dopen. Erlendur had op dezelfde rit worstjes van schapen- en papegaaiduikersvlees gekocht, borststuk en wat ingemaakte lamskop, die hij buiten op het balkon in wei bewaarde.

'Ik zat tot over mijn oren in het werk,' zei Erlendur.

'Waar ben je zo druk mee?' vroeg Valgerður.

'Nog steeds dezelfde zaak.'

'Geesten en spoken?'

'Ja. Iets dergelijks. Wil je koffie?'

Valgerður knikte en hij stond op om koffie voor haar in te schenken. Ze zei dat hij er moe uitzag en ze vroeg of hij geen vrij kon nemen. Hij zei dat hij nog een hoop vrije dagen had, maar hij had tot dan toe geen kans gehad er gebruik van te maken.

'Hoe verliep het gesprek van laatst? Met Halldóra?'

'Nogal beroerd,' zei Erlendur. 'Ik weet niet of het wel een goed idee was haar te ontmoeten. Er is zoveel wat we samen niet voor elkaar hebben gekregen.'

'Zoals?' vroeg Valgerður voorzichtig.

'Ach, ik weet het niet. Verschillende dingen.'

'Niet iets waarover je wilt praten?'

'Volgens mij heeft het geen zin. Ze vindt dat ik niet eerlijk tegenover haar ben geweest.'

'En is dat ook zo?'

Erlendur fronste zijn wenkbrauwen. Hij stond bij het koffiezetapparaat en Valgerður draaide zich naar hem om.

'Het hangt er misschien van af hoe je het bekijkt,' zei hij.

'O?' zei Valgerður.

Erlendur slaakte een diepe zucht.

'Zij was oprecht en trouw in de relatie. Ik was dat niet. Dat is het grote verraad. Mijn gebrek aan oprechtheid in de relatie.'

'Ik denk dat ik er geen trek in heb dat te horen, Erlendur,' zei Vangerður. 'Het zijn mijn zaken niet, het is lang geleden en het heeft niets met ons te maken. Met onze relatie.'

'Ja, ik weet het. Maar... ik begrijp haar misschien beter. Ze heeft hier al die tijd, al die jaren over nagedacht. Ik geloof dat haar boosheid daaruit voortkomt.'

'Uit een onbeantwoorde liefde?'

'Het is waar wat ze zegt. Halldóra was eerlijk in dat wat ze deed. Ik niet.'

Erlendur schonk twee koppen koffie in en zette ze op de keukentafel.

'Het is niet goed van iemand te houden die je liefde niet kan beantwoorden...' zei Valgerður.

Erlendur keek haar aan.

'Nee, waarschijnlijk niet,' zei hij en hij veranderde van onderwerp. 'Ik ben een andere relatie aan het onderzoeken en ik weet eigenlijk niet wat ik ermee aan moet. Het is een gebeurtenis die vele jaren geleden is voorgevallen. Een vrouw die Sólveig heet begon een affaire met de man van haar beste vriendin. Die relatie eindigde op een gruwelijke manier.'

'Mag ik vragen wat er gebeurde?'

'Ik weet niet of dat ooit helemaal duidelijk zal worden,' zei Erlendur.

'Het spijt me, je kunt er natuurlijk niet met Jan en alleman over praten.'

'Nee, het geeft niet. De man stierf, hij verdronk in het Þingvellirvatn. De vraag is hoe groot het aandeel van zijn vrouw daarin is geweest. En hoe groot de schuld is die hun dochtertje op zich heeft geladen.'

'O?'

'Die kan behoorlijk zijn geweest,' zei Erlendur. 'De dochter werd betrokken in de ruzie van haar ouders.'

‘Moet je daar iets mee doen?’ vroeg Valgerður.
‘Ik denk dat het niets oplevert.’
Erlendur zweeg.
‘Hoe zit het met al die vrije dagen van je, wil je daar niet iets mee doen?’ vroeg Valgerður.
‘Ik moet proberen ze op te maken.’
‘Waar had je aan gedacht?’
‘Ik kan proberen een paar dagen onder te duiken.’
‘Onderduiken?’ zei Valgerður. ‘Ik dacht eerder aan de Canarische Eilanden of iets dergelijks.’
‘Nee, daar heb ik niks mee.’
‘Hoe zit het, heb jij ooit tijd om naar het buitenland te gaan?’
‘Nee.’
‘Heb je daar geen zin in?’
‘Niet bepaald.’
‘De Eiffeltoren, de Big Ben, het Empire State Building, het Vaticaan, de piramiden...?’
‘Soms zou ik wel de kathedraal van Keulen willen zien.’
‘Waarom ga je er dan niet heen?’
‘Het is niet meer dan een gedachte.’
‘Wat bedoel je met “onderduiken”?’
‘Ik wil graag naar het oosten,’ zei Erlendur. ‘Een paar dagen verdwijnen. Dat heb ik wel eens vaker gedaan. De Harðskafi...’
‘Ja?’
‘Dat is mijn Eiffeltoren.’

Karólína leek niet verbaasd Erlendur weer bij haar thuis in Kópavogur voor de deur te zien staan en ze vroeg hem meteen binnen te komen. Hij was een paar dagen oppervlakkig haar gangen nagegaan en hij had geconstateerd dat ze een nogal monotoon leven leidde. Ze verscheen om negen uur op haar werk en kwam rond zessen thuis. Onderweg stopte ze bij een kleine buurtwinkel waar ze haar boodschappen deed. ’s Avonds bracht ze thuis door, keek tv of las. Op een avond kreeg ze een vriendin op bezoek. Toen trok ze de gordijnen dicht. Erlendur zat de hele tijd in zijn auto en zag de vriendin kort na middernacht weggaan. Ze liep de straat uit in een lange rode jas en verdween om de hoek.
‘Ben je nog steeds bezig met Baldvins vrouw?’ vroeg Karólína plompverloren toen ze Erlendur voorging naar de woonkamer. Ze vroeg het zonder echt geïnteresseerd in een antwoord te lijken. Karólína leek haar gedachten de vrije loop te laten, alsof het haar niet raakte dat iemand van de politie in korte tijd tweemaal bij haar op bezoek kwam. Erlendur wist niet of ze dat speelde.

'Jullie hebben met elkaar gepraat, Baldvin en jij?' vroeg hij.
'Natuurlijk. We zien er de grap wel van in. Probeer je nog steeds staande te houden dat wij María iets hebben aangedaan?'
De vraag werd weer gesteld alsof een antwoord er nauwelijks toe deed omdat Erlendurs hypothese – als het al een hypothese was – te dwaas was om serieus te nemen.
'Is het zo absurd om dat te denken?'
'Absurd?' zei Karólína.
'Er staat bijvoorbeeld veel geld op het spel,' zei Erlendur terwijl hij in de woonkamer om zich heen keek.
'Ben je dit echt als een moord aan het onderzoeken?'
'Heb je je ooit afgevraagd of er een leven na de dood is?' vroeg Erlendur terwijl hij op een stoel ging zitten.
'Nee, waarom?'
'María deed dat,' zei Erlendur. 'Heel vaak. Je zou kunnen zeggen dat ze in de weken voor ze stierf aan niets anders heeft gedacht. Ze probeerde antwoorden te vinden via een medium. Zegt je dat iets?'
'Ik weet wat een medium is,' zei Karólína.
'We kennen er een die zij heeft opgezocht. Andersen heet hij. Ze maakte opnames bij hem die ze mee naar huis heeft genomen. We weten van een ander medium waar ze heen is gegaan, een vrouw die ik nog steeds niet heb achterhaald. Ze heette of noemde zich Magdalena. Zegt die naam je iets?'
'Nee.'
'Ik zou haar eigenlijk heel graag ontmoeten,' zei Erlendur.
'Ik ben nog nooit van mijn leven bij een medium geweest,' zei Karólína.
Erlendur keek haar lang aan en vroeg zich af of hij haar zou vertellen wat hij dacht dat er was gebeurd in plaats van bij haar als een kat om de hete brei te draaien. Hij had een goed onderbouwde theorie, maar hij kon die moeilijk bewijzen. Hij had de mogelijkheden van alle kanten bekeken, maar kon er geen conclusies aan verbinden. Erlendur wist dat het tijd werd iets aan de zaak te doen, hem in beweging te brengen, maar hij aarzelde omdat hij zo bitter weinig concreets in handen had. Het waren veelal vermoedens, gebouwd op een zwak fundament dat ongetwijfeld makkelijk te ontzenuwen was. Wellicht kon hij in de toekomst bewijsmateriaal naar boven halen, maar hij was de hele zaak beu en wilde verder, zich op andere zaken richten.
'Heb je ooit een medium gespeeld?' vroeg Erlendur.
'Je bedoelt op het toneel? Nee, dat heb ik nooit gedaan,' zei Karólína.
'Je kent geen medium dat zich Magdalena noemt?'
'Nee.'
'Iemand met dezelfde naam als het personage dat je op het toneel hebt gespeeld?'

'Nee. Ik ken geen Magdalena.'

'Ik heb dat laten uitzoeken. In de hele omgeving van Reykjavík is er geen medium met die naam.'

'Wil je niet gewoon zeggen waar je heen wilt?'

Erlendur glimlachte.

'Dat wil ik misschien wel doen.'

'Eindelijk.'

'Ik zal je vertellen wat ik denk dat er is gebeurd,' zei Erlendur. 'Ik denk dat jij en Baldvin María tot zelfmoord hebben gedreven.'

'Zo?'

'Ze was totaal van de kaart nadat haar moeder stierf. Ze had twee jaar lang haar doodsstrijd meegemaakt en na veel pijn en ellende nam ze ten slotte afscheid van haar. Ze begon zich allerlei dingen in te beelden en te zoeken naar een teken dat haar moeder haar zou geven als bewijs dat ze veilig was of dat er een ander soort leven na dit leven was, beter dan het tranendal waar wij nu in zitten. En er was niet veel voor nodig om María een duwtje te geven. Ze was ontzettend bang voor het donker, ze was in feite één brok zenuwen nadat haar moeder stierf en ze wilde dolgraag geloven dat het in een andere wereld goed met haar ging. Ze had geschiedenis gestudeerd, maar er was geen sprake van enige rationalisatie, ze had alleen een diepgeworteld geloof, hoop en liefde. Ze begon zich van alles in te beelden. Leonóra verscheen bij hen thuis in Grafarvogur. Ze wendde zich tot een medium. Heb je daar soms enig aandeel in gehad? Haar dat duwtje gegeven?'

'Wat bedoel je? Heb je daar bewijzen voor?'

'Geen enkel,' zei Erlendur. 'Je hebt het goed gepland.'

'Waarom zouden we zoiets in godsnaam hebben gedaan?'

'Er staat een hoop geld op het spel. Baldvin zit diep in de schulden en hij is er niet bepaald de man naar ze af te lossen, hoewel hij een redelijk salaris heeft. Jullie ontdeden je van María en zouden de rest van jullie leven in weelde leven. Er zijn moorden om veel kleinere bedragen gepleegd.'

'Je noemt dit moord?'

'Ik weet niet hoe ik het anders moet noemen, als je erbij stilstaat. Ben jij Magdalena?'

Karólína keek Erlendur lang aan, haar gezicht doodserieus.

'Ik denk dat je nu moet gaan,' zei ze.

'Heb je haar iets gezegd dat de gebeurtenissen in gang kan hebben gezet en die eindigden met haar zelfmoord?'

'Ik heb niets meer te zeggen.'

'Heb je op de een of andere manier een aandeel in de dood van María gehad?'

Karólína was opgestaan. Ze liep naar de voordeur en deed die voor

Erlendur open.

'Ga nu,' zei ze.

Erlendur was ook opgestaan en liep achter haar aan.

'Denk je niet dat je niet een klein beetje verantwoordelijk bent voor wat er met María is gebeurd?' vroeg hij.

'Nee,' zei Karólína. 'Het ging niet goed met haar. Ze pleegde zelfmoord. Wil je nu gaan?'

'Heeft Baldvin je ooit verteld over het experiment dat hij uitvoerde toen hij student medicijnen was op de universiteit? Hij nam deel aan een experiment om een jongeman te doden en hem weer tot leven te wekken. Weet je daarvan?'

'Waar heb je het over?'

'Ik denk dat dat het laatste zetje is geweest,' zei Erlendur.

'Wat?'

'Vraag het aan Baldvin. Vraag aan Baldvin of hij een man kent die Tryggvi heet. Of hij tegenwoordig contact met hem heeft. Vraag het hem.'

'Wil je nu gaan?' zei Karólína.

Erlendur stond in de deuropening en weigerde op te geven. Karólína's gezicht was knalrood geworden.

'Ik meen te weten wat er in het zomerhuis is gebeurd,' zei hij. 'En dat is geen fraai verhaal.'

'Ik weet niet waar je het over hebt.'

Karólína duwde hem de deur uit, maar hij gaf niet op.

'Zeg tegen Baldvin dat ik van het elektroshockapparaat af weet,' zei hij terwijl de deur dichtknalde.

32

Erlendur zat in het donker en wachtte in onzekerheid.

Hij was 's ochtends laat wakker geworden. Eva Lind was de avond ervoor op bezoek geweest. Ze hadden over Valgerður gepraat. Hij wist dat Eva niet veel om haar gaf en als ze haar auto op de parkeerplaats voor Erlendurs flat zag staan, wachtte ze soms tot Valgerður weer was gegaan voor ze bij hem op de deur klopte.

'Waarom kun je niet gewoon aardig tegen haar zijn?' vroeg Erlendur aan zijn dochter. 'Ze verdedigt je constant als we het over jou hebben. Jullie zouden prima vriendinnen kunnen zijn als jij het jezelf toestond haar te leren kennen.'

'Daar ben ik niet in geïnteresseerd,' zei Eva Lind. 'Ik ben niet geïnteresseerd in het vrouwvolk in jouw leven.'

'Vrouwvolk? Het is geen vrouwvolk. Het is Valgerður, punt uit. Er is nooit vrouwvolk geweest.'

'Laat maar zitten,' zei Eva Lind. 'Heb je koffie?'

'Wat kom je doen?'

'Gewoon, ik verveel me.'

Erlendur ging op zijn stoel zitten. Eva Lind was tegenover hem languit op de bank gaan liggen.

'Ben je van plan hier te slapen?' vroeg Erlendur terwijl hij naar de klok keek. 'Het is al ruim na middernacht.'

'Ik weet het niet,' zei Eva Lind. 'Wil je het hoofdstuk over je broer nog eens voorlezen?'

Erlendur keek zijn dochter lang aan voor hij opstond en naar de boekenplank liep. Hij pakte het boek, ging weer zitten en begon voor te lezen over het voorval, zijn passieve vader, hoe hijzelf als futloos en eenzelvig werd beschreven en hoe hij naar de stoffelijke resten van zijn broer had gezocht. Erlendur keek naar zijn dochter toen hij het verhaal uit had. Hij dacht dat ze in slaap was gevallen. Hij legde het boek op het tafeltje naast zijn stoel, zat met zijn handen in zijn schoot en dacht na over de woede van zijn moeder jegens degene die het verhaal had opgetekend. Zo verstreek een lange tijd tot Eva Lind zuchtte.

'Je hebt sindsdien geprobeerd hem in leven te houden,' zei ze.

'Ik weet niet of...'

'Is de tijd niet gekomen dat hij dood mag gaan?'

Eva Lind deed haar ogen open, draaide haar hoofd en keek haar vader lang aan.

'Is de tijd niet gekomen dat hij van jou dood mag gaan?'

Erlendur zweeg.

'Waarom zou jij je daar druk om maken?' vroeg hij ten slotte.

'Omdat het slecht met je gaat, veel slechter dan met mij af en toe,' zei Eva Lind.

'Ik weet niet of dit jou iets aangaat,' zei Erlendur. 'Dit is mijn zaak. Ik doe wat ik moet doen.'

'Ga naar het oosten of waar het ook is dat jullie zijn geboren. Ga erheen en doe wat je moet doen. Maak je van hem los en bevrijd jezelf. Je moet het accepteren na al die jaren. En hij ook. Je moet het hem toestaan dood te gaan. Jij moet het accepteren en hij moet het accepteren. Je moet je van hem losmaken. Je moet je van dat spook bevrijden.'

'Waarom zou jij je daar druk om maken?'

'Zeg jij, die nooit iemand met rust kan laten.'

Ze zwegen een tijdje tot Eva Lind hem vroeg of ze op de bank mocht slapen, ze wilde liever niet naar huis.

'Doe maar,' zei Erlendur. 'Slaap maar hier.'

Hij stond op om naar bed te gaan.

'Als het ooit nodig is geweest, dan heb ik het al lang geleden gedaan,' zei Eva Lind, die zich omdraaide met haar gezicht naar de bank.

'Wat was nodig?'

'Jou vergeven,' zei Eva Lind.

Erlendur schrok op uit zijn mijmeringen toen hij een auto op het erf hoorde stoppen. Het portier ging open en hij hoorde buiten op het grind iemand uitstappen en in de richting van het botenhuisje lopen. Het daglicht scheen door twee raampjes naar binnen, eentje aan elke kant, dat het stof liet schitteren. Buiten zag hij de zon glinsteren op het Þingvellirvatn, dat spiegelglad was in de herfstrust. De deur ging open en Baldvin kwam binnen, die de deur achter zich afsloot. Het duurde even voor het licht aan het plafond aanging. Baldvin was zich in het begin nergens van bewust en Erlendur zag dat hij iets zocht, hij bukte en kwam weer overeind met het elektroshockapparaat in zijn hand.

'Ik dacht misschien dat je niet zou komen,' zei Erlendur terwijl hij overeind kwam vanuit de hoek waar hij had gezeten en naar voren in het licht stapte.

Baldvin schrok zich lam en liet bijna het apparaat uit zijn handen vallen.

'Wel alle duivels!' kreunde hij voor hij weer in de plooi trok en probeerde kwaadheid en verontwaardiging voor te wenden. 'Wat...? Wat moet dit betekenen? Wat doe je hier?'

'Is het niet eerder de vraag wat jíj hier doet?' vroeg Erlendur kalm.

'Ik... dit is mijn zomerhuis... wat bedoel je, wat ik hier doe? Dat gaat je niets aan. Wil je niet... waarom zit je mij zo op de hielen?'

'Ik dacht al half en half dat je niet zou komen,' zei Erlendur. 'Maar toen hield je het niet langer uit en wilde je het apparaat naar een veilige plek brengen. Het geweten begint een beetje aan je te knagen. Je bent misschien niet meer zo zeker als voorheen dat je hiermee weg kunt komen.'

'Ik weet niet waar je het over hebt. Waarom laat je mij niet met rust?'

'Vanwege María, zij laat mij niet met rust, als een oud griezelverhaal. Er zijn verschillende dingen die haar betreffen waarvan ik vind dat ik ze met je moet bespreken, verschillende vragen waarvan ik weet dat zij die zelf aan jou had willen stellen.'

'Wat kraam je voor onzin uit? Heb jij het slot van de deur opengebroken?'

'Dat heb ik een paar dagen geleden gedaan,' erkende Erlendur. 'Toen ik probeerde de lege plekken in te vullen.'

'Wat is dat voor lariekoek?' vroeg Baldvin.

'Ik hoopte dat jij me dat zou vertellen.'

'Ik ben hier in het botenhuisje om iets te repareren,' zei Baldvin.

'Ja, natuurlijk. Iets anders. Waarom gebruik je water uit het Þingvellirvatn voor je jacuzzi?'

'Wat?'

'Ik heb een monster uit de jacuzzi genomen, uit de afvoer. Het water voor het zomerhuis en voor de jacuzzi komt uit de bron hierboven. Het wordt in het huis elektrisch verwarmd en dan wordt het in het bad gepompt. Waarom zou het fijne gruis uit het Þingvellirvatn dan in de afvoer van de jacuzzi zitten?'

'Ik weet niet waar je het over hebt,' zei Baldvin. 'Soms poedelen... poedelden we 's zomers in het meer en dan gingen we in de jacuzzi.'

'Ja, maar ik heb het over veel meer water. Ik geloof dat de jacuzzi met water uit het meer gevuld is geweest,' zei Erlendur.

Baldvin, met het elektroshockapparaat nog steeds in zijn hand, liep achterwaarts het botenhuis uit en wilde het apparaat in de kofferbak van zijn auto leggen. Erlendur ging achter hem aan en pakte het apparaat van hem af. Baldvin bood geen tegenstand.

'Ik heb met een dokter gepraat,' zei Erlendur. 'Ik vroeg hem hoe je te werk moet gaan om een hartstilstand op te wekken zonder dat het sporen achterlaat. Hij zei dat je resoluut moest zijn en dat je een heleboel koud water moest hebben. Jij bent dokter. Ben je het daarmee eens?'

Baldvin stond bij de kofferbak van zijn auto en gaf geen antwoord.

'Was dat niet de methode die jullie in de goede oude tijd op Tryggvi toepasten?' vroeg Erlendur. 'Je kon bij María geen medicijnen gebruiken. Er mocht immers niets gevonden worden? Als er sectie op María zou worden verricht. Een ietsepietsie van een slaapmiddel om de kou te verdoven was het enige wat je kon gebruiken.'

Baldvin knalde de kofferbak dicht.

'Ik weet niet waar je het over hebt,' herhaalde hij furieus. 'En ik denk dat je het zelf ook niet weet. María heeft zich opgehangen. Ze is niet in de jacuzzi in slaap gevallen, als je je dat soms inbeeldt. Je moest je schamen!'

'Ik weet dat ze zich heeft opgehangen,' zei Erlendur. 'Ik wil alleen graag weten waarom. En hoe jij en Karólína haar zover hebben gekregen dat te doen.'

Baldvin leek weg te willen rijden om niet langer naar Erlendur te hoeven luisteren. Hij ging naar het portier van de auto, maakte hem open en wou in de auto gaan zitten, maar hij aarzelde en draaide zich om naar Erlendur.

'Ik word hier doodmoe van,' zei hij bruusk en hij knalde het autoportier weer dicht. 'Doodmoe om verdomme constant lastiggevallen te worden. Wat wil je?'

Hij liep op Erlendur af.

'Het was Tryggvi die je op het idee bracht, nietwaar?' vroeg Erlendur op zijn kalmst. 'Wat ik graag zou willen weten is hoe jullie María erin hebben gekregen.'

Baldvin staarde Erlendur vuil aan, die naar hem terug staarde.

'Wij?' vroeg Balvin. 'Hoezo, wij?'

'Jij en Karólína.'

'Ben je krankjorum geworden?'

'Waarom maak je je nu opeens zo druk over het elektroshockapparaat?' vroeg Erlendur. 'Dat heeft hier in alle rust gelegen sinds María stierf. Waarom is het nu zo belangrijk dat ding weg te halen?'

Baldvin gaf geen antwoord.

'Is het omdat ik het er tegen Karólína over had? Werd je bang? Vroeg je je af of het niet beter was je ervan te ontdoen?'

Baldvin staarde hem nog steeds aan zonder een woord te zeggen.

'Zouden we niet even binnen gaan zitten?' vroeg Erlendur. 'Voordat ik mijn collega's bel?'

'Wat voor bewijzen heb je?' vroeg Baldvin.

'Het enige wat ik heb is een bruin vermoeden. Ik zou dat dolgraag hard willen maken.'

'En wat dan?'

'Wat dan? Ik weet het niet. Weet jij het?'

Baldvin zweeg.

'Ik weet niet of het mogelijk is iemand in staat van beschuldiging te stellen voor hulp bij zelfmoord of voor het doelbewust aanmoedigen dat iemand zich van het leven berooft,' zei Erlendur. 'Jij en Karólína hebben dat gedaan. Systematisch en zonder te aarzelen. Waarschijnlijk speelde geld een rol. Het is een hoop geld en je verkeert in financiële problemen. Dan is er natuurlijk nog Karólína. Je zou alles krijgen wat je wou als María stom genoeg was om dood te gaan.'

'Wat voor gesprek is dit eigenlijk?'

'Dit is de harde werkelijkheid.'

'Je kunt niets bewijzen,' zei Baldvin. 'Dit is kletskoek!'

'Vertel je mij wat er gebeurde? Waar is dit begonnen?'

Baldvin aarzelde nog steeds.

'Om je de waarheid te zeggen, ik meen min of meer te weten wat er gebeurde,' zei Erlendur. 'Als het niet is gebeurd zoals ik denk dat het is gebeurd, dan kunnen we erover praten. Maar je moet met mij praten. Iets anders is uitgesloten. Het spijt me.'

Baldvin verroerde zich niet en zweeg.

'Waar is dit begonnen?' herhaalde Erlendur terwijl hij zijn mobiel uit zijn zak haalde. 'Je vertelt me het nu óf binnen een uur staat het hier vol met politie.'

'María zei dat ze wilde oversteken,' zei Baldvin zachtjes.

'Oversteken?'

'Nadat Leonóra stierf,' zei Baldvin. 'Ze wilde de grote rivier oversteken naar waar ze dacht haar moeder te kunnen ontmoeten. Ze vroeg me haar te helpen. Iets anders was het niet.'

'De grote rivier?'

'Moet ik het bij je erin hameren?'

'Wat?'

'Kom naar binnen,' zei Baldvin. 'Ik zal je over María vertellen als je ons daarna met rust laat.'

'Was je in het zomerhuis toen ze stierf?'

'Hou daar toch mee op,' zei Baldvin. 'Ik zal je vertellen hoe het was. Het is tijd dat je het te horen krijgt. Ik ben niet van plan mijn schuld weg te poetsen. We zijn niet eerlijk tegenover haar geweest, maar ik heb haar niet vermoord. Dat had ik nooit kunnen doen. Nooit. Je moet dat geloven.'

33

Ze kwamen de woning binnen en gingen in de keuken zitten. Het was koud in het zomerhuis. Baldvin nam niet de moeite de radiator aan te zetten, hij wilde daar niet lang blijven. Hij begon punt voor punt zijn verhaal uiteen te zetten en hij vertelde systematisch en helder hoe hij María op de universiteit had leren kennen, hoe ze bij Leonóra in Grafarvogur samenwoonden, en over de laatste twee jaar in het leven van María nadat haar moeder stierf. Erlendur kreeg soms de indruk dat zijn verhaal een beetje ingestudeerd was, maar aan de andere kant leek hij geloofwaardig en consequent.

Baldvin had al een paar jaar een relatie met Karólína. Ze waren kort met elkaar gegaan toen ze op de toneelschool zaten, maar dat was verder niets geworden. Baldvin trouwde met María, Karólína woonde nu eens samen en dan weer alleen. Haar langste relatie duurde vier jaar. Zij en Baldvin kwamen elkaar weer tegen en ze hernieuwden hun oude band, waar María niets vanaf wist. Ze ontmoetten elkaar in het geheim, onregelmatig, echter zelden vaker dan een keer in de maand. Geen van beiden wilde meer met de relatie tot Karólína erover begon – kort voordat bij Leonóra kanker werd vastgesteld – dat hij misschien van María kon scheiden en zij zouden gaan samenwonen. Hij leek er niet onsympathiek tegenover te staan. Het huishouden met moeder en dochter bleek meer een huwelijk te zijn. Hij zei steeds vaker tegen María dat hij niet met haar moeder was getrouwd en het ook niet van plan was.

Toen Leonóra ziek werd was het alsof de fundamenten onder María werden weggeslagen. Haar leven veranderde, net als dat van Leonóra. Ze week niet van de zieke. Baldvin verhuisde naar de logeerkamer en María sliep aan de zijde van haar stervende moeder. Ze hield helemaal op met haar werk, verbrak het contact met de meesten van haar vrienden en isoleerde zich in de woning. Op een dag nam iemand van een bouwfirma contact met hen op. Men was erachter gekomen dat Leonóra en María eigenaar waren van een kleine strook land in Kópavogur en men wilde het van hen kopen. De streek maakte een grote hausse door en de prijs van bouwgrond was de pan uit gerezen. Ze wisten dat het hun eigendom was, maar ze hadden er nooit bij stilgestaan dat het hun rijkdom zou brengen, ze waren de lap grond helemaal vergeten tot de firma hen een aanbod deed. Het bedrag dat de firma voor de grond wou neerleggen was duizelingwekkend hoog. Baldvin had nog nooit een dergelijk getal op papier gezien. María reageerde er helemaal niet op. Ze bemoeide zich amper met wereldse zaken en nu bekommerde ze zich uitsluitend nog om haar moeder. Ze liet de verkoop aan Baldvin over. Hij had contact met de advocaat die hen hielp met het bepalen van de prijs en het koopcontract, de papieren en de registratie. Opeens waren ze rijker geworden dan Baldvin ooit had kunnen dromen.

María trok zich steeds meer terug naarmate de gezondheid van haar moeder achteruitging en de laatste dagen kwam ze niet uit de slaapkamer. Leonóra wenste thuis te sterven. De dokter kwam regelmatig langs om haar morfine-injecties toe te dienen. Anderen kregen niet de kans bij haar binnen te komen. Baldvin zat in zijn eentje in de keuken toen Leonóra stierf. Hij hoorde het geweeklaag van María vanuit de slaapkamer en hij wist dat het was afgelopen.

María praatte weken achtereen amper met iemand. Ze vertelde Baldvin waar ze het over hadden gehad vlak voor haar moeder stierf. Ze hadden met elkaar afgesproken dat Leonóra haar een teken zou geven als er iets was wat ze een hiernamaals noemden.

'Ze heeft je toen over Proust verteld?' interrumpeerde Erlendur hem.

Baldvin haalde diep adem.

'Ze was ontzettend in de war en onder invloed van kalmerende middelen en ze was het meteen weer vergeten,' zei hij. 'Ik ben niet trots op alles wat ik heb gedaan, sommige dingen waren zelfs verwerpelijk, ik weet het, maar het is gebeurd en kan niet ongedaan worden gemaakt.'

'Het begon met Proust, nietwaar?'

'*Op zoek naar de verloren tijd*,' zei Baldvin. 'Een passende titel. Het was altijd alsof ze op zoek waren naar die verdwenen tijd. Ik heb het nooit begrepen.'

'Wat heb je gedaan?'

'Afgelopen zomer haalde ik op een avond het eerste deel van de schap en legde het op de vloer.'

'Zijn jij en Karólína toen begonnen voor haar een valstrik te leggen?'

'Ja,' zei Baldvin zachtjes. 'Toen is het begonnen.'

Hij had de gordijnen niet dichtgetrokken, dus het was koud en donker in de woning. Erlendur keek de woonkamer in waar het leven van María was opgehouden.

'Kwam Karólína met het idee?' vroeg hij.

'Ze begon het te overwegen, die mogelijkheden. Ze wilde veel verder gaan dan ik. Ik vond... ik was bereid María te helpen als ze dat pad, het leven na de dood, een hiernamaals, wilde verkennen, wilde weten of er iets was, daar aan gene zijde. Ze had het er vaak genoeg over gehad, met mij, maar natuurlijk vooral met Leonóra. Ze ondervond heel veel troost in het geloof in een hiernamaals. Ze vond er troost in te geloven dat dit aards bestaan niet het einde van alles was. Ze was blij met het idee dat het het begin van iets was. Ze las er boeken over. Speurde het internet af. Ze onderzocht dit alles tot in de details.'

'Maar jij wilde niet die hele weg gaan, of wel?'

'Nee, helemaal niet. En ik heb het ook niet gedaan.'

'Maar jullie maakten gebruik van María's zwakte?'

'Het was een smerig spel, ik weet het,' zei Baldvin. 'Ik voelde me er de hele tijd beroerd onder.'

'Maar niet beroerd genoeg om ermee op te houden?'

'Ik weet niet wat ik dacht. Karólína was heel hardnekkig. Ze dreigde met hel en verdoemenis. Ten slotte stemde ik erin toe het te proberen. Ik was ook nieuwsgierig. Wat als María wakker werd met beelden van gene zijde in haar hoofd? Wat als al die praat over een hiernamaals waar was?'

'En wat als je haar niet terug tot leven wekte?' vroeg Erlendur. 'Was dat voor jou niet de hoofdzaak? Het geld?'

'Dat ook,' erkende Baldvin. 'Het is een vreemde ervaring iemands leven in je handen te hebben. Je zou dat herkennen als je dokter was. Het is een vreemde, machtige ervaring.'

Op een avond glipte hij stiekem de woonkamer in naar de boekenkast, vond *De kant van Swann* van Marcel Proust en legde het voorzichtig op de vloer. María sliep in het echtelijk bed. Hij had haar een ietwat hogere dosis slaapmiddel dan gewoonlijk gegeven. Hij gaf haar ook een middel waar ze niets vanaf wist, een medicijn dat haar perceptie versterkte en haar in verwarring kon brengen. María vertrouwde erop dat hij zorg droeg voor haar medicatie. Hij was haar echtgenoot. En hij was dokter.

Hij ging weer naast haar liggen. Karólína was met het voorstel gekomen dat zij in het complot de rol van medium zou spelen. Baldvin had María ertoe aangezet met een medium te gaan praten van wie hij had gehoord dat ze goed was en die Magdalena heette. Ze wisten dat María nooit navraag zou doen. Ze was niet in staat over wat dan ook te twijfelen. Ze vertrouwde Baldvin blind.

Ze was bijna een te makkelijke prooi.

Hij sliep die nacht slecht en werd 's ochtends eerder dan zij wakker. Hij stapte uit bed en keek hoe ze sliep. Ze had wekenlang niet zo rustig geslapen. Hij wist dat ze een schok zou krijgen als ze wakker werd en de woonkamer in ging. Ze zat allang niet meer voor de boekenkast naar de schappen te staren, maar hij had gemerkt dat ze er nog dagelijks een scheve blik op wierp. Ze wachtte op een teken van Leonóra en nu zou ze dat krijgen. Ze was te zeer in de war om Baldvin te wantrouwen. Hij twijfelde of zij zich herinnerde dat ze hem over het boek had verteld. Daar, op dat moment, kreeg ze haar bevestiging.

Hij maakte María teder wakker en ging naar de keuken. Hij hoorde dat ze opstond. Het was een zaterdag. Hij hoefde niet lang te wachten eer María de keuken binnenkwam.

'Kom,' zei ze. 'Kijk wat ik heb gevonden!'

'Wat dan?' vroeg Baldvin.

'Ze heeft het gedaan!' fluisterde María. 'Dit is het teken. Mama moet dit boek hebben gepakt. Het ligt op de grond! Het boek ligt op de grond! Ze... ze heeft van zich laten horen.'

'María...'

'Nee, serieus.'

'María... je moet niet...'

'Wat?'

'Heb je het boek op de grond gevonden?'

'Ja.'

'Het is natuurlijk...'

'Kijk waar ze het open heeft gelegd,' zei María en ze leidde hem naar het boek dat open op de vloer lag.

Ze las de dichtregels hardop. Hij wist dat het puur toeval was dat het boek op die plek was opengevallen toen hij het op de grond had gelegd.

'"De bossen zijn al donker, de hemel is nog blauw."'

'Zie je niet dat het klopt?' vroeg María. 'De bossen zijn al donker, de hemel is nog blauw. Dit is de boodschap.'

'María...'

'Ze heeft me een boodschap gestuurd zoals ze zei dat ze zou doen. Ze heeft me een boodschap gestuurd!'

'Dit is natuurlijk... Dit is ongelooflijk. Jullie hebben het hierover gehad en...'

'Precies zoals ze zei. Dit is precies wat ze zei dat ze zou doen.'

De tranen sprongen María in de ogen en Baldvin omarmde haar en leidde haar naar een stoel in de woonkamer. Ze verkeerde in een opgewonden toestand die zwalkte tussen verdriet en blijdschap en in de daaropvolgende dagen voelde ze meer rust dan ze in lange tijd had ervaren, de verzoening waar ze zo naar had verlangd.

Een week later verbrak Baldvin het zwijgen en zei: 'Zou het het misschien geen goed idee zijn met een medium te praten?'

Kort daarna ontving Karólína haar in de woning van een vriendin die op vakantie naar de Canarische Eilanden was. María had geen flauw vermoeden dat Baldvin en Karólína samen op de toneelschool hadden gezeten, laat staan dat ze een relatie hadden. Zij en Karólína hadden elkaar nooit ontmoet.

María wist niet veel van Baldvins vrienden van de toneelschool.

Karólína had wierook aangestoken, rustige muziek opgezet en een oude sjaal om haar schouders geslagen. Ze kroop helemaal in de rol van haar personage, ze had zich vermaakt met het aanbrengen van oogschaduw, ze had haar wenkbrauwen breder geverfd, de lijnen in haar gezicht scherper gemaakt en haar lippen vuurrood gestift. Ze had geoefend op Baldvin, die haar allerlei informatie gaf die bij de seance van pas kon komen. Verschillende dingen uit María's jeugd, uit haar leven samen met Baldvin, over de hechte relatie met haar moeder, over Marcel Proust.

'Ik voel dat het niet goed met je gaat,' zei Karólína toen ze waren gaan zitten en de seance kon beginnen. 'Je hebt... je hebt pijn, je hebt een groot verlies geleden.'

'Mijn moeder is onlangs gestorven,' zei María. 'We hadden een zeer hechte relatie.'

'En je mist haar.'

'Ontzettend.'

Karólína had zich bij een professional voorbereid: ze was voor de eerste keer in haar leven zelf naar een seance gegaan. Ze lette niet speciaal op hetgeen het medium zei, maar ze volgde heel aandachtig zijn taalgebruik, de bewegingen van zijn handen, hoofd en ogen, zijn ademhaling. Ze vroeg zich af of ze zich moest laten gaan alsof ze in een coma geraakte als María bij haar was, of doen zoals het medium deed dat ze had bezocht: zitten, opletten en vragen stellen. Ze had een goed beeld van Leonóra, die ze nooit had ontmoet. Baldvin had haar een foto gegeven die ze zorgvuldig had bestudeerd.

Karólína besloot een trance achterwege te laten als het zover was.

'Ik voel een krachtige aanwezigheid,' zei ze.

María en Baldvin lagen de avond na de seance samen in bed en ze vertelde hem tot in detail wat er was voorgevallen. Nadat María klaar was met haar verhaal lag Baldvin er een tijdje zwijgend bij.

'Heb ik je ooit verteld over een kennis van me bij de medicijnenstudie die Tryggvi heette?' vroeg hij terwijl hij María aankeek.

34

Baldvin vermeed het Erlendur, die tegenover hem aan de keukentafel zat en naar zijn verhaal luisterde, in de ogen te kijken. Onrustig en vol schaamte keek Baldvin langs hem heen naar de woonkamer of omlaag naar de tafel, of naar zijn schouder, maar nooit keek hij Erlendur in de ogen.

'Ze heeft je uiteindelijk gesmeekt haar naar de overkant te helpen,' zei Erlendur, die de minachting in zijn stem niet kon verbergen.

'Ze... leefde meteen op bij het idee,' zei Baldvin, die omlaag naar het tafelblad keek.

'En op die manier kon je haar vermoorden zonder dat iemand het zou merken.'

'Het was een idee, dat geef ik toe, maar toen kon ik het niet. Ik kon het niet toen het zover was. Ik kon me er niet toe zetten.'

'Je kon je er niet toe zetten!' snerpte Erlendur.

'Het is waar, ik kon de laatste stap niet zetten.'

'Wat gebeurde er?'

'Ik...'

'Wat gebeurde er?'

'Ze wilde voorzichtig te werk gaan. Ze was bang om dood te gaan.'

'Zijn we dat niet allemaal?' zei Erlendur.

Ze lagen tot diep in de nacht in bed te praten over de mogelijkheid María lang genoeg dood te houden om naar een andere wereld te gaan en kort genoeg om er geen schade van te ondervinden. Baldvin vertelde haar van het experiment dat zijn vriend van de medicijnenstudie destijds op Tryggvi had uitgevoerd, hoe hij dood was geweest en hoe ze hem hadden gereanimeerd. Hij had niets gemerkt, hij had geen enkele herinnering over zijn dood, hij had geen licht gezien en ook geen schepsels. Baldvin zei te weten hoe hij te werk moest gaan om een bijna-doodervaring te bewerkstelligen zonder al te grote risico's te nemen. Er zou natuurlijk een zeker gevaar bestaan, dat moest María begrijpen, maar ze was lichamelijk gezond en in principe hoefde ze nergens bang voor te zijn.

'Hoe wek je me weer tot leven?' vroeg ze.

'Er zijn medicijnen,' zei Baldvin, 'en dan heb je de gebruikelijke directe methode door middel van hartmassage en mond-op-mondbeademing. We kunnen een elektrische schok geven met elektroshockapparatuur. Ik moet zo'n apparaat aanschaffen. Als we het doen, moeten we heel voorzichtig te werk gaan zodat niemand erachter komt. Het is niet echt legaal. Mijn bevoegdheid als arts kan in gevaar zijn.'

'Gaan we het hier doen?'

'Misschien is het zomerhuis een betere plek,' zei Balvin. 'Overigens is dit gewoon fictie. Niet dat we dit echt gaan doen.'

María zweeg. Hij luisterde naar haar ademhaling. Ze lagen in het donker en begonnen tegen elkaar te fluisteren.

'Ik zou het willen uittesten,' zei María.

'Nee,' zei Baldvin. 'Het is te riskant.'

'Maar je zei dat het geen probleem was.'

'Ja, als je erover praat, maar doen, het daadwerkelijk uitvoeren, is iets anders.'

Hij probeerde niet te negatief te zijn.

'Ik wil het doen,' zei María beslist. 'Waarom in het zomerhuis?'

'Nee, María, vergeet het. Ik... het is te vergezocht. Ik neem dit risico niet.'

'Natuurlijk,' zei María. 'Er bestaat een risico dat ik daadwerkelijk doodga en dan zit jij met de gebakken peren.'

'Het is een reëel risico,' zei Baldvin. 'Het heeft geen zin zo'n risico te nemen.'

'Wil je het desondanks voor mij doen?'

'Ik... ik weet het niet, ik... we moeten hier niet over praten.'

'Ik wil het graag doen. Ik wil dat jij het voor me doet. Ik weet dat je het kunt. Ik vertrouw je, Baldvin. Ik vertrouw niemand meer dan jou. Wil je dit voor mij doen?'

'María...'

'We kunnen dit doen. Het komt allemaal in orde. Ik vertrouw je, Baldvin. We doen dit.'

'Maar als er iets misgaat?'

'Ik ben bereid dat risico te nemen.'

Vier weken later reden ze naar het oosten, naar het zomerhuis aan het Þingvellirvatn. Baldvin wilde er zeker van zijn dat ze niet gestoord werden en hij had de ingeving gekregen dat de jacuzzi op het zonneterras goed van pas kon komen. Ze hadden veel koud water nodig als ze de methode wilden gebruiken waarbij het lichaam dusdanig werd afgekoeld dat het hart stil bleef staan. Baldvin had een paar methodes genoemd, maar hij vond dit de beste met de minste risico's. Hij zei dat reddingswerkers en opsporingseenheden in de bergen erop getraind waren mensen onder soortgelijke omstandigheden te reanimeren. Ze vonden soms mensen die in de sneeuw of het water hadden gelegen, en als ze niet te laat waren moesten ze snel ingrijpen; met warme dekens moest de lichaamstemperatuur weer op niveau worden gebracht, als het hart had stilgestaan moest het met alle mogelijke middelen op gang worden gebracht.

Ze begonnen de jacuzzi met koud water en klompen ijs uit het meer te vullen. Ze gebruikten emmers om het ijs uit het meer te halen. Dat duurde niet lang, want het was slechts een paar passen naar de oever. Het was koud en Baldvin zei tegen María dat ze buiten zo min mogelijk kleren aan moest hebben om aan de kou te wennen voor ze zich in de jacuzzi liet zakken. Ten slotte sloeg hij ijs van de rotsen op de oever en vulde de jacuzzi ermee. María had twee lichte slaappillen ingenomen, Baldvin zei dat deze haar zouden helpen de kou te verdoven.

María zei een passiepsalm op en deed een kort gebed voordat ze zich langzaam in het buitenbad liet zakken. De kou was snijdend, maar ze hield zich goed. Ze ging langzaam omlaag in het water, eerst tot op de knieën, toen tot haar dijen, middel en buik. Toen ging ze zitten en het water kwam tot over haar borst, schouders en hals tot alleen haar hoofd boven het water uitstak.

'Is alles in orde?' vroeg Baldvin.

'Het... is... zo... koud,' kreunde María.

Ze kon haar gebibber niet onder controle houden. Baldvin zei dat het beter zou gaan als het lichaam ophield tegen de kou te vechten. Dan zou ze even bewusteloos zijn. Ze zou slaperig worden en ze moest er niet tegen vechten.

'In de regel moet je tegen de slaap vechten,' zei Baldvin glimlachend, 'maar dat moet je nu niet doen. Je wilt slapen. Laat het gewoon gebeuren.'

María probeerde te glimlachen. Algauw hield haar gebibber op. Haar lichaam was van de kou donkerblauw geworden.

'Ik moet... het... weten, Baldvin.'

'Ja.'

'Ik... vertrouw... vertrouw... je,' zei ze.

Baldvin hield zijn stethoscoop tegen haar hart. Haar hartslag was snel langzamer geworden. María sloot haar ogen.

Baldvin luisterde naar de hartslag die zwakker en zwakker werd.

Toen hield het op. Het hart was opgehouden met kloppen.

Baldvin keek op zijn polshorloge. Hij telde de seconden. Ze hadden het over een tot anderhalve minuut gehad. Baldvin was van mening dat dat veilig was. Hij hield het hoofd van María boven water. De seconden tikten weg. Een halve minuut. Vijfenveertig seconden. Elke seconde leek een eeuwigheid. De secondewijzer ging amper vooruit. Baldvin werd nerveus. Een minuut. Een minuut en vijftien seconden.

Hij pakte María onder haar armen vast en met een stevige ruk trok hij haar omhoog uit de jacuzzi. Hij wikkelde een wollen sprei om haar lichaam, droeg haar de woning binnen en legde haar op de vloer bij de grootste radiator. Ze gaf geen teken van leven. Hij gaf haar mond-op-mondbeademing en toen begon hij haar hart te masseren. Hij wist dat hij niet veel tijd had. Misschien had hij haar te lang in het water laten liggen. Hij blies lucht in haar longen. Hij luisterde naar een hartslag. Hij paste weer hartmassage toe.

Hij legde zijn oor op haar borst.

Het hart begon zwak te kloppen. Hij wreef haar lichaam warm met de wollen sprei en legde haar dichter bij de radiator.

Het hart begon snel te kloppen. Ze haalde adem. Het was hem gelukt haar te reanimeren. Haar huid was niet meer blauwwit. Er was weer een beetje kleur in haar gestroomd.

Baldvin slaakte een zucht van verlichting, ging op de grond zitten en keek lang naar María. Het was alsof ze kalm sliep.

Toen deed ze haar ogen open. Ze staarde ietwat verward naar het plafond. Ze draaide haar hoofd zijn kant op en keek hem lang aan. Hij glimlachte. Ze begon ontzettend te rillen.

'Is... het gebeurd?' vroeg ze.

'Ja.'

'Ik... ik... zag haar,' zei ze. 'Ik zag haar... naar me toe komen...'

'María...'

'Je had me niet moeten wekken.'

'Er waren meer dan twee minuten verstreken.'

'Ze was... was zo mooi,' zei María. 'Wat... was ze mooi. Ik... wou haar... haar omarmen. Je had me niet... moeten wekken. Dat had je... niet... moeten doen.'

'Ik moest wel.'

'Je... had me niet... moeten wekken.'

Baldvin keek Erlendur ernstig aan. Hij was opgestaan en stond in de woning bij de radiator waarvan hij zei dat María daar had gelegen toen ze weer bijkwam nadat ze in het buitenbad dood was gegaan.

'Ik kon haar niet laten doodgaan,' zei hij. 'Het zou makkelijk zijn geweest. Ik had haar niet hoeven reanimeren. Ik kon haar in de slaapkamer op bed leggen en ze zou de dag erop zijn gevonden. Niemand zou iets hebben gemerkt. Een gewone hartaanval. Maar ik kon het niet.'

'Edelmoedig van je,' zei Erlendur wrang.

'Ze was er zeker van dat er iets was daar aan gene zijde,' zei Baldvin. 'Ze zei dat ze Leonóra had gezien. Ze was aanvankelijk heel zwak toen ze ontwaakte en ik legde haar in bed. Ze viel in slaap en sliep twee uur terwijl ik het water uit de jacuzzi liet lopen, het bad schoonspoot en netjes achterliet.'

'Ze wou toen weer naar de overkant en ditmaal definitief?'

'Ze koos er zelf voor,' zei Baldvin.

'En toen wat? Wat gebeurde er nadat ze wakker werd?'

'We hebben samen gepraat. Ze herinnerde zich heel goed wat er gebeurde toen ze naar de overkant ging, zoals ze het noemde. Ze zag voornamelijk mensen oplichten, lange tunnels, licht, vrienden en familie die wachtten. Ze vond dat ze eindelijk rust en vrede had gevonden.'

'Tryggvi zei dat hij niets gezien had. Enkel de zwarte nacht.'

'Ik weet het niet, zou je van zoiets niet heel kalm worden?' zei Baldvin. 'Dat was María's ervaring. Toen ik weer naar de stad reed was ze heel evenwichtig.'

'Jullie waren met twee auto's gekomen?'

'María wou wat langer blijven om zich te herstellen. Ik was 's nachts hier met haar en de dag erop ben ik 's middags naar de stad gegaan. Ze belde me 's avonds op, zoals je weet. Toen was ze er weer helemaal bovenop en ze leek over de telefoon in een opperbeste stemming. Ze was van plan voor middernacht thuis te komen. Dat was het laatste wat ik van haar hoorde. Er was helemaal niets dat erop wees dat ze van plan was zichzelf iets doms aan te doen. Het kwam niet bij me op dat ze zich van het leven zou beroven. Het kwam niet bij me op.'

'Denk je dat dat kleine experiment van jullie de zaak in gang heeft gezet?'

'Ik weet het niet. Pas nadat Leonóra stierf merkte ik aan haar dat ze tot iets dergelijks in staat zou kunnen zijn.'

'Vind je niet dat je verantwoordelijk bent voor wat er is gebeurd?'

'Natuurlijk... natuurlijk ben ik dat. Ik neem de verantwoordelijkheid op me, maar ik heb haar niet vermoord. Ik heb het nooit kunnen doen. Ik ben dokter. Ik dood geen mensen.'

'Er waren geen getuigen bij wat er gebeurde toen María en jij hier waren?'

'Nee, we waren met z'n tweeën.'

'Je zult je bevoegdheid kwijtraken.'

'Ja, waarschijnlijk.'

'Maar dat zal je amper verontrusten nu je het vermogen van María erft?'

'Je kunt over mij elke mening erop nahouden die je wilt. Dat maakt me helemaal niks uit.'

'En Karólína?'

'Wat is er met haar?'

'Heb je haar verteld dat je had besloten het niet te doen?'

'Nee, ik had nog niet met haar gesproken... ik had nog niet met haar gesproken toen mij werd verteld dat María dood was.'

De mobiel van Erlendur ging over. Hij haalde hem uit zijn jaszak.

'Ja, met Þorbergur,' zei een stem aan de andere kant.

'Wie?'

'Þorbergur, de duiker. Ik ben een paar keer naar het oosten naar de meren gereden. Ik ben daar nu.'

'Ja, goeiendag Þorbergur, ik, neem me niet kwalijk, ik was er niet helemaal bij, is er iets te melden?'

'Ik denk dat ik zo'n beetje heb gevonden waar je in geïnteresseerd was. Ik heb al voor een kleine kraanwagen gebeld, en de politie natuurlijk. Ik durf hier niets zonder jullie te doen.'

'Wat heb je gevonden?'

'Een auto. Austin Mini. Midden in het meer. Ik vond niets in het Sandkluftavatn en toen kwam het bij me op de meren eromheen te proberen. Vroor het in de winter toen ze verdwenen?'

'Ja, dat is niet onwaarschijnlijk.'

'Ze is het meer op gereden. Ik heb je al op die mogelijkheid gewezen toen je bij mij was. Ik ben bij het Uxavatn.'

'Zat er iemand in de auto?'

'Er zijn twee lijken. Een man en een vrouw, leek mij. Onherkenbaar natuurlijk, maar het leken me jouw mensen te zijn.'

Þorbergur was even stil.

'Het leken me jouw mensen te zijn, Erlendur.'

35

Op weg binnendoor naar het Uxavatn belde Erlendur naar het verzorgingstehuis waar de oude man op sterven lag. Hij kreeg hem niet te pakken. Men zei hem dat het niet zeker was of hij de nacht door zou komen en dat het slechts een kwestie van tijd was wanneer hij zou overlijden. Erlendur kreeg de dokter van de avonddienst aan de lijn die zei dat het een paar uur kon zijn of zelfs minuten die de oude man nog te leven had. Het was onmogelijk daar iets over te zeggen, maar het einde naderde snel.

Het was begonnen te schemeren toen Erlendur met zijn Ford over Hoffmannaflöt reed, voorbij Meyjarsæti, langs het Sandkluftavatn, en de afslag naar links nam in de richting van het Lundarreykjadalur. Hij zag een kleine kraanwagen die op het noordeinde van het Uxavatn op zijn plaats werd gezet. De jeep van Þorbergur stond er vlakbij. Erlendur zette zijn auto aan de kant van de weg en liep naar de duiker die zijn zuurstoffles omhing. Hij was bezig zich klaar te maken om te duiken met een hijshaak van de kraanwagen.

'Ik heb geluk gehad,' zei hij nadat ze elkaar hadden begroet. 'Ik raakte zowaar de auto met mijn voet.'

'Denk je dat ze het zijn?'

'Het is in ieder geval dezelfde auto. En er zitten twee mensen in. Ik probeerde ze een beetje bij te lichten. Het is geen fraai gezicht, zoals je je kunt voorstellen.'

'Nee, natuurlijk niet. Dank je dat je dit voor mij hebt gedaan.'

Þorbergur nam de grote hijshaak over van de kraanwagenbestuurder en waadde ermee het water in tot het tot zijn middel kwam. Toen dook hij erin.

Erlendur en de kraanwagenbestuurder stonden op de oever en wachtten tot Þorbergur weer naar boven kwam. De kraanwagenbestuurder was een lange, magere man die niet veel anders wist dan dat er een auto in het water lag met waarschijnlijk twee lijken erin. Hij probeerde meer informatie uit Erlendur los te peuteren, maar die was weinig spraakzaam.

'Het is een oude zaak,' zei hij. 'Een trieste, oude zaak die we eigenlijk allang vergeten waren.'

Toen keek hij zwijgend over het meer uit en wachtte tot Þorbergur naar de oppervlakte kwam.

Het was een korzelig afscheid geweest toen hij bij Baldvin wegging. Erlendur had hem graag willen zeggen hoe walgelijk hij het vond wat hij en

Karólína María hadden aangedaan, maar hij wist dat het weinig zin had. Mensen die een ander zoiets aandeden stonden meestal onverschillig tegenover schaamte of schande. Ze werden gedreven door iets anders dan een geweten en redelijke morele principes. Baldvin vroeg niet wat voor vervolg de zaak zou krijgen en Erlendur verkeerde in tweestrijd. Hij wist niet wat hij moest geloven. Baldvin kon voor de rechtbank alles ontkennen. Hij had behalve Erlendur niemand verteld wat er daadwerkelijk was gebeurd en het zou voor Erlendur moeilijk zijn iets te bewijzen. Baldvin zou waarschijnlijk zijn bevoegdheid als arts verliezen als hij bekende María te hebben gedood en gereanimeerd, maar zoals de zaken ervoor stonden kon hem dat niets schelen. Je kon onmogelijk voorspellen of hij tot een gevangenisstraf zou worden veroordeeld. De bewijslast moest van de openbaar aanklager komen en Erlendurs onderzoek had in feite geen tastbare bewijzen opgeleverd. Als Baldvin ervoor koos zijn getuigenverklaring te wijzigen, indien de aanklacht en het proces te bedreigend voor hem werden, kon hij simpelweg ontkennen María's doodsverlangen te hebben aangemoedigd en haar kortstondig te hebben gedood. Laat staan haar te hebben vermoord. Erlendur had ondubbelzinnige aanwijzingen dat de gebeurtenissen die María tot zelfmoord had aangemoedigd in scène waren gezet, maar het bewijs hiervoor was uiterst zwak. Het was niet mogelijk mensen voor vuile streken te veroordelen, hoe immoreel ze ook waren.

Hij zag het hoofd van Þorbergur boven water komen. De kraanwagenbestuurder reageerde snel en klom op de kraanwagen. Þorbergur gaf hem een teken de lier aan te zetten. Twee politiewagens verschenen op de weg. Ze reden hard, met hun zwaailichten aan. De lier op de kraanwagen kwam op gang. Een dikke staaldraad trok zich strak om de haspel die hem omhoog draaide, centimeter na centimeter.

Þorbergur kwam op de oever en trok zijn duikersuitrusting uit. Hij liep naar de Ford waar Erlendur stond. Hij had het portier aan de passagierskant geopend om naar het avondnieuws te luisteren.

'Zo, je kunt tevreden zijn,' zei Þorbergur.

'Dat weet ik niet,' zei Erlendur.

'Ga je zelf de familie hiervan in kennis stellen?'

'Dat kan in één geval al te laat zijn,' zei Erlendur. 'De moeder van de jongen is een tijdje geleden gestorven en de vader ligt op sterven. Ze denken dat hij elk moment kan overlijden.'

'Dan moet je je haasten,' zei Þorbergur.

'Is hij geel?' vroeg Erlendur.

'De auto? Ja, die is geel.'

De kraanwagen dreunde. De twee politiewagens kwamen tot stilstand. Vier politieagenten stapten uit en kwamen hun kant op.

'Gooi je dat ding weg?' vroeg Þorbergur.

Hij wees op het elektroshockapparaat dat Erlendur op de stoel aan de passagierskant van zijn Ford had gelegd. Hij kwam uit het botenhuisje van het zomerhuis van María en Baldvin. Hij had het in de auto geplaatst na zijn ontmoeting met Baldvin.

'Nee,' zei Erlendur. 'Dat hoort bij een andere zaak.'

'Altijd genoeg omhanden,' zei Þorbergur.

'Ja. Jammer genoeg.'

'Lang geleden dat ik zo'n hoop schroot heb gezien. Wat moet je nou met een kapot elektroshockapparaat?'

'Ja,' zei Erlendur afwezig.

De staaldraad liet het water rimpelen en algauw kwam de auto tevoorschijn.

'Wacht even, hoe bedoel je, kapot?' zei Erlendur terwijl hij Þorbergur vragend aankeek.

'Wat?'

'Je zei dat het apparaat kapot was.'

'Zie je dat niet?'

'Nee, ik heb er geen verstand van.'

'Die is naar de haaien. Kijk hier, die pal is kapot. En die kabel hier, gekoppeld aan de elektrode, die is kapot. Niemand die dat ding kan gebruiken.'

'Maar...'

'Wat?'

'Weet je het zeker?'

'Ik heb jaren bij de brandweer gezeten. Dit is gewoon troep.'

'Hij zei...'

Erlendur staarde Þorbergur aan.

'Is ie kapot?' kreunde hij.

De lier op de kraanwagen kraakte en de Austin Mini rees langzaam op uit het meer en kroop de waterkant op. De kraanwagenbestuurder zette de lier stil. De politieagenten kwamen dichterbij. Water, zand en modder liep van en uit de auto tot hij leeg was. Erlendur zag de contouren van twee lichamen op de voorste zitplaatsen. De auto was met slijk en waterplanten bedekt, maar je kon nog steeds de gele kleur en het model zien. De raampjes waren heel, maar de achterklep was opengegaan.

Erlendur probeerde het portier aan de passagierskant open te maken, maar de deur zat compleet vast. Hij ging naar de bestuurderskant en zag dat het portier was opengereten en geblutst. Hij keek naar binnen en zag twee geraamtes. Guðrún die Dúna werd genoemd zat achter het stuur. Dat zag hij aan het haar. Hij nam aan dat het Davíð was die naast haar zat.

'Waarom is het portier ingedeukt?' vroeg hij aan Þorbergur.

'Weet jij in wat voor toestand de auto was?'

'Die moet niet goed zijn geweest.'

'Ze hebben niet veel tijd gehad,' zei Þorbergur. 'Ze heeft geprobeerd het portier aan haar kant te openen, maar op een heel klein stukje na het lukte haar niet. Er lag een rots aan die kant buiten tegen de auto. De passagier leek het portier aan zijn kant niet open te hebben gekregen. Misschien was het portier naar z'n grootje. De hendels voor de autoraampjes hebben waarschijnlijk niet gewerkt. Anders hadden ze geprobeerd de raampjes omlaag te draaien. Dat is regel nummer één onder die omstandigheden. De auto is klaarblijkelijk een half wrak geweest.'

'Dus ze zaten erin vast?'

'Ja.'

'Terwijl hun leven wegebde.'

'Het is hopelijk een kort gevecht geweest.'

'Hoe kwamen ze toch zo ver op het meer?' vroeg hij terwijl hij over het Uxavatn uitkeek.

'Een voor de hand liggende verklaring is dat het meer bevroren is geweest,' zei Þorbergur. 'Dat zij erop is gereden toen er ijs op lag. Misschien in een overmoedige bui. Ze heeft gemeend er verstand van te hebben. Toen zijn ze door het ijs gezakt. Het water is koud. Het is diep genoeg.'

'En ze verdwenen,' zei Erlendur.

'Er is nooit veel verkeer hier in dit jaargetijde, laat staan meer dan twintig jaar geleden,' zei Þorbergur. 'Er zijn geen getuigen. Zo'n wak sluit zich snel zonder dat je merkt dat het ooit open is geweest. De weg moet toch goed begaanbaar zijn geweest, aangezien ze het hele stuk hierheen zijn gekomen.'

'Wat is dat?' vroeg Erlendur terwijl hij naar een vormeloze hoop tussen de stoelen wees.

'Mogen we daar wel aankomen?' vroeg Þorbergur. 'Moet je dat niet overlaten aan de technische recherche?'

Erlendur luisterde niet naar hem en strekte zijn arm uit over de bestuurderskant om datgene te pakken wat zijn nieuwsgierigheid had gewekt. Hij haalde het voorzichtig uit de auto, maar desalniettemin brak het in tweeën. Hij hield de twee delen vast en liet ze aan Þorbergur zien.

'Wat heb je daar?' vroeg de duiker.

'Ik geloof dat dit... ik geloof dat dit een boek is,' zei Erlendur, die de twee delen bekeek.

'Een boek?'

'Ja. Waarschijnlijk gaat het over de meren hier in de omgeving. De jongen heeft het voor haar gekocht.'

Erlendur legde het boek in Þorbergurs handen.

'Ik moet zijn vader zien te bereiken voor het te laat is,' zei hij terwijl hij op zijn horloge keek. 'Ik denk dat we ze hebben gevonden, er is geen twijfel mogelijk. Hij moet weten wat er is gebeurd. Zijn zoon was verliefd. Iets anders was het niet. Hij zou zijn ouders nooit in al die onzekerheid achterlaten. Het was een ongeluk.'

Erlendur liep snel in de richting van zijn Ford. Hij moest zich haasten, want voordat hij naar het verzorgingstehuis ging moest hij eerst een ander bezoek afleggen om achter de waarheid te komen.

Ze was een klein kind en ze zat in haar eentje aan de oever van het meer en hoorde gefluister vanaf het water. Ze was een jonge vrouw en ze keek uit over het meer, zag de schoonheid ervan en de schittering die het teweegbracht. Ze was een oude vrouw en ze knielde neer bij het kind en ze was opnieuw het kleine kind en ze hoorde woorden fluisteren en ze hoorde vergevingsgezindheid in die woorden en het gefluister werd over het water voortgedragen en het zei: 'Jij bent mijn kind.'

Het duurde lang eer ze weer bij bewustzijn kwam, zo ongelooflijk moe en afgemat was ze dat ze amper haar ogen kon openen.

'Bald... vin,' kreunde ze. 'Het was een ongeluk. Wat er gebeurde toen vader stierf... het was een ongeluk.'

Ze zag Baldvin niet, maar ze voelde zijn aanwezigheid.

Ze had het niet meer koud en het was alsof een zware last van haar was afgevallen. Ze wist wat ze moest doen. Ze wilde het vertellen. Alles. Alles wat er op het meer was gebeurd. Iedereen die het wilde horen zou te weten komen wat er was gebeurd.

Ze wilde Baldvin roepen toen ze merkte dat ze geen adem meer kreeg. Iets verstikte haar, snoerde haar hals dicht.

Ze deed haar ogen open en zocht Baldvin, maar ze zag hem niet.

Ze greep machteloos naar haar hals.

'Dit kan niet waar zijn,' fluisterde ze.

'Dit kan niet waar zijn...'

36

Erlendur reed in Grafarvogur de doodlopende straat in naar het huis van Baldvin. Hij parkeerde bij de oprijlaan van de garage en stapte uit. Hij moest zich haasten. Hij wist niet of het juist was wat hij deed; het liefst wilde hij direct naar de oude man gaan, maar aan de andere kant knaagde de vraag over het elektroshockapparaat die slechts Baldvin kon beantwoorden.

Hij drukte op de bel en wachtte. Hij belde weer en ontdekte de auto van Karólína, die in de straat op een zekere afstand van het huis stond geparkeerd. Toen hij voor de derde keer had gebeld hoorde hij binnen bij de deur een geruis voordat deze open werd gemaakt en Baldvin verscheen.

'Jij weer?' zei hij.

'Kan ik binnenkomen?' vroeg Erlendur.

'Waren we niet klaar hiermee?' vroeg Baldvin.

'Is Karólína bij jou?' vroeg Erlendur.

Baldvin keek langs hem heen naar haar auto. Toen knikte hij en liet hem binnen. Hij sloot de deur achter Erlendur en nodigde hem uit in de woonkamer. Karólína kwam vanuit de slaapkamer en fatsoeneerde haar haar.

'We zien geen reden nog langer verstoppertje te spelen,' zei Baldvin. 'Ik heb je al verteld wat er is gebeurd. Karólína is van plan de komende week bij mij in te trekken.'

'Je hoeft hem niets te vertellen,' zei Karólína. 'Het gaat hem niets aan.'

'Helemaal juist,' zei Erlendur glimlachend. Hij wilde snel naar het ziekenhuis, maar hij deed alsof hij kalm was. 'Je zou toch gedacht hebben dat jullie voorzichtig te werk zouden gaan,' zei hij. 'En niet al te opzichtig samen zouden zijn.'

'We hebben niets te verbergen,' zei Karólína.

'Weet je dat zeker?' vroeg Erlendur.

'Wat bedoel je?' vroeg Baldvin. 'Ik heb je al verteld hoe het allemaal zat. Ik nam afscheid van María in het zomerhuis toen ze in leven was.'

'Ik weet wat je mij hebt verteld.'

'Wat kom je hier dan doen?'

'Je hebt alles gelogen,' zei Erlendur, 'en ik vroeg me af of jullie bereid zouden zijn mij de waarheid te vertellen. Een keertje voor de verandering.'

'Ik heb niet gelogen,' zei Baldvin.

'Waarom denk je dat hij liegt?' zei Karólína. 'Dat wij liegen?'

'Omdat jullie leugenaars zijn,' zei Erlendur. 'Jullie hebben tegen María gelogen. Jullie hebben een complot beraamd. Jullie hebben een compleet toneelstuk voor haar opgevoerd. Ook al beweert Baldvin op het laatste moment te hebben besloten het niet te doen, het is desalniettemin een misdaad. Jullie hebben van begin af aan tegen mij gelogen.'

'Dit is je reinste nonsens,' zei Baldvin.

'Hoe wil je dat bewijzen?' vroeg Karólína.

Erlendur glimlachte flauw en keek op zijn horloge.

'Dat kan ik niet,' zei hij.

'Wat wil je dan?'

'Ik wil graag de waarheid horen,' zei Erlendur.

'Ik heb je de waarheid al verteld,' zei Baldvin. 'Ik ben er niet trots op wat ik heb gedaan, maar ik heb María niet vermoord. Ik heb het niet gedaan. Ze pleegde zelfmoord nadat ik naar de stad was gereden.'

Erlendur keek Baldvin lang aan zonder een woord te zeggen. Baldvin keek langs hem heen naar Karólína.

'Ik denk dat je het wel hebt gedaan,' zei Erlendur. 'Je hebt meer gedaan dan haar alleen maar tot zelfmoord drijven. Je hebt haar van het leven beroofd. Je hebt de strop om haar hals gelegd. Je hebt haar aan de balk gehangen.'

Karólína was op de bank gaan zitten. Baldvin stond in de deuropening van de keuken.

'Waarom zeg je dat?' vroeg Baldvin.

'Jullie hebben een web van leugens voor María geweven en jullie liegen nog steeds. Ik geloof geen woord van wat jullie zeggen.'

'Dat is jouw zaak,' zei Karólína.

'Ja, dat is mijn zaak,' zei Erlendur.

'Je weet niet...'

'Hoe slaap je 's nachts?'

Baldvin gaf geen antwoord.

'Waar droom je over, Baldvin?'

'Laat hem met rust,' zei Karólína. 'Hij heeft niets gedaan.'

'Hij vertelde mij dat jij hem ertoe hebt gedreven,' zei Erlendur terwijl hij Karólína aankeek. 'Het zou jouw schuld zijn. Ik merkte dat hij alle schuld op jou schoof.'

'Hij liegt,' zei Baldvin.

'Hij zei dat jij de drijvende kracht achter deze daad bent geweest.'

'Luister niet naar hem,' zei Baldvin.

'Laat maar zitten,' zei Karólína terwijl ze Baldvin aankeek, 'ik heb door wat hij probeert te doen.'

'Was het dan Baldvin die dit erdoor heeft gedrukt?' vroeg Erlendur.

'Dit zal je niet lukken,' zei Karólína. 'Baldvin kan zeggen wat hem goeddunkt.'

'Ja, natuurlijk,' zei Erlendur. 'Ik weet alleen niet of het serieus te nemen is wat hij zegt. Over zichzelf. Over jou. Over María.'

'Het is jouw probleem wat je gelooft,' zei Karólína.

'Jullie zijn toneelspelers,' zei Erlendur. 'Allebei. Jullie hebben in de aanwezigheid van María je rol gespeeld. Jullie schreven het toneelstuk. Jullie bepaalden het toneel. Jullie bepaalden het decor. Ze vermoedde nooit iets. Tenzij ze het ontdekte door het elektroshockapparaat.'

'Elektroshockapparaat?' zei Karólína.

'Het moest natuurlijk alleen maar het decor opvullen,' zei Erlendur. 'Het was, hoe noem je het, een rekwisiet. Het behoorde niet te werken. Het hoefde geen veiligheidsapparatuur te zijn. Het apparaat moest het leven van María niet redden. Het was slecht een ding op het toneel dat jullie er hadden neergezet voor die ene toeschouwer, María.'

Karólína en Baldvin keken elkaar even aan. Toen sloeg Baldvin zijn ogen neer.

'Het apparaat is kapot,' zei Erlendur tegen Karólína. 'Daarom moest hij het in het zomerhuis krijgen. Hij gebruikte het om María een rad voor de ogen te draaien. Het moest aantonen dat hij het serieus meende, dat hij alles deed wat in zijn macht lag om de veiligheid van María te garanderen.'

'Wat pretendeer je te weten?' vroeg Baldvin.

'Ik meen dit te weten: je hebt haar vermoord. Je had het geld nodig waar zij alleen toegang toe had, tenzij ze vóór jou zou sterven. Je had een relatie met Karólína waarvan je niet wilde dat zij ervan wist: vanwege het geld kon je niet van haar scheiden. Maar je wilde Karólína. Verder neem ik aan dat het samenwonen met María op de lange duur slopend is geweest. Haar moeder was altijd aanwezig, en hoewel ze uit het zicht verdween was het toch alsof ze nog steeds hier in huis was. María dacht aan niets anders. Ik neem aan dat je al lang geleden de interesse voor haar bent kwijtgeraakt en dat zij gewoon in de weg stond. Voor jou en voor jullie twee in de weg stond.'

'Kun je dat geleuter bewijzen?' vroeg Karólína.

'Was je hier op de avond dat wij kwamen om hem van het overlijden van María op de hoogte te brengen?'

Karólína aarzelde een moment. Toen knikte ze.

'Ik dacht een beweging achter de gordijnen te zien toen ik hier de doodlopende straat uit reed.'

'Je had nooit hier moeten komen,' zei Baldvin terwijl hij zich naar Karólína omdraaide.

'Wat gebeurde er in het zomerhuis?' vroeg Erlendur.

'Dat wat ik je verteld heb,' zei Baldvin. 'Niets anders.'

'En het elektroshockapparaat?'

'Ik wilde haar geruststellen.'

'Ik neem aan dat het meeste wat je mij verteld hebt over hoe je haar hebt doodgemaakt juist is. En ik neem aan dat ze zich vrijwillig door je heeft laten doden. Maar ze wilde ook leven. Ik acht het waarschijnlijk dat alles wat je mij verteld hebt over wat er gebeurde nadat ze in de jacuzzi het bewustzijn verloor, gelogen is.'

Baldvin gaf geen antwoord.

'Iets is er misgegaan en je hebt gemeend een zelfmoord in scène te moeten zetten,' zei Erlendur. 'Het zou piekfijn zijn geweest als ze was doodgegaan zoals je het wou en zoals je het zo goed had georganiseerd, als ze in de jacuzzi was gestorven. Maar dat deed ze niet, of wel?'

Nog steeds keek Baldvin hem aan, zwijgend.

'Je faalde ergens in,' ging Erlendur verder. 'Ze ontwaakte uit de dood. Waarschijnlijk had je haar al uit de jacuzzi gehaald en was je bezig haar in bed te leggen. Je had een hartstilstand bewerkstelligd. Niemand zou er anders over denken. Sectie zou een hartaanval door natuurlijke oorzaken aantonen. Je bent dokter. Je weet dat. Je zou ermee wegkomen. María beet in het aas. Het enige wat je moest doen was haar teleurstellen. Haar vertrouwen schenden. Vertrouwend op de onschuld die lang in de boezem van de wanhoop had verkeerd. Niet bepaald manhaftig, maar je bent ook niet bepaald een grote held.'

Karólína keek omlaag naar de vloer.

'Misschien had je haar al in bed gelegd,' zei Erlendur. 'Je wilde voor de laatste maal haar pols voelen voordat je je terug naar de stad spoedde. Je had al hiernaartoe opgebeld, waar Karólína voor je opnam. Je wou het eruit laten zien alsof María had opgebeld. Je voelde voor de laatste maal María's pols en tot je grote schrik was ze nog steeds in leven. Ze was niet dood. Haar hartslag was zwak, maar het hart klopte. Ze begon te ademen. Het risico bestond dat ze wakker zou worden.'

Karólína luisterde zwijgend naar Erlendur. Ze vermeed het hem aan te kijken.

'Misschien werd ze wakker. Misschien opende ze haar ogen zoals je het beschreef en was ze naar de overkant, naar een andere wereld gegaan. Misschien had ze iets gezien, het is echter waarschijnlijker dat ze niets heeft gezien. Misschien zei ze iets tegen je over haar ervaring, maar daar had ze niet veel tijd voor. Bovendien was ze uitgeput.'

Baldvin gaf geen antwoord.

'Misschien realiseerde ze zich wat je aan het doen was. Ze is waarschijnlijk te zwak geweest om zich te verzetten. We hebben geen sporen van geweld gevonden. We weten dat María stikte nadat de strop om haar hals zich straktrok.'

Karólína stond op en ging naar Baldvin.

'Langzaamaan ebde het leven uit María weg en ze stierf.'
Karólína omarmde hem en keek naar Erlendur.
'Is het niet zo gegaan?' vroeg Erlendur. 'Was het niet zo toen María uiteindelijk stierf?'
'Ze wilde het zelf,' zei Baldvin.
'Sommige dingen misschien, maar niet alles.'
'Ze vroeg erom.'
'En je deed haar een plezier.'
Baldvin keek Erlendur uitdrukkingsloos aan.
'Ik denk dat je beter kunt vertrekken,' zei hij.
'Zei ze iets?' vroeg Erlendur. 'Over Leonóra?'
Baldvin schudde zijn hoofd.
'Iets over haar vader?' vroeg Erlendur. 'Ze moet iets over haar vader hebben gezegd.'
'Je moet gaan,' zei Baldvin. 'Het zijn waanideeën van je. Ik zou een aanklacht tegen je moeten indienen wegens molest.'
'Zei ze niets over haar vader?' vroeg Erlendur weer.
Baldvin gaf geen antwoord.
Erlendur keek hen lang aan. Toen liep hij in de richting van de voordeur.
'En nu?' vroeg Karólína. 'Wat ben je van plan hiermee te doen?'
Erlendur deed de buitendeur open en draaide zich om.
'Het lijkt me dat het jullie gelukt is,' zei hij.
'Wat gelukt?' vroeg Baldvin.
'Datgene wat jullie van plan waren,' zei Erlendur. 'Jullie moeten het van elkaar hebben begrepen.'
'Ben je niet van plan iets te doen?' vroeg Karólína.
'Er is weinig wat ik kan doen,' zei Erlendur, die de deur achter zich dicht wilde trekken. 'Ik zal de zaak aan mijn meerderen voorleggen, maar...'
'Wacht even,' zei Baldvin.
Erlendur draaide zich om.
'Ze noemde haar vader,' zei Baldvin.
'Dat lijkt me aannemelijk,' zei Erlendur. 'Ze heeft dat waarschijnlijk als allerlaatste gedaan.'
Baldvin knikte.
'Ik dacht dat ze contact wilde met Leonóra,' zei hij.
'Maar dat was niet zo, of wel?' vroeg Erlendur.
'Nee,' zei Baldvin.
'Ze verlangde ernaar haar vader te ontmoeten, nietwaar?' vroeg Erlendur.
'Ik heb nooit helemaal begrepen wat ze zei. Ze wilde dat hij haar zou vergeven. Wat moest hij haar vergeven?'
'Dat zul je nooit begrijpen.'

'Wat?'

Baldvin staarde Erlendur aan.

'Was het... was het... María? Ze was met hen in de boot toen Magnús stierf. Verweet ze het zichzelf hoe hij omkwam?'

Erlendur schudde zijn hoofd.

'Je had geen zieliger slachtoffer kunnen vinden,' zei hij en hij trok de deur achter zich dicht.

Hij liep snel het verzorgingstehuis binnen en liep de trappen op naar de afdeling waar de oude man lag. Hij was niet in zijn kamer en Erlendur kreeg te horen dat hij naar een andere kamer was verplaatst. Erlendur haastte zich daarheen en werd binnengeleid bij de oude man, die onder zo'n dik dekbed lag dat alleen zijn hoofd was te zien, zijn uitgemergelde gezicht en zijn benige handen die op het dekbed lagen.

'Hij is kortgeleden overleden,' zei de verpleger die achter hem aan was gekomen. 'Hij is kalm heengegaan. Hij heeft zich nooit druk over de dood gemaakt.'

Erlendur ging bij het bed zitten en pakte de hand van de overledene vast.

'Davíð was verliefd,' zei hij zachtjes. 'Hij...'

Erlendur streek over het voorhoofd van de man. Hij zag Davíð en Guðrún voor zich toen het uiteindelijk duidelijk was dat ze niet uit de auto konden komen en ze pakten elkaars hand vast, volkomen berustend in hun lot terwijl hun leven wegebde en hun hart in het koude water ophield te kloppen.

'Ik had wat eerder hier willen zijn,' zei hij.

De verpleger ging stil de kamer uit en ze waren alleen.

'Hij was een meisje tegengekomen,' zei Erlendur na lang zwijgen. 'Hij stierf niet alleen. Het was een ongeluk. Hij pleegde geen zelfmoord. Hij was niet depressief of triest toen hij stierf. Hij was gelukkig. Hij was verliefd op een meisje dat hij had leren kennen en ze maakten samen plezier – ze waren in een overmoedige bui, je zou het hebben begrepen. Ze stierven samen. Hij was met zijn meisje en hij wou jullie beslist over haar vertellen als hij thuis zou komen, dat ze op de universiteit zat en vrolijk was en dat ze vreselijk van meren hield. Dat zij zijn meisje was. Voor eeuwig zijn meisje.'

37

Hij stond bij het verlaten huis dat zijn oude thuis was geweest en hij keek omhoog in de richting van de Harðskafi. Je kon de berg niet goed zien vanwege de rijpmist die eeuwig omlaag naar de fjord zakte. Hij was goed warm aangekleed, hij had zijn oude bergschoenen aan, een dikke gewatteerde broek en een warme winterjas. Hij staarde lang ernstig zwijgend omhoog naar de berg voordat hij te voet op pad ging met prikstokken en een kleine rugzak over zijn schouders. Hij vond zonder problemen de weg en hij was omhuld door het zwijgen van de natuur die om hem heen in winterslaap lag. Eer hij een eind op weg was, was hij in de koude mist verdwenen.

Uitgeverij Querido stelt alles in het werk om op milieuvriendelijke en duurzame wijze met natuurlijke bronnen om te gaan. Bij de productie van dit boek is gebruikgemaakt van papier dat het keurmerk van de Forest Stewardship Council (FSC) mag dragen. Bij dit papier is het zeker dat de productie niet tot bosvernietiging heeft geleid.

Mixed Sources
Productgroep uit goed beheerde bossen
en andere gecontroleerde bronnen
www.fsc.org Cert no. SCS-COC-001256
© 1996 Forest Stewardship Council